ALPENÜBERQUERUNGEN

Frank Gerbert

ALPENÜBERQUERUNGEN

Meine 10 Routen übers Gebirge
von Nord nach Süd

INHALT

EINFÜHRUNG

Was Sie von diesem Buch erwarten dürfen ... 6

Wege über die Alpen – früher und jetzt ... 7

Warum gerade Alpenüberquerungen? ... 16
Ein paar Infos über mich

Wie man eigene Alpenüberquerungen planen kann ... 19

Meine 10 Alpenüberquerungen ... 27
Routen und Erläuterungen

ALPENÜBERQUERUNGEN

1. Oberstdorf – Como ... 34
Ein Neuling kämpft sich nach Süden

2. Oberammergau – Vittorio Veneto ... 48
Wetterstein, Karwendel, Dolomiten – der Trail der bleichen Berge

3. Salzburg – Tolmezzo ... 66
In der Kürze liegt die Würze (und die Härte)

4. Thun – Biella ... 78
Der Jungfrau-Matterhorn-Monte Rosa-Weg

5. Scheibbs – Graz ... 92
Kurz vor Wien wird's gemütlicher

6. Schliersee – Bassano del Grappa ... 102
Der lange und gewundene Weg

7. Rorschach – Mendrisio ... 122
Durch die Schweiz auf ungewöhnlicher Route

Zedlacher Alm und Frosnitzbach am Venedigerhöhenweg (Tour 6)

8. Mondsee – Bled *136*

Hinter dem Salzkammergut wartet Neuland

9. Neuschwanstein – Garda *150*

Der Klassiker E5 in der Neufassung

10. Luzern – Brissago *172*

Bekanntes und Unbekanntes zwischen Vierwaldstättersee und Lago Maggiore

ANHANG

Kleines ABC der Alpenüberquerung *194*

Impressum *224*

WAS SIE VON DIESEM BUCH ERWARTEN DÜRFEN

Vielleicht bin ich der einzige Mensch, der die Alpen schon zehnmal zu Fuß auf zehn verschiedenen, selbst gewählten Routen überschritten hat.

Ich werde zwar keinen Antrag stellen, ins Guiness-Buch der Rekorde aufgenommen zu werden. Aber nachdem mich das Alpenüberqueren in den vergangenen 17 Jahren so sehr bewegt hat, kam ich auf die Idee, meine Strecken und Erfahrungen festzuhalten und an die Öffentlichkeit zu bringen. Und weil angesichts meines Alters (Jahrgang 1955) wohl auch nicht mehr allzu viele transalpine Touren hinzukommen werden.

Auf den folgenden Seiten versuche ich Antworten zu geben auf Fragen, die sich viele stellen, die erwägen, einmal (und dann vielleicht noch öfter?) über das Gebirge im Zentrum Europas zu wandern. Etwa:

- Kann ich das auch? (Welche Fitness und Erfahrung benötigt man?)
- Ist es gefährlich?
- Wie teuer ist es?
- Warum Alpenüberquerungen, und nicht bloß mehrtägige Touren in den Bergen?
- Wie plant man eine eigene Route?
- Wie organisiert man die Tour, was Verpflegung und Übernachtungen betrifft?
- Spricht etwas dagegen, Teilstrecken mit Seilbahnen und anderen Verkehrsmitteln zurücklegen?

Alle, die sich das Planen ersparen wollen, können aus den von mir beschriebenen Touren wählen. Losgehen sollten Sie aber nur, wenn Sie sich durch Übung auf die alpinen Bedingungen eingestellt haben.

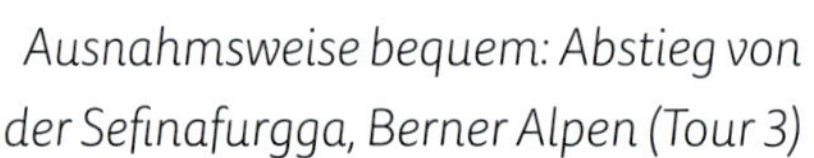

Ausnahmsweise bequem: Abstieg von der Sefinafurgga, Berner Alpen (Tour 3)

WEGE ÜBER DIE ALPEN – FRÜHER UND JETZT

Die Mumie Ötzis, des Mannes aus dem Eis, wurde nahe einer Route gefunden, die heute unter alpenüberquerenden Wanderern sehr populär ist. Der erste Transalpinist ist er aber sicher nicht gewesen, damals vor 5200 Jahren. Offenbar lebte er in den Tälern weiter unten, und er wurde auch nicht Opfer einer Trekking-Leidenschaft, sondern hatte sich Feinde gemacht, die ihn verfolgten und umbrachten.
Der Fall Ötzi zeigt indes, dass die Alpen schon in der Steinzeit bis in große Höhen von Menschen begangen wurden. Sie sind sogar bereits kurz nach dem Zurückweichen der Gletscher am Ende der letzten Eiszeit, vor rund 10.000 Jahren, in die Täler vorgedrungen. Und wohl schon bald, nachdem die niedrigeren Pässe eisfrei wurden, sind einige über die Alpen gezogen.
Vernünftigerweise nutzten die Menschen auch später, in historischer Zeit, vor allem die einfachsten Übergänge, denn sie wollten keine unnötigen Strapazen und keine überflüssigen Gefahren auf sich nehmen. Aus den Routen entwickelten sich Handelswege, die auch von Pilgern und anderen Reisenden genutzt wurden. Lange aber blieben Alpenüberquerungen Unternehmungen mit einem gewissen Risiko: Überschwemmungen, Steinschlag, Kälteeinbrüche, Schneefall und Lawinen konnten Not und Tod bringen.

Milchkuh interessiert sich für Alpenüberquererin (Sarntaler Alpen, Tour 2).

Erst ab dem 19. Jahrhundert entstanden gute Straßen sowie Eisenbahnen, und seit einigen Jahrzehnten sogar Autobahnen. Für den heutigen Alpenwanderer sind diese Routen durch ihre Erschließung aber unattraktiv geworden. Zwar findet man auch Reiseanbieter, die für eine Fußtour auf dem »Goethe-Weg« (über den Brenner) oder auf der Via Claudia Augusta (über den Fern- und Reschenpass) werben, doch sehr viel Erfolg werden sie damit nicht haben. Wer trottet gern wochenlang im Lärmpegel und Abgasdunst vielbefahrener Straßen?

Der heute selten begangene Griespass zwischen der Schweiz und Italien (Tour 10)

Freilich: Der Ruf der alten, gefährlichen transalpinen Routen, ausgehend von Hannibal und seinen Elefanten bis zu den Kutschenpassagieren am Gotthard-Pass, die sich die Augen verbinden ließen, um nicht in die Abgründe blicken zu müssen, nährt die Faszination, die von einer neuen Art von Alpenüberquerungen ausgeht. Diese neuen Gebirgsüberschreitungen beziehen ihren Reiz gerade daraus, dass sie mühsam und »eigentlich unnötig« sind. Ihr Motiv ist teilweise ein sportliches, und sie sollen außerdem schöne und spannende Erlebnisse bescheren (sowie den Begehern vielleicht auch ein gewisses Prestige verleihen). Wahrscheinlich reizt auch die schiere Höhe, in der man sich bewegt, oft über 2000, manchmal über 3000 Meter. Die Alpenüberquerenden kommen dem Himmel so nah wie sonst kaum in ihrem Leben, und selbst wenn sie nicht daran glauben, dass dort höhere Wesen wohnen, genießen sie das Zusammenspiel der Elemente und Naturkräfte.

Diese neuartigen Alpenüberquerungen sind Teil des weltweiten Trekking-Tourismus, der in den letzten Jahrzehnten immer populärer geworden ist. Fast in allen Gebirgen der Welt sind Wanderer mehrtägig oder noch länger unterwegs. Die meisten Hochgebirge sind jedoch so dünn besiedelt, dass es keine oder nur seltene Übernachtungsmöglichkeiten in Behausungen gibt, so dass sich die Trekker mit

eigenem Zelt, Schlafsack und Proviant behelfen müssen und dafür einen sehr schweren Rucksack zu tragen haben.

Behausungen für Bergwanderer in ausreichender Dichte gibt es außerhalb Europas meines Wissens nur im nepalesischen Himalaja, mit der Folge, dass vor allem das Gebiet am Mount Everest inzwischen völlig überlaufen ist. Und in Neuseeland, wenn auch oft primitiv ausgerüstet.

In Europa sind Berghütten weiter verbreitet; doch außerhalb der Alpen stehen sie auch nicht gerade dicht an dicht. Wer in Skandinavien, den Pyrenäen oder Korsika trekken will, muss frühzeitig reservieren oder doch Schlafsack und Zelt mitnehmen.

Allein in den Alpen gibt es ein engmaschiges Netz von Berghütten, von solchen der Alpenvereine, aber auch von privaten Anbietern. Und nicht nur das. Weil die Alpen dicht besiedelt sind, gibt es auch viele Talorte, und weil der Tourismus hier schon lange Fuß gefasst hat, auch mit vielen Unterkünften. Die Alpen sind das am besten erschlossene Hochgebirge der Welt, und dennoch zeigen sie auch noch eine Menge an reizvoller Wildnis.

Bilderbuch-Italien: Malcesine am Gardasee, vom Monte Baldo aus (Tour 9)

Schon seit Ende des 19. Jahrhunderts sind unternehmungslustige Wanderer zu Mehrtagestouren aufgebrochen; meist folgten sie Höhenwegen, einer Kombination von Tageswanderungen von Hütte zu Hütte. Ins Tal stieg man zumeist nur am Ende der Unternehmung ab.

Alpenüberquerungen zu Fuß auf alpinen Wegen wurden, so meine ich, erst im Verlauf der 1990er-Jahre so richtig populär – auch wenn Ludwig Graßler den **»Traumpfad München – Venedig«** schon 1977 kreierte. Alpenüberquerungen erfordern grundsätzlich ein Mehr an Höhenmetern im Auf- und Abstieg als Höhenwege, denn die Gebirgszüge verlaufen meistens in etwa parallel zum Rand der Alpen. Ein Alpenüberquerer muss also, wie der Begriff schon anklingen lässt, einen Gebirgskamm nach dem anderen überschreiten und dabei oft ins jeweils nächste Tal absteigen. Jedenfalls dann, wenn er nicht einfach in den Tälern von Rhein oder Etsch gehen will, denn dort ist ja schon die motorisierte Konkurrenz unterwegs.

Darum spreche ich hier schon eine Warnung aus: **Alpenüberquerungen sind mit das Anstrengendste, was an Bergwandern denkbar ist.** Bei den meisten, die ich geplant und dann absolviert habe, muss man auf einer durchschnittlichen Tagesetappe zwischen 800 und 1000 Höhenmeter auf- und wieder absteigen. Ich habe mir das nicht aus Masochismus so ausgedacht; es geht gar nicht anders, wenn man in schönen Gegenden unterwegs sein will. Bei Alpenüberquerungen, die andere konzipiert haben, müssen Sie übrigens mit ähnlichen Dimensionen rechnen.

Eine transalpine Tour kann man nur genießen, wenn man auch im langen Aufsteigen einen Reiz findet. Ich bin selbst kein Supersportler und musste für meine erste transalpine Tour kräftig trainieren, doch bald stellte sich bei mir beim Aufsteigen jener »Flow« ein, den der Psychologe Mihalyi Csikszentmihalyi erstmals beschrieb. Bald setzte ich Fuß vor Fuß, ohne die Anstrengung zu spüren, ja, das Steigen gefiel mir sogar.

Außerdem geht man auf Alpenüberquerungen auch längere Strecken als auf Höhenwegen. Die von mir beschriebenen dauern zwischen knapp zwei Wochen und gut vier.

Die ersten transalpinen Routen für Wanderer (neben dem schon erwähnten »Traumpfad«) wurden wohl auch, wie dieser, in den 1970er-Jahren beschrieben. Es handelt sich um mehrere **Europäische Fernwanderwege**, und die Routen wurden vom Europäischen Wanderverband, einer Dachorganisation der Wandervereine des Kontinents, auf Basis schon vorhandener Wege festgelegt. Die »E-Wege« führen durch einen großen Teil Europas, und einige dabei über die Alpen. Der einzige dieser Wege mit größerem Bekanntheitsgrad ist **der E5**, jedenfalls in seinem Abschnitt zwischen Oberstdorf und Bozen. Statt der ursprünglichen Route übers Timmelsjoch wählen die meisten Begeher eine westlichere Variante, übers Niederjoch und die Similaunhütte (oberhalb derer 1991 Ötzi gefunden wurde).

Der E5 dürfte sogar die am häufigsten begangene Alpenüberquerung sein, da ihn auch viele Tourenanbieter im Programm haben – allerdings beenden fast alle das Trekking in Meran oder Bozen, und schon ein flüchtiger Blick auf die Landkarte zeigt, dass damit die Alpen erst etwa zur Hälfte überquert sind. Statt von Alpenüberquerung sollte man in diesem Fall nur von »Überquerung des Alpenhauptkamms« sprechen.

Die Entwickler der »E-Wege« legten vor allem Wert darauf, dass es am Ende der Etappen immer Übernachtungsmöglichkeiten gibt; nicht immer hat man der Schönheit und Ursprünglichkeit der Landschaft die gleiche Bedeutung beigemessen. Das zeigt sich vor allem beim **E1**, der die Schweiz auf jener Route durchquert, die auch die Gotthard-Eisen- und Autobahn nimmt, auch wenn der Weg oft an den Talhängen verläuft.

Teile der Wege E6 und E10 in den Alpen sind durchaus brauchbar; »meine« Alpenüberquerungen haben ein paar Etappen mit ihnen gemeinsam, weil sie über Passübergänge und Gebirgsstrecken führen, die naheliegend sind, wenn man eine Route konzipiert.

Neueren Datums sind die **»Via Alpina«-Weitwanderwege**. Es gibt derer fünf, nach Farben benannt. Von der EU finanziell gefördert, sollen sie den sanften Tourismus ankurbeln, wurden also vor allem geschaffen, damit Berghütten, aber auch Unterkünfte in Talorten besser ausgelastet werden. Die Absicht ist zu loben, und es sind auch großartige Berggebiete dabei. Was aber die Wegführung betrifft, verstehe ich das Konzept nicht ganz. Denn die Viae Alpinae führen weder – nach dem Prinzip der Höhenwege – parallel zu den Bergketten längs durch die Alpen, noch sind sie als Alpenüberquerungen konzipiert. Sondern sie sind ein seltsames Mittelding und kurven irgendwie schräg und in (aus meiner Sicht) unmotivierten Schlenkern durchs Gebirge.

In den letzten Jahren hat der **»Alpe Adria Trail«** einen gewissen Bekanntheitsgrad errungen. Auch er ist keine Alpenüberquerung, da er erst vom Fuß des Großglockners aus grob in Richtung Süden führt. Wobei er Kärnten, Slowenien und Friaul in einem wilden Hin und Her durchquert und mindestens die doppelte Länge erreicht, mit der eine sinnvolle Route auskäme. Dahinter steckt das Kalkül der Fremdenverkehrsverbände dieser Regionen, die den Wegverlauf ausgeheckt und sich offensichtlich bemüht haben, möglichst viele Ortschaften einzubeziehen. Sicher gibt es eindrucksvolle Abschnitte auf dem Alpe Adria Trail, doch ich für meinen Teil mag keine Weitwanderwege begehen, deren Verlauf so deutlich von einem kommerziellen Interesse bestimmt wird.
Andere neuere Fernwanderwege in den Alpen (und im nichtalpinen Deutschland) sind ebenfalls Konstrukte von Tourismusverbänden, die unter dem Druck stehen, die Auslastung ihrer gastronomischen Betriebe zu verbessern, und deshalb auf seltsame Zickzack-Routen verfallen. Da es immer besser ist zu wandern als nicht zu wandern, möchte ich dagegen auch nicht viel einwenden – die Fortgeschrittenen unter den Wanderern sollten allerdings Wege wählen, auf denen sie nicht allzusehr an der Nase herumgeführt werden.

Nach meinem Schönheitsgefühl muss ein Weitwanderweg eine einleuchtende Wegführung, und außerdem eine Art Seele haben. Es kann sich zum Beispiel um

Berchtesgaden mit dem Watzmann. Auf Tour 3 kann man ihn von Norden, Osten und Süden bewundern.

HOTEL

einen historischen Weg oder einen Pilgerweg handeln. Allerdings sind, da Kaufleute und Pilger fast immer die am wenigsten anstrengenden Wege genommen haben, diese historischen Pfade heute meist von Straßen belegt, so dass es unschön ist, sie zu begehen. Auch der Hauptweg des Jakobswegs in Spanien, der Camino Francés, läuft allzu oft neben einer Straße her, manchmal nah an ihr, manchmal ein, zwei Steinwürfe entfernt. Ich persönlich mag den Jakobsweg schon deshalb nicht so sehr, da es sich bei ihm um ein Relikt von religiösem Fanatismus handelt – und mir viel zu viele Leute auf ihm unterwegs sind.

Die zweite Möglichkeit eines »guten« Fernwanderwegs besteht meines Erachtens darin, dass er ein Gebirge, oder ein Land, oder eine abgrenzbare Region, mehr oder weniger ganz durchquert. Schulbeispiele sind dafür der Appalachian Trail und der Pacific Crest Trail in den USA, die das östliche und das westliche Randgebirge der Vereinigten Staaten komplett durchlaufen. Leider kommen diese Wege für die meisten Sterblichen nicht in Frage, denn man muss nicht nur sehr viel Zeit mitbringen, sondern auch, mangels fester Unterkünfte, alles Notwendige auf dem Rücken schleppen.

Doch auch transalpine Trails haben, finde ich, eine Seele, weil sie einen geschlossenen Landschaftsraum auf einer sinnvollen Route durchqueren. Diese braucht nicht die kürzeste Verbindung zwischen Start und Ziel zu sein, sollte aber mit der Zeit und der Kraft der Wandernden ökonomisch umgehen. Und, großer Vorteil, man kann das Zelt zuhause lassen.

Die Seele einer Alpenüberquerung hat auch mit der archaischen Anmutung zu tun, ein schönes Gebirge, das gleichzeitig ein großes Verkehrshindernis ist, durch eigene Körperkraft zu überwinden.

Faszinierend sind zudem die unterschiedlichen Klima- und Vegetationszonen, die man sowohl vertikal als auch in Nord-Süd-Richtung durchquert. Und natürlich die Wechsel in den Gestalten der Berge, zum Beispiel zwischen dem dunklen Kristallin und dem hellen Kalkstein, welcher oft von Karsterscheinungen durchsetzt ist.

Hinzu kommen die verschiedenen Kulturkreise mit ihren unterschiedlichen Sprachen, Baustilen, Landessitten. Ein kurioses Beispiel dafür ist der »Federbett-Äquator«, den man überschreitet, wenn man von der Schweiz nach Italien kommt oder von Südtirol aus ins »richtige« Italien. Nördlich schläft man (in Hotels und Pensionen) in Federbetten, südlich muss man sich unter ein Leintuch klemmen und darüber eine Wolldecke ziehen.

Eine Alpenquerung zeigt auch ein realistischeres Bild der Berge, als wenn man sich nur auf touristische Ziele beschränkt. Da kommt man auch mal an Gewerbe-

gebieten vorbei oder öden Neubausiedlungen. Ich sehe so etwas eher als Bereicherung denn als Beeinträchtigung.
Alpenüberquerungen sind auch immer Wege abseits des Massentourismus, denn nicht allzu viele Menschen muten sich diese Anstrengung zu. Punktuelle Ausnahmen gibt es: Meine Routen führen auch über Orte wie Davos, Grindelwald, Zermatt, Garmisch-Partenkirchen und Berchtesgaden, die von vielen Touristen besucht werden. Aber meistens ist dort auch die Bergszenerie besonders spektakulär. Eher versuche ich, die großen Ski-Zentren zu umgehen, wo überall Bergbahnmasten herumstehen und die Hänge zum bequemeren Befahren planiert wurden. Im Sommer sehen solche Gebiete besonders scheußlich aus. Einige Male ließen sich aber auch solche Gegenden nicht vermeiden.

Der Autor während Tour 2. Hier beliebt er zu scherzen.

WARUM GERADE ALPENÜBERQUERUNGEN?

Ein paar Infos über mich

Dass jemand gerne Alpenüberquerungen unternimmt, ist ja schön und gut, aber warum entwerfe ich meine eigenen, und das gleich zehnmal hintereinander?
Ich habe wohl einen Spleen.
»Ein Spleen – auch Fimmel, Tick sowie eine Marotte oder Schrulle – bezeichnet umgangssprachlich meist abwertend eine leichte Verrücktheit oder fixe Idee. Der Begriff wird oft im Zusammenhang mit Exzentrikern verwendet.«
Ich halte diese Definition in Wikipedia für nicht ganz zutreffend; ich würde mein Alpenüberqueren keinesfalls als Fimmel, Tick, Marotte oder Schrulle bezeichnen, dafür ist es zu ernst. Schließlich begebe ich mich in eine gewisse Gefahr und gebe einiges an Geld dafür aus.

Eine Leidenschaft möchte ich es aber auch nicht nennen, dafür ist es wieder zu spielerisch, und nicht bedingungslos genug. Ich lebe nicht mit meiner ganzen Existenz fürs Alpenüberqueren; es ist mir nicht so wichtig wie zum Beispiel manchen Extrembergsteigern das Besteigen aller Achttausender oder der »Seven

Summits« auf allen Kontinenten. Nein, der Begriff Spleen erscheint mir treffend; ich verstehe ihn als Beschreibung eines Mittelwerts zwischen Marotte und Leidenschaft.

So ein Spleen kommt aber nicht aus dem Nichts. Er nahm seinen Anfang wahrscheinlich 1997 in Japan, als meine Frau und ich auf eigene Faust das Land besichtigten. Weil damals die heute üblichen Rollkoffer noch kaum verbreitet waren, wir aber mit den Shinkansen-Zügen und anderen öffentlichen Verkehrsmitteln reisten, hatte ich als Gepäck einen großen, 18 Kilogramm schweren Rucksack dabei. Zurück kehrte ich nicht nur mit schönen Eindrücken, sondern auch mit einer unschönen Bandscheibenvorwölbung.

Anfang 1999 wurde daraus ein Vorfall, als ich den neuen, noch schwerer beladenen Rollkoffer in einem Flughafen aufs Gepäckband hievte. Fast fünf Monate lang biss ich die Zähne zusammen, wechselte Ärzte, schluckte Schmerzmittel packungsweise, ließ mich von Physiotherapeuten kneten und von Akupunkteurinnen mit Nadeln stechen, bis ich mich dann doch unters Messer eines Chirurgen begab.

Danach ging es mir gleich wieder gut. Doch die Angst blieb, mit der Gesundheit könne es auch einmal vorbei und ich zu einem Leben als Couch-Kartoffel verurteilt sein. Ich wollte die Lebenszeit mit körperlicher Beweglichkeit, die mir noch blieb, besser nutzen, als ich das bisher getan hatte; ich war ja auch schon Mitte 40. Doch warum kam ich dann ausgerechnet auf Alpenüberquerungen?

Natürlich, die Kindheit. Mit den Eltern musste ich wandern gehen. Das liebte ich nicht besonders, meine ich mich zu erinnern, aber eine Nähe zu dieser Betätigung blieb doch in mir. Und die Alpen. Wir wohnten fern von ihnen, in Karlsruhe. Aber etwa alle zwei Jahre

◂ *Die Augusthitze treibt hoch weidende Schafe auf die Restschnee-Flecken. Erst jenseits der Jugend entdeckte ich das Fernwandern.* ▸

fuhren wir zum Skifahren in die hohen Berge. Und zweimal reiste ich mit meinem Vater auch im Sommer dorthin, zum Wandern.
Natürlich, der Vater. Er wuchs im Schwarzwald auf, und wurde später (in gewisser Weise) ebenfalls ein Alpenüberquerer, auch wenn die Zusammenhänge recht makaber sind. Als Soldat einer Gebirgsjägerkompanie, gerade mal 19 Jahre alt, überschritt er im September 1943 den Alpenhauptkamm von Frankreich aus ins abtrünnig gewordene Italien. Anfang 1944 ging es zurück nach Frankreich, um einen Aufstand der französischen Résistance niederzuschlagen, die sich auf einem Bergplateau namens Glières verschanzt hatte. Wahrscheinlich hat er keine Kriegsverbrechen begangen, wohl aber Aufständische im Kampf getötet oder – mit fatalen Konsequenzen für diese – gefangengenommen. Eine bittere Pointe ist, dass zu dieser Zeit sein jüngerer Bruder, auch als Gebirgsjäger in Frankreich, in einem Gefecht mit der Résistance den Tod fand.

Trotz der finsteren Begleitumstände, und obwohl er später seine Einsätze bedauerte, ist meinem Vater die Liebe zu den hohen Bergen geblieben, die er in den Urlauben mit der Familie auslebte. Kinder erspüren häufig die Emotionalität, die dem Tun der Eltern zugrunde liegt, und so wird sich die Alpenliebe auf mich übertragen haben. Und auch die Liebe zum Reisen ganz allgemein; beide Eltern kamen aus kleinen Verhältnissen und waren vor der Heirat nie weit verreist (nun ja, mit besagter Ausnahme meines Vaters).
So kam es wohl, dass in der Schule Erdkunde zu meinem Lieblingsfach wurde, und dass ich später auch Geografie studiert habe. Als Spezialgebiete wählte ich, unter anderem, die Alpen, die Kartografie und die Glazialmorphologie (die Formung der Landschaft durch die Gletscher der Eiszeit). Und immer hat es mir Spaß gemacht, Reisen genau zu planen.
Es gibt den psychologischen Begriff der Selbstwirksamkeit. Er bezeichnet, vereinfacht gesagt, die menschliche Erfahrung, sich etwas vornehmen zu können und dann zu erleben, dass es gelingt, das Vorhaben in die Tat umzusetzen. Für mich ist es immer eine große Genugtuung, eine Fernwanderung (oder auch nur einen erlebnisreichen Urlaub) von der Idee über die Planung bis zur Durchführung umzusetzen. Deshalb auch mein Unwille, mich an vorgefertigte Strecken zu halten.
Einer der schönsten Momente ist es, wenn ich, wieder zuhause, eine abgeschlossene Transalp-Tour mit der Computermaus in Google Earth einzeichne. Da leuchten mir inzwischen, in verschiedenen Farbtönen zwischen gelb, rot und violett, eine ganze Reihe von Routen entgegen.

Ein Spleen, wie ich schon sagte.

Das Reh im Umland von Scheibbs (Tour 5) war genauso erstaunt wie der Fotograf.

WIE MAN EIGENE ALPEN-ÜBERQUERUNGEN PLANEN KANN

Als ich 2002 und 2003 meine erste Tour plante, gab es zwar das Internet schon seit Längerem, allerdings noch keine brauchbaren Kartendienste. Und die Luftbilder von Google Earth waren noch so grob aufgelöst, dass man Wanderwege meist nicht erkennen konnte. Man musste zu Karten aus Papier greifen oder CD-ROM's oder DVD-ROM's der Kartenverlage erwerben. Ich entlieh mir Karten aus der Stadtbücherei und von meiner DAV-Ortsgruppe.

Aber am Anfang steht immer die grundsätzliche Frage: Zu Karten welcher Regionen soll man überhaupt greifen?

Idealerweise hat man eine Idee, durch welchen Teil der Alpen man denn am liebsten wandern möchte. Auch wenn es vielleicht nur eine einzige Region ist. Eine Region, die man schon kennt, aber so toll fand, dass man wieder hin möchte. Oder eine Region, von der man Positives gehört oder gelesen hat, und die man endlich einmal erkunden will.

Das ist sozusagen der Haken, an dem alles andere aufgehängt wird. Welche Gegend liegt nördlich davon, welche südlich? Ist es dort auch schön genug, gibt es dort ein ausreichendes Netz von Wegen? Und wenn man dann die Strecke nach Nord und Süd fortsetzt: Von welchem Ort aus könnte ich starten, an welchem könnte ich ankommen?

Bei meiner ersten Überquerung war, wenn ich mich recht erinnere, das östliche Graubünden der besagte Haken, mit der mir bis dahin unbekannten Gegend zwischen Davos und dem Engadin, und den Bernina-Alpen. Ich verlängerte die Route

Durnholz im Gewitterlicht (Sarntaler Alpen, Tour 2)

von Davos nach Norden, schloss Pässe mit Straßen aus und landete dann fast zwangsläufig bei jenen Startetappen, die Sie in der Tourbeschreibung nachlesen können. Im Süden wollte ich zunächst über die Bergamasker Alpen nach Bergamo gehen. Die fand ich spannend, weil sie in Deutschland völlig unbekannt sind.

Dann passierte, was bei der Planung einer Überquerung immer mal passieren kann. Zwischen dem Oberengadin bei Maloja und Italien gibt es zwar einen hübschen Passübergang, doch dann fand ich keinen gangbaren Weg über die nördliche Kette der Bergamasker Alpen, die über dem Veltliner Tal bis auf rund 3000 Meter emporragen. Die Übernachtungsmöglichkeiten sind so weit voneinander entfernt, dass ich einfach keine Route fand.

Nun musste ich grundsätzlicher umplanen. Vom Malojapass kann man auch ins Bergeller Haupttal absteigen, und dort gibt es einen Höhenweg »La Panoramica«, der in die berühmte Ortschaft Soglio führt. Sehr gut! Dann folgten freilich zwei höchstens mittelprächtige Etappen bis zum Comer See. Nun, man kann nicht alles haben. Am Ende lockte dann wieder eine schöne Panorama-Strecke.

Bei der 4. Alpenüberquerung hatte ich zwei »Haken«, die Berner Alpen und das Oberwallis um Zermatt und das Matterhorn. Zunächst musste ich herausfinden,

Das bezaubernde Dorf Vrin nahe des Greina-Hochtals (Tour 7)

wie man fußläufig die Berner Alpen zum Rhonetal hin überqueren kann, und dann, wie man in die Gegend um Zermatt gelangt, ohne ständig neben Straßen oder Eisenbahnschienen herzulaufen. Für beides gab es attraktive Lösungen; also musste nun noch die Passage bis zu den Berner Alpen geklärt werden, und, was schwieriger war, die Passage von Zermatt nach Süden. Da ich für letztere eine Gletscherüberquerung vermeiden wollte, war es nötig, aufs östlicher gelegene Saas-Tal auszuweichen. Ich konnte auf Teile des Fernwegs »Tour Monte Rosa« zurückgreifen. Doch für die letzten drei Etappen musste ich dann die topographischen Karten der nördlichen Lombardei und des Aosta-Tals genau studieren, um einen gangbaren und möglichst attraktiven Weg in die Ebene zu finden.

Nun nutzt die schönste Routen-Idee nichts, wenn man keine passende Übernachtungsmöglichkeit findet. Auf den Karten, seien sie analog oder digital, sind zwar Berghütten meist schon eingetragen. Aber immer muss man noch überprüfen, ob sie überhaupt Übernachtungen anbieten (manche sind nur »Jausenstationen«), ob sie in der Zeit, in der man unterwegs ist, geöffnet haben (Mitte September machen die ersten zu) und ob sie nicht wegen irgendeines Umstands (Renovierung, Pächterprobleme) in dieser Saison ohnehin geschlossen sind.

Plant man, in Hotels zu übernachten, die auf Bergen liegen, sollte man auch die Preise checken. Vor allem in der Schweiz gibt es auf Gipfeln oder Aussichtspunkten schöne »Adlerhorste« (Rigi, Pilatus, Brienzer Rothorn, Faulhorn, Kleine Scheidegg, Riffelalp und manche mehr), in denen aber schon fürs Einzelzimmer ein dreistelliger Euro-Betrag fällig werden kann.
Für das Übernachten in Talorten ist zu beachten, dass in kleinen, unbekannten Orten nicht immer eine Übernachtungsmöglichkeit besteht. Näheres zur Frage »Reservieren oder spontan unterwegs sein?« behandle ich im Anhang »ABC der Alpenüberquerung« unter dem Stichwort »Übernachtung«.

Heute gibt es Hilfsmittel im Internet, die das Planen erleichtern. Etwa die Seite »Waymarked Trails: Wanderwege« (hiking.waymarkedtrails.org). Diese habe ich allerdings erst vor kurzer Zeit entdeckt. In die Open Street Map sind hier Fernwanderwege auf der ganzen Welt eingetragen, wenn sicher auch nicht alle erfasst sind. Aber für die Alpenländer sind die Fernwege ziemlich komplett – falls diese von irgendeiner Institution festgelegt und mit einem Namen versehen wurden. Beim Klick auf einen bestimmten Weg wird dieser hervorgehoben. Gesamtlänge und Höhenprofil sind abrufbar, und weitere Klicks führen zu einem Download als kml- oder gpx-Datei. Kml lässt sich dann z.B. in Google Earth öffnen und so die Wegführung in der Geländesimulation begutachten.
Ausgehend von den dort aufgeführten Wegen, kann man nun versuchen, zwei oder mehr Wege zu einer Alpenüberquerung zu kombinieren. Allzu viele Möglichkeiten gibt es aber nicht. Denn die Seite zeigt, wie erwähnt, nur die offiziellen Fern- und Mehrtageswege an, keineswegs alle Wanderwege in den Alpen. Deshalb braucht man noch weitere Tools.
Sehr hilfreich ist der »Tourenplaner«. Zu ihm gelangt man im Internet über alpenvereinaktiv.com/de/tourenplaner oder outdooractive.com. Die Nutzung ist allerdings gebührenpflichtig; gratis gibt es nur eine Version mit stark eingeschränkter Funktionalität. In der Pay-Version werden praktisch alle Fußwege in den Alpen, und teils auch außerhalb, auf einem beliebig zoombaren und verschiebbaren Kartenausschnitt dargestellt, und verschieden markiert: In einer breiten, durchgezogenen braunen Linie die Hauptwege und Fernwanderwege, in gestrichelter brauner Linie zusätzliche Wanderwege und in einer dünneren gestrichelten schwarzen Signatur sonstige, tendenziell eher dubiose Wege.

Von oben im Uhrzeigersinn: Gotthard-Massiv von Süden (Tour 7); Wanderweg bei Graz für den »Terminator« (Tour 5); Relikt aus dem Dolomitenkrieg (Tour 9); Edelweiß am Oberrothorn (Tour 4)

Arnold Schwarzenegger
Wanderweg
Gouverneur
von Kalifornien

Die herausragende Funktion des Tourenplaners ist nun die, dass durch Anklicken eines ersten und zweiten Punkts auf der Karte ein Wegvorschlag berechnet wird (ähnlich wie bei einem Straßen-Navi), und sogar automatisch Distanz, Höhenunterschiede, Höhenprofil und mutmaßliche Gehzeit berechnet werden. Klickt man weitere Punkte hinzu, werden die neuen Strecken zur Route addiert.

Um die Möglichkeiten – und Grenzen – dieses Tools zu verdeutlichen, kann man einen lustigen Versuch unternehmen: sich einfach eine komplette Alpenüberquerung vom Tourenplaner berechnen lassen. Ich tue das nun und klicke Oberstdorf und Como an, die Start- und Zielorte meiner ersten Transalp-Tour. Nach zwei Sekunden ist das Ergebnis da: eine Route von 305 Kilometern Länge mit 10.100 Metern im Aufstieg und 10.600 Metern im Abstieg. Die Strecke, die ich damals ging, hatte 266 Kilometer, 11.260 Höhenmeter Aufstieg und 14.010 Meter Abstieg.

Ich schaue mir die vorgeschlagene Route genauer an. Das erste Drittel zwischen Oberstdorf und dem Unterengadin ist gar nicht so übel, doch dann verläuft der Weg nur noch im Tal, durchs ganze Engadin bis zum Malojapass, und dann weiter bis zum Comer See und auf dessen voller Länge am dichtbesiedelten Ufer entlang. Deshalb sind auch die Höhenunterschiede geringer als bei meiner Tour. Die künstliche Intelligenz führt hier zu einem suboptimalen Ergebnis, einer überwiegenden Talwanderung. Immerhin gibt es einen gewissen Fortschritt: Als ich vor drei Jahren, für die erste Auflage dieses Buchs, diesen Versuch unternahm, wollte mich der Tourenplaner über 342 Kilometer führen, inklusive hochalpiner Strecken, die für einen Wanderer nicht zu bewältigen waren. Die Leute, die den Tourenplaner entwickelt haben, würden zu Recht einwenden, dass dieser nicht für das automatische Erstellen einer Alpenüberquerung geschaffen wurde.

Ja doch, der Tourenplaner ist nützlich, aber der User muss das Heft in der Hand behalten, eine grobe Linie im Kopf haben und das Tool erst zur Planung der einzelnen Etappen einsetzen. Dabei muss er – als Normalwanderer – darauf achten, dass keine Bergsteigerpfade vorgeschlagen werden (die tragen eine fein gepunktete Signatur), und natürlich darauf, dass es immer eine passende Übernachtungsmöglichkeit gibt. Die Unterkünfte können beim Tourenplaner in einer gesonderten Karte aufgerufen werden; allerdings werden, mit einigen Ausnahmen, nur Berghütten aufgeführt, und kaum Übernachtungsmöglichkeiten in den Talorten.

Auch wenn die Etappe, die das Tool vorschlägt, von der Länge und den Höhenmetern her machbar erscheint, sollte man sich nicht blind darauf verlassen, son-

Cortina d'Ampezzo unter der Pomagnon-Kette (Tour 6)

dern zusätzliche Quellen suchen, um sich zu versichern, dass der Weg für einen gangbar ist. Abgesehen davon, ist der Tourenplaner auch nicht fehlerfrei; manchmal verweigert er einfach, einen bestimmten Wegabschnitt in die Route einzubeziehen, ohne dass ein Grund dafür ersichtlich ist, und schlägt dann seltsame Umwege vor. Dann muss man Punkte eng hintereinander setzen, um ihm das zu verwehren. Manchmal hilft es auch, zwischen den verschiedenen Karten-Layern hin- und her zuwechseln – was bei der Openstreetmap nicht geht, klappt vielleicht bei der topographischen Karte, oder umgekehrt.

Den Tourenplaner gibt es auch fürs Smartphone, innerhalb der App »Alpenverein aktiv«. Die Etappen sollte man aber lieber am Computer planen. Die App erlaubt immerhin, sich Kartenausschnitte downzuloaden, die auch offline verwendet werden können. In der App kann man dann immer nachschauen, wo man gerade ist (dort, wo sich der blaue GPS-Punkt befindet), ob man noch auf dem richtigen Weg ist, ob man an der nächsten Abzweigung den Weg links oder halblinks nehmen muss, usw. Sehr schön: Eigentlich kann man sich so nicht mehr verirren!

Eine Alternative zu Outdooractive/Alpenvereinaktiv ist die App (und Desktopanwendung) Komoot. Die kenne ich nur flüchtig, da ich nun mal von Anfang an bei »den anderen« hängengeblieben bin, und kann sie also nicht beurteilen. Wer noch keine der beiden besitzt, kann ja Vergleiche anstellen.
Google Maps sind fürs Planen von Fußwegen ungeeignet, weil sie kaum welche zeigen. In Maßen hilfreich sind sie aber fürs Finden von Unterkunfts- und Verpflegungsmöglichkeiten sowie von Haltestellen von öffentlichen Verkehrsmitteln und deren Abfahrtszeiten. Das funktioniert nur bei Netzempfang, welcher in den Bergen oft nicht möglich ist.
Google Earth ist fürs Planen großartig, weil man die Wege, die man nehmen will, in der Geländesimulation verfolgen kann. Wichtig ist, dass die Berge realistisch dimensioniert sind; deshalb sollte bei Optionen/3D-Ansicht/Gelände/Höhenverstärkung der Wert auf 1 gesetzt sein. Andernfalls werden die Berge zu flach oder zu hoch und steil dargestellt. Das Kästchen darunter sollte angekreuzt sein: Gelände mit hoher Qualität verwenden.
Auf der Tour selbst kann die App von Google Earth nur bei funktionierender Datenverbindung eingesetzt werden. Und sie verbraucht dann viel Volumen.
Auf ein gutes Online-Angebot fürs Planen von Touren in der Schweiz möchte ich noch hinweisen:

Für das Gebiet der Schweiz sehr empfehlenswert ist schweizmobil.ch (auch als App). Die Anwendung basiert auf den sehr schönen Swiss-Topo-Karten, die man auch ausschnittsweise ausdrucken kann. Außerdem lassen sich über Layer nicht nur die Wanderwege, sondern auch sehr viele Übernachtungsmöglichkeiten, Haltestellen und weitere Infrastrukturpunkte einblenden. In der Bezahlversion kann man auch, ähnlich wie beim Tourenplaner, Routen anhand von Klicks erstellen und berechnen lassen.
Sollte Ihnen das alles zu kompliziert sein, dann gehen Sie einfach eine meiner folgenden Alpenüberquerungen nach. Allerdings rate ich auch in diesem Fall dringend dazu, meine Angaben vorab gegenzuchecken. Wege könnten gesperrt sein, Hütten geschlossen.
»Meine« Alpenüberquerungen konnte ich nur auf der Basis schon bestehender Wege entwickeln. Deshalb geht mein großer Dank an alle Menschen, die sich die Mühe gemacht haben, alpine Karten anzulegen und auf dem neuesten Stand zu halten, an die, die Karten und andere Inhalte im Internet bereitstellen, und nicht zuletzt an die Freiwilligen der Alpenvereine (und die Verantwortlichen mancher Tourismusverbände und Kommunen), die viele Wanderwege in Stand halten. Ohne Pflege verfallen alpine Wege schnell.

MEINE 10 ALPENÜBERQUERUNGEN

Routen und Erläuterungen

Ich beschreibe die Touren **in chronologischer Reihenfolge**, angefangen mit der von 2003. Weil mir damals und auch auf Überquerungen später manche Tagesetappen zu lang geraten sind, habe ich die Einteilung optimiert; dadurch empfehle ich hier manchmal andere Etappenorte, als ich sie gewählt habe. Die Routen an sich sind aber identisch mit den von mir gegangenen, mit einigen wenigen Ausnahmen: Ein paar Mal habe ich hochgelegene Abschnitte wegen Gewittergefahr oder stürmischen Winds ausgelassen. Ich gebe dann sozusagen den Idealweg für gutes Wetter wieder, füge aber hinzu, welche Umgehung ich gewählt habe.

Bei jeder Route gibt es zuerst einen **kurzen Überblick über wichtige Stationen des Wegs**. Dann folgen Angaben über die Gesamtlänge in Kilometern und die Gesamtsumme der bewältigten Höhenmeter. Daraus errechne ich mittels Division durch die Zahl der Etappen die Länge und die Höhenmeter einer durchschnittlichen Etappe. Nur die zu Fuß zurückgelegten Strecken gehen in die Additionen und die Durchschnittswerte ein; die gefahrenen oder mit Bergbahnen bewältigten Teile sind dafür nicht berücksichtigt. Im Anschluss folgt eine kurze persönliche Erinnerung an die Überquerung und ihre Planung.

Einer der Höhepunkte meiner Touren: Die Drei Zinnen flankiert vom Paternkofel

Dann beschreibe ich **die einzelnen Etappen**. In normaler (gerader) Schrift nenne ich die zu gehende Strecke, indem ich wichtige Wegpunkte aufzähle. Alle Leser müssten sie anhand einer Wanderkarte oder einer elektronischen Karte rekonstruieren können. Am Sichersten ist es, die gpx-Wegdaten, die sich bei Verwendung dieses Buches gratis herunterladen lassen (siehe QR-Code am Ende), auf einer geeigneten App zu öffnen. Abschließend gebe ich die **Länge der Etappe in Kilometern, Stunden und die Höhenmeter im Auf- und Abstieg** an. Strecken, die mit **öffentlichen Verkehrsmitteln oder Bergbahnen** zurückgelegt werden können, gebe ich getrennt an und nenne dafür auch eine ungefähre Fahrzeit. Eine eventuelle Wartezeit auf das Verkehrsmittel muss allerdings noch dazu gerechnet werden. Die Abfahrtszeiten von öffentlichen Verkehrsmitteln lassen sich heute (mit Ausnahmen) etwa über Google Maps oder Apps wie Rome2rio finden; falls nicht, muss man eben nach den Fahrplänen googeln. Liegt die Fahrstrecke zwischen zwei Fuß-Strecken, gebe ich Letztere getrennt wieder und nenne für beide Teile separate Längen, Zeiten und Höhenmeter.
Die Angaben über Streckenlänge, Dauer und Höhenmeter im Auf und Ab sind mit dem Internet-Tool Tourenplaner errechnet, wobei ich auf 10 Minuten bei der Dauer und 10 Meter bei den Steigungen und Abstiegen aufrunde. Die Dauer versteht sich ohne jede Pause. Weder ich noch die Seite Tourenplaner übernehmen eine Garantie für die Richtigkeit der Angaben. Manchmal weise ich darauf hin, dass ich nach meiner Erinnerung (auch wenn ich die Pausen abziehe) länger gegangen bin. **Man sollte die Wegzeiten also mit Vorsicht genießen**; vor allem, was die Aufstiege betrifft, sind sie wohl nur von sportlichen Wanderern zu schaffen.

EM als Abkürzung bedeutet **Einkehrmöglichkeit**. Eine solche gebe ich nur an, wenn sie sich nicht am Endpunkt des Wegs befindet (dass es dort etwas zu essen gibt, versteht sich), sondern sich tagsüber für eine Pause anbietet. Plant man, dort einzukehren, sollte man vor dem Aufbruch überprüfen, ob die Betriebe noch existieren und nicht gerade Ruhetag haben.

ÜM bedeutet **Übernachtungsmöglichkeit**. ÜM's gebe ich nicht nur für das Etappenende an, sondern, sofern vorhanden, auch innerhalb der Tagesetappe – für den Fall, dass sich das Wetter verschlechtert oder Sie eine andere Gliederung der Etappen erwägen.
Was Übernachtungsmöglichkeiten betrifft, nenne ich – außer bei Berghütten – normalerweise keine Namen, da diese sich ändern und auch Betriebe ausscheiden oder neu hinzukommen können. Auch Internetadressen gebe ich nicht an. Die Hütten lassen sich ja über ihren Namen schnell finden, und für die Talübernach-

Die Kirche von Maria Alm nach dem Abstieg vom Steinernen Meer (Tour 3)

tungen sollte man Hotelsuchmaschinen einsetzen oder auf die Webseiten der Orte gehen, wo sich oft noch mehr Möglichkeiten, zum Beispiel kleine Pensionen und Privatzimmer, finden lassen.

In kursiver Schrift gebe ich eine kurze Charakterisierung jeder Etappe, weise gegebenenfalls auf Höhepunkte und Besonderheiten hin und nenne eventuelle Varianten.
Zur ersten und letzten Etappe jeder Überquerung gebe ich Hinweise auf die Fahrt mit öffentlichen Verkehrsmitteln zum Startort und vom Zielort, bezogen auf Deutschland. Auf Fahrtmöglichkeiten mit den in den letzten Jahren aufgekommenen privaten Fernbuslinien gehe ich nicht ein, weil sich deren Verbindungen und Ziele schnell ändern können.
Leserinnen und Leser aus anderen Alpenländern bitte ich, die An- und Rückfahrt selbst zu recherchieren.

DIE ALPENÜBERQUERUNGEN IM SCHNELLÜBERBLICK

Wertungen 1 bis 5 Sterne

ROUTE	DAUER	ANSTRENGUNG	LANDSCHAFT	KOSTEN
1. Oberstdorf – Como	***	****	****	****
2. Oberammergau – Vittorio Veneto	*****	*****	*****	****
3. Salzburg – Tolmezzo	**	*****	****	***
4. Thun – Biella	****	*****	*****	*****
5. Scheibbs – Graz	**	****	***	***
6. Schliersee – Bassano del Grappa	*****	*****	****	****
7. Rorschach – Mendrisio	***	***	****	*****
8. Mondsee – Bled	***	***	****	***
9. Neuschwanstein – Garda	*****	***	****	****
10. Luzern – Brissago	**	****	****	*****

Die Bewertung der Dauer erfolgte nach der Zahl der Tagesetappen. Die »Anstrengung« richtet sich nach den Höhenmetern einer durchschnittlichen Tagesetappe. »Landschaft« wurde von mir subjektiv eingeschätzt. Bei den Kosten spielt die Dauer der Tour eine Rolle und der Umstand, ob sie ganz oder überwiegend durch die (teure) Schweiz führt.

Im Morgenlicht grüßt der vielzackige Haunold bei Innichen (Tour 6).

Eine sehr reizvolle 11. Überquerung (die man »Best of Switzerland« nennen könnte) ergibt sich, wenn man die ersten 6 Etappen der 10. Tour mit der 4. Tour ab der 4. Etappe kombiniert. Dann liegen viele alpine Höhepunkte des Landes auf der Strecke: Pilatus, Brienzer Rothorn, Berner Alpen bei Grindelwald und Mürren, Blümlisalppass, Lötschenpass, Europaweg, Walliser Alpen um Matterhorn und Monte Rosa, Balfrin-Höhenweg im Saastal. Bei der Beschreibung der 10. Etappe gebe ich Hinweise für die nötige Zwischenetappe von Grindelwald nach Mürren. Die Bewertung für »Best of Switzerland« wäre viermal fünf Punkte.
Bei meinen 10 Alpenüberquerungen habe ich keinerlei Zuwendungen oder Vergünstigungen von touristischen Betrieben oder Verbänden erhalten. Für die Wegführung habe ich allein meine eigenen Kriterien zu Grunde gelegt.

Zur Beachtung: Autor und Verlag lehnen jede Haftung für Ereignisse bzw. Schäden ab, die beim Begehen der Routenvorschläge dieses Buchs entstehen. Selbst wenn sich bei aller Sorgfalt Fehler eingeschlichen haben sollten. Leserinnen und Leser sollten jede Etappe mit weiteren Hilfsmitteln (etwa Landkarten, Informationen aus dem Internet) gegenchecken, denn beispielsweise können Wege schwer gangbar geworden und Übernachtungsmöglichkeiten verschwunden sein.

Alpenüberquerungen

1. OBERSTDORF – COMO

Ein Neuling kämpft sich nach Süden

Oberstdorf – Fellhorn – Lech am Arlberg – Spullersee – Silbertal – St. Gallenkirch – Gaschurn – Carnäirajoch – Klosters – Weissfluh-Gipfel (2843 m, höchster Punkt dieser Alpenüberquerung) – Davos – Dischmatal – Scalettapass – Engadin – Val Roseg – Fuorcla Surlej, 2753 m – Sils – Malojapass – Bergeller Höhenweg – Soglio – Chiavenna – Comer See, Bellagio – Sormano – Como

15 Etappen | Insgesamt: 266 km | 11.260 m ↗ | 14.010 m ↘
Durchschnittliche Etappe: 17,7 km | 751 m ↗ | 934 m ↘

Meine erste Alpenüberquerung habe ich mithilfe Kartenstudiums zusammengestellt, Kartendienste im Internet gab es noch nicht, und die Luftbilder von Google Earth waren noch so unscharf, dass sie kaum zur Planung taugten. Die Länge einer Etappe in Stunden konnte ich nur abschätzen, indem ich auf der Karte die Kilometer zu zählen und die Höhenunterschiede zu bestimmen versuchte. Das ging manchmal schief, und ich kam völlig abgekämpft am Etappenort an.

Die Strecke ist sehr abwechslungsreich; sie führt durch vier Länder, wie keine andere meiner Überquerungen. Highlights sind das Silvretta-Gebiet, die Passage am Rand der Bernina-Alpen und der Bergeller Höhenweg.
Aus Respekt vor der Länge der Strecke und einiger Etappen nahm ich öfters die Hilfe von Bergbahnen und Eisenbahnen in Anspruch. Dennoch habe ich aus mangelnder Erfahrung manche Etappen als zu lang konzipiert – hier gebe ich deshalb teilweise eine andere Gliederung an.

ETAPPE 1

1. Teil: Oberstdorf, Bahnhof – Freiberg – Faistenoy, Fellhornbahn Talstation.

2:20 Std.	7,9 km	190 m ↗	80 m ↘

Auffahrt mit der Fellhornbahn zur Bergstation, 15 Min.

2. Teil: Bergstation Fellhornbahn – Fellhorn, Gipfel (2038 m) – Gundsattel – Kühgundalpe – Rossgundscharte – Mindelheimer Hütte (ÜM).

4:00 Std.	10,9 km	670 m ↗	630 m ↘

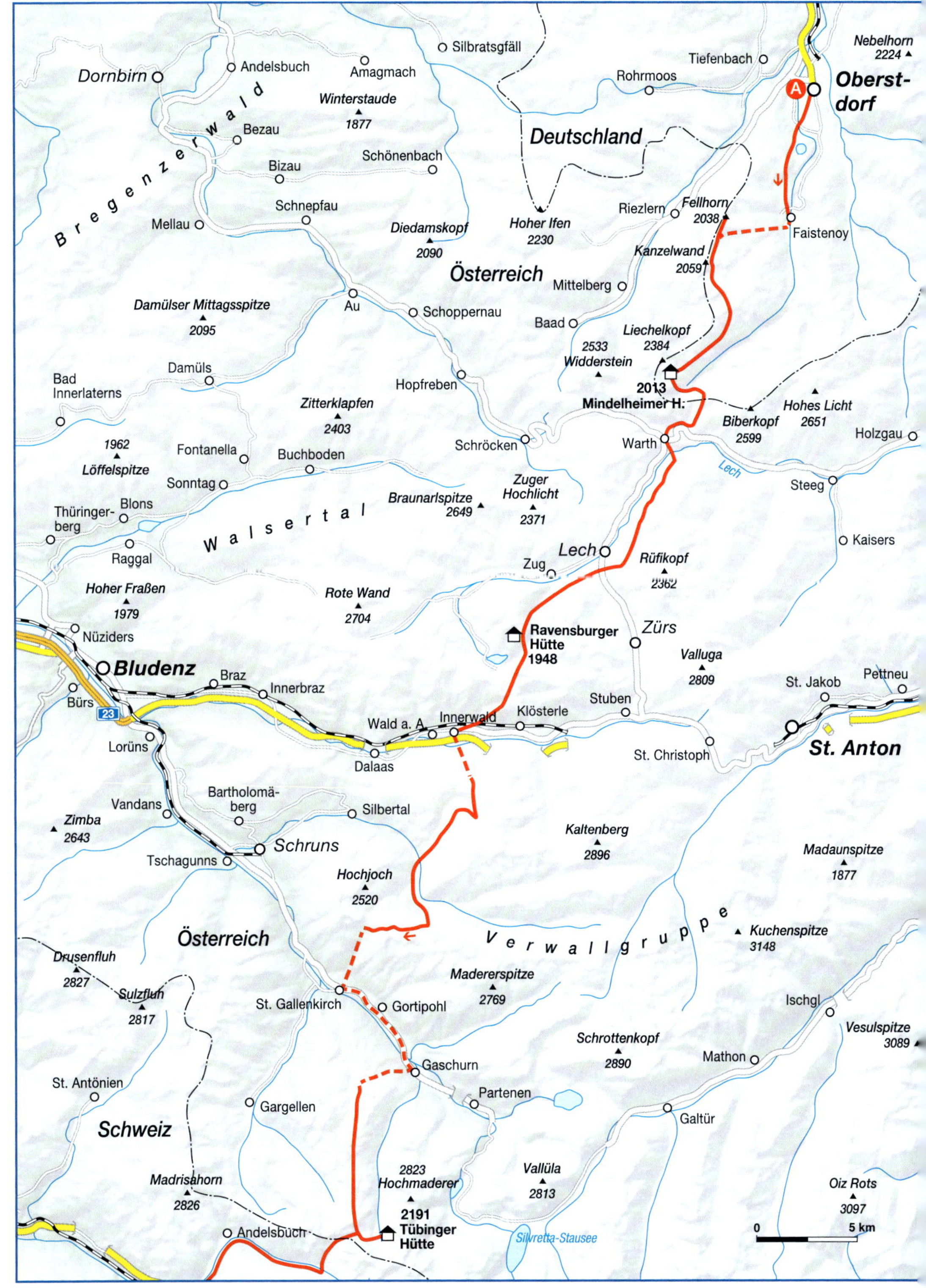
Dornbirn
Andelsbuch
Amagmach
Silbratsgfäll
Tiefenbach
Nebelhorn
2224
Rohrmoos
Oberst-
dorf
Bregenzerwald
Bezau
Winterstaude
1877
Deutschland
Bizau
Schönenbach
Schnepfau
Mellau
Riezlern
Fellhorn
2038
Faistenoy
Diedamskopf
2090
Hoher Ifen
2230
Kanzelwand
2059
Österreich
Mittelberg
Damülser Mittagsspitze
2095
Au
Schoppernau
Baad
Liechelkopf
2384
2533
Widderstein
Bad
Innerlaterns
Damüls
Hopfreben
2013
Mindelheimer H.
Zitterklapfen
2403
Hohes Licht
2651
Biberkopf
2599
Holzgau
1962
Löffelspitze
Fontanella
Buchboden
Schröcken
Warth
Lech
Sonntag
Steeg
Braunarlspitze
2649
Zuger
Hochlicht
2371
Thüringer-
berg
Blons
Walsertal
Raggal
Lech
Kaisers
Zug
Rüfikopf
2362
Hoher Fraßen
1979
Rote Wand
2704
Nüziders
Ravensburger
Hütte
1948
Zürs
Bludenz
Valluga
2809
Braz
Innerbraz
Bürs
St. Jakob
Pettneu
Stuben
23
Wald a. A
Innerwald
Klösterle
Lorüns
Dalaas
St. Christoph
St. Anton
Bartholomä-
berg
Vandans
Silbertal
Zimba
2643
Kaltenberg
2896
Schruns
Tschagunns
Madaunspitze
1877
Hochjoch
2520
Kuchenspitze
3148
Österreich
Verwallgruppe
Drusenfluh
2827
Madererspitze
2769
Sulzfluh
2817
St. Gallenkirch
Gortipohl
Ischgl
Vesulspitze
3089
Schrottenkopf
2890
Mathon
Gaschurn
St. Antönien
Partenen
Gargellen
Galtür
Schweiz
Madrisahorn
2826
2823
Hochmaderer
Vallüla
2813
Oiz Rots
3097
2191
Tübinger
Hütte
Andelsbuch
Silvretta-Stausee
0
5 km

Mit der Bahn erreicht man Oberstdorf vom Westen Deutschlands aus mit Umsteigen in Ulm, von München aus entweder direkt oder mit Umsteigen in Kempten.
Hübsche Startetappe mit viel Aussicht. Wer die Seilbahn vermeiden will, könnte zunächst den Weg im Grund des Stillachtals nehmen und ab Birgsau zur Hütte aufsteigen. Man ginge dann insgesamt kaum länger (6:30 Std.), doch im Aufstieg müsste man stramme 1300 Höhenmeter überwinden.

ETAPPE 2

Mindelheimer Hütte – Talgrund – Schrofenpass (Grenze Deutschland/Österreich) – Lechleiten im Lechtal (EM, ÜM) – Warth (EM, ÜM) – Lechweg – Lech, Ort (diverse ÜM).

5:10 Std.	14,8 km	570 m ↗	1160 m ↘

Hinüber nach Österreich, in den berühmten Skiort Lech. Ich bin übrigens auf der ersten Etappe gleich bis Lechleiten gegangen, kam aber dort völlig erschöpft an, weshalb ich diese Variante nur sehr sportlichen Wanderern empfehle. In diesem Fall kann man überlegen, den Rest der 2. mit der 3. Etappe zusammenzulegen und gleich bis Wald am Arlberg weiterzugehen (wie ich es auch getan habe), sollte dann aber auf den Lechweg im Talgrund verzichten und zwischen Warth und Lech auf der Straße gehen, um Zeit zu

Meine erste Alpenüberquerung begann am Oberstdorfer Bahnhof.

sparen (denn der Lechweg hat Auf- und Abstiege, die Straße kaum). Oder zwischen Warth und Lech gleich den Bus nehmen.

Gemütlicher ist es allemal, wenn man sich das Pensum, wie hier beschrieben, auf drei Tage aufteilt.

ETAPPE 3

Lech – Lechweg bis zum Ortsteil Zug – Stierlochjoch, 2009 m – Ravensburger Hütte (EM, ÜM) – Spullersee (Weg an der Ostseite) – Abstieg nach Wald am Arlberg, Ortsteil Innerwald (mehrere ÜM).

5:10 Std.	14,7 km
590 m ↗	1000 m ↘

Zunächst geht es eher gemächlich zur Ravensburger Hütte hinauf. Und hinter dem Spullersee steil und rau ins Arlberger Tal hinunter.

ETAPPE 4

Innerwald – Talstation Kabinenbahn Sonnenkopf, etwa 10 Min. zu Fuß. Auffahrt zur Bergstation, ca. 15 Min.

Bergstation Sonnenkopfbahn – Abstieg durchs Wasserstubental bis ins obere Silbertal (dort 2 EM) – weiter nach Süden, Aufstieg zur Alpguesalpe – Furkla, Grasjoch, Bergstation der Grasjochbahn.

5:30 Std.	15,0 km
1020 m ↗	890 m ↘

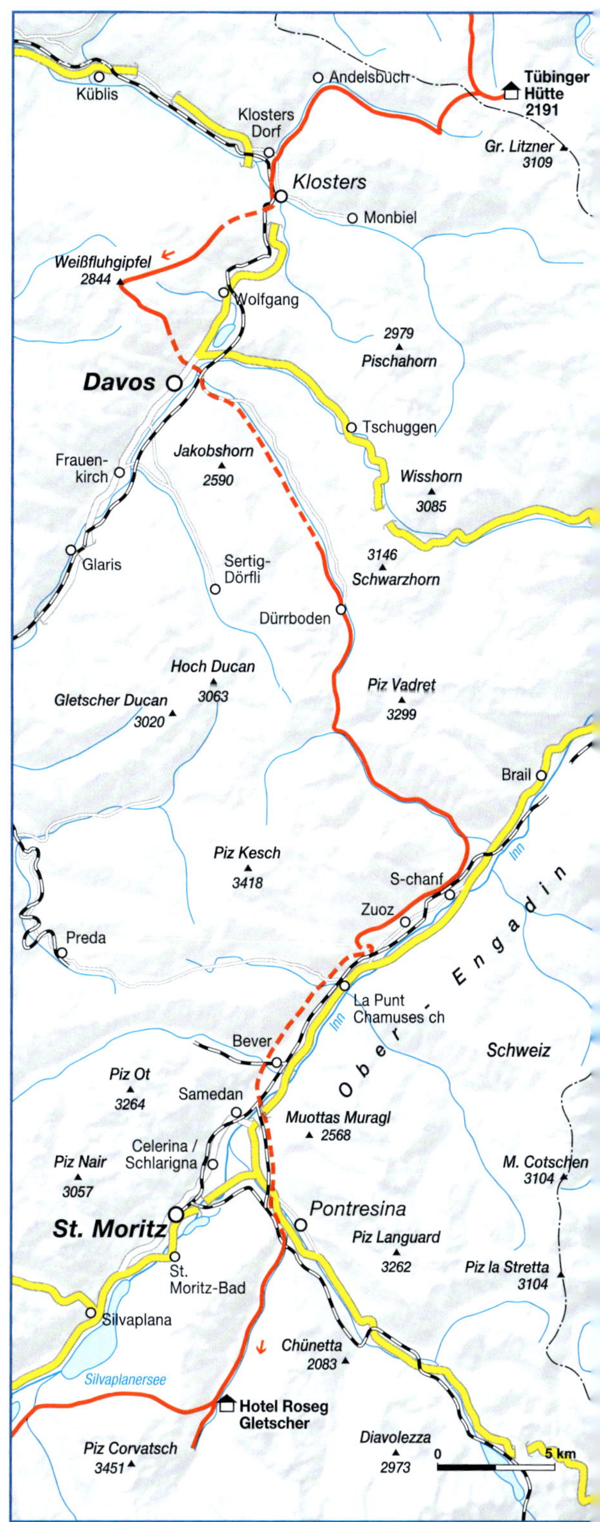

Auf dem Höhenweg zur Tübinger Hütte mit Blick zu den Silvretta-Gipfeln

Abfahrt mit der Grasjochbahn nach St. Gallenkirch, ca. 15 Min. Sodann (oder am nächsten Morgen) Busfahrt von St. Gallenkirch (viele ÜM) nach Gaschurn (viele ÜM), etwa 25 Min.

Querung ins Montafon. Ohne die Bahnen zu Beginn und am Ende kaum zu schaffen, denn es gibt auf der Strecke keine ÜM, es sei denn, man steigt zwischendurch ins untere Silbertal (Ortschaft) ab. Vergewissern Sie sich vorher, dass die Grasjochbahn auch fährt, und wann die letzte Fahrt stattfindet.
Wer außerhalb der Betriebszeit der Bahn ankommt – oder diese nicht nehmen will –, muss in zusätzlichen etwa 2:30 Std. 1100 Höhenmeter nach St. Gallenkirch absteigen.

ETAPPE 5

Gaschurn, Talstation Versettla-Bahn – Auffahrt zur Bergstation (Nova Stoba), ca. 20 Min.
Nova Stoba – Höhenweg über die Gipfel Versettla und Madrisella – Matschunerjoch – Vorderberg, 2553 m – Vergaldner – Mittelbergjoch – Tübinger Hütte (ÜM).

4:40 Std.	11,4 km	780 m ↗	590 m ↘

Carnäira-Joch: Staatsgrenze nur für Wanderer

Der Höhenweg ist hochalpin, also sehr steinig, hat aber nach meiner Erinnerung keine gefährlichen Stellen. Großartige Aussichten auf die 3000er der Silvretta. Falls Schlechtwetter herrscht und man trotzdem gehen möchte, kann man den Talweg von Gaschurn zur Tübinger Hütte nehmen: 3:50 Std., 9,8 km, 1230 m Aufstieg.

ETAPPE 6

Tübinger Hütte – Carnäira-Joch (2489 m, Grenze Österreich/Schweiz) – Carnäira-Hochtal bis Inner Säss am Talgrund des Schlappintals – Ortschaft Schlappin (EM) – Schlappintobel – Klosters Dorf (diverse ÜM).

5:00 Std.	15,2 km	390 m ↗	1450 m ↘

Das Carnäira-Joch ist eine wohl recht selten gegangene Passüberquerung zwischen Österreich und der Schweiz. Seit es nichts mehr zu schmuggeln gibt, muss man auch nicht mit Grenzbeamten rechnen.
Der Weg durchs grüne Hochtal Carnäira war (im Jahr 2003) manchmal schlecht zu erkennen, und so geriet ich in nasse Stellen. Vom Talgrund des Haupttals aus dann aber völlig unproblematisch, und von der Ortschaft Schlappin aus sogar leider asphaltiert. Schöne Route, aber mit langem und am Ende auch steilen Abstieg.

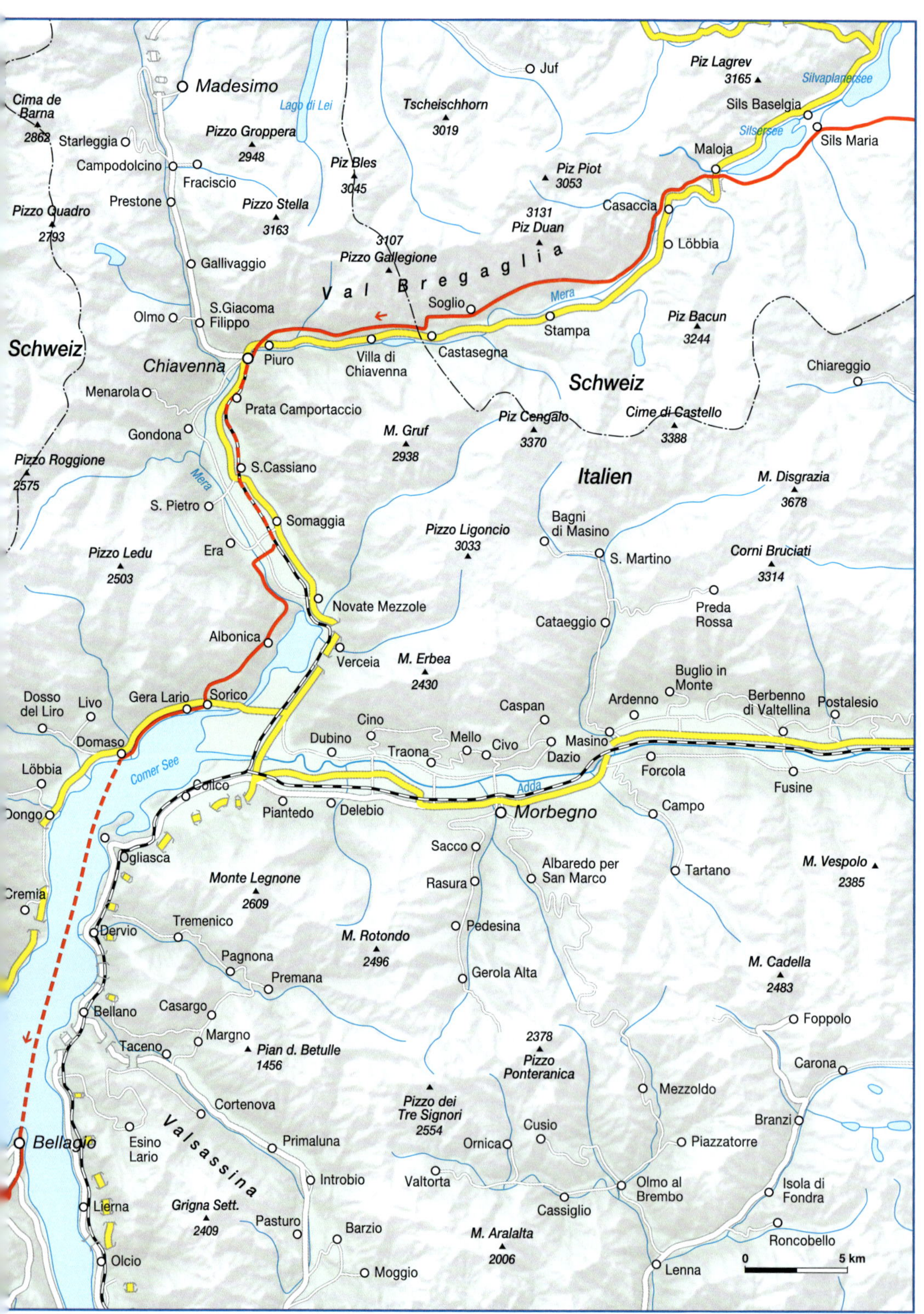

Madesimo
Juf
Piz Lagrev
3165
Silvaplanersee
Cima de Barna
2862
Lago di Lei
Tscheischhorn
3019
Sils Baselgia
Silsersee
Sils Maria
Starleggia
Pizzo Groppera
2948
Maloja
Campodolcino
Fraciscio
Piz Bles
3045
Piz Piot
3053
Prestone
Pizzo Stella
3163
Casaccia
Pizzo Quadro
2793
3131
Piz Duan
3107
Pizzo Gallegione
Löbbia
Gallivaggio
Val Bregaglia
Mera
Soglio
Piz Bacun
3244
Olmo
S.Giacoma
Filippo
Stampa
Schweiz
Castasegna
Chiavenna
Piuro
Villa di
Chiavenna
Chiareggio
Schweiz
Menarola
Prata Camportaccio
Piz Cengalo
3370
Cime di Castello
3388
Gondona
M. Gruf
2938
Pizzo Roggione
2575
S.Cassiano
Mera
Italien
M. Disgrazia
3678
S. Pietro
Somaggia
Pizzo Ligoncio
3033
Bagni
di Masino
Era
S. Martino
Corni Bruciati
3314
Pizzo Ledu
2503
Novate Mezzole
Preda
Rossa
Cataeggio
Albonica
Verceia
M. Erbea
2430
Buglio in
Monte
Dosso
del Liro
Livo
Gera Lario
Sorico
Cino
Caspan
Ardenno
Berbenno
di Valtellina
Postalesio
Domaso
Dubino
Mello
Civo
Masino
Traona
Dazio
Forcola
Lòbbia
Comer See
Colico
Adda
Fusine
Piantedo
Delebio
Morbegno
Campo
Sacco
Ogliasca
Albaredo per
San Marco
Tartano
M. Vespolo
2385
Monte Legnone
2609
Rasura
Tremenico
Dervio
M. Rotondo
2496
Pedesina
M. Cadella
2483
Pagnona
Premana
Gerola Alta
Bellano
Casargo
Foppolo
Margno
Taceno
Pian d. Betulle
1456
2378
Pizzo
Ponteranica
Carona
Mezzoldo
Cortenova
Pizzo dei
Tre Signori
2554
Branzi
Valsassina
Cusio
Bellagio
Esino
Lario
Primaluna
Ornica
Piazzatorre
Introbio
Valtorta
Olmo al
Brembo
Isola di
Fondra
Lierna
Grigna Sett.
2409
Cassiglio
Pasturo
Barzio
Roncobello
M. Aralalta
2006
Olcio
0
5 km
Lenna
Moggio

ETAPPE 7

1. Teil: Klosters Dorf – Klosters Platz, Talstation Gotschnagrat-Seilbahn.

0:30 Std.	2,0 km	20 m ↗	90 m ↘

Kann auch durch eine Fahrt mit der Rhätischen Bahn ersetzt werden. Auffahrt zur Bergstation Gotschnagrat, ca. 15 Min.

2. Teil: Bergstation Gotschnagrat – Parsennhütte – Parsennfurgga – Wasserscheidi – Weissfluh-Gipfel (2843 m) – Weissfluhjoch – Abstieg zur Mittelstation der Parsenn-Zahnradbahn.

4:10 Std.	11,3 km	650 m ↗	650 m ↘

Fahrt nach Davos mit der Parsennbahn (ca. 20 Min.), dort viele ÜM.

Nun ja, hier habe ich ausgiebig technische Auf- und Abstiegshilfen genutzt. Von der Weissfluh große Aussicht. Unschön an der Etappe ist, dass sie durch ein Skigebiet mit all seiner Infrastruktur führt – aber ohne dieses gäbe es auch nicht die Bahnen, die mir die Etappe erst möglich machten.
Die ganz Sportlichen können es ohne die Bahnen probieren, macht aber 1100 Höhenmeter und gut 3 Std. mehr im Aufstieg, und 670 Höhenmeter und gut 1:30 Std. mehr im Abstieg. Statt im teuren Davos zu nächtigen, kann man auch mit der Rhätischen Bahn ins (allerdings kaum weniger teure) Klosters zurückfahren. Oder mit dem Bus (»Postauto«) ins Dischmatal fahren und dort im Berggasthaus Dürrboden nächtigen (siehe nächste Etappe).

ETAPPE 8

Mit dem Bus von Davos-Dorf ins Dischmatal, Bushalt Gadmen. Etwa 20 Min.
Dischmatal, Gadmen – Berggasthaus Dürrboden (EM, ÜM) – Scalettapass, 2606 m – Alp Funtauna – Val Susauna – Ortschaft Susauna – S-chanf (mehrere ÜM).

7:20 Std.	23,4 km	860 m ↗	1050 m ↘

Ich war von Davos aus losgegangen, mit der Folge, dass die Strecke zu lang wurde. Völlig erschöpft stoppte ich im Val Susauna einen Bauern auf seinem Trecker, der mich freundlicherweise mitnahm.
Deshalb empfehle ich allen (außer den Supersportlichen), den Weg durchs Dischmatal durch eine Busfahrt (siehe oben) abzukürzen. Oder man macht zwei Etappen daraus: Erst von Davos bis Dürrboden, dann von dort nach S-chanf.

ETAPPE 9

1. Teil: S-chanf – im Tal nach Zuoz, von dort zu Fuß zur Burgruine Guardaval über Madulain und zum Bahnhof Madulain.

2:30 Std.	7,6 km	300 m ↗	240 m ↘

Von dort Fahrt mit der Rhätischen Bahn nach Pontresina (ca. 30 Min. Fahrzeit).

2. Teil: Pontresina Bahnhof – Val Roseg – Hotel-Restaurant Roseg Gletscher – weiter im Tal bergauf bis etwa Höhe 2100 Meter – auf demselben Weg zurück zum Hotel Roseg Gletscher (Ü dort, Zimmer sind teuer, es gibt auch Lager).

3:50 Std.	13,4 km	330 m ↗	110 m ↘

Erst eine Halbetappe im Engadiner Haupttal, um dieses kennenzulernen. Im 2. Teil großartige Blicke auf die Eisriesen des Berninagebiets, wenn sich das Val Roseg weitet zur Morteratsch-Gletscherebene. Wer die erste Halbetappe weglässt, könnte stattdessen z. B. Pontresina besichtigen oder das Roseg-Tal noch weiter hinaufgehen, als ich das getan habe.

ETAPPE 10

Hotel Roseg – auf dem Wanderweg 719 namens Senda Surlej hinauf zur Fuorcla Surlej (Pass auf 2753 m) – Murtèl, Mittelstation der Corvatsch-Seilbahn – Abstieg auf Weg 719 in nördlicher Richtung bis etwa Höhe 2500 m – weiter auf Weg 719 (Senda Surlej) Richtung Südwest und West auf die Alp la Muotta – Alp Prasüra – Sils Maria (mehrere ÜM).

5:00 Std.	13,3 km	810 m ↗	1000 m ↘

Großartige Aussicht aufs Berninamassiv von der Fuorcla Surlej, und in die andere Richtung, auf die Oberengadiner Seen. Leider Ski-Infrastruktur im Bereich Murtèl. Dann wieder schöner Abstieg nach Sils-Maria, wo Philosoph Friedrich Nietzsche einige seiner Hauptwerke schrieb und wo man sein Feriendomizil besichtigen kann. Über dem Ort erhebt sich das berühmte Hotel Waldhaus.

◂ *Gehörnte Wegblockade*

Die abgelegene Alp Funtauna im Oberengadin ▸

ETAPPE 11

Sils Maria – Isola (Südostseite des Silsersees) – Ort Maloja (EM, ÜM) – Belvedere – Abstieg nach Casaccia – Barga d'Ora (auf der Nordseite des Tals) – Roticcio – Bergeller Höhenweg (»Sentiero Panoramico«) – Soglio (mehrere ÜM).

8:20 Std.	26,2 km	490 m ↗	1210 m ↘

Mich erstaunt, dass der Weg so weit war. Hatte ich so nicht in Erinnerung. Jedenfalls eine großartige Etappe, weil man vom Höhenweg auf der Nordseite des Bergell-Tals tolle Blicke auf die steilen Granitriesen auf der Südseite hat, etwa den Piz Badile und den Piz Cengalo. Und von der alpinen Vegetationszone in die schon mediterrane des unteren Bergells kommt. Die Felsmassen des katastrophalen Bergsturzes am Piz Cengalo von 2017 berühren unsere Route nicht, weil diese nicht auf der Süd-, sondern der Nordseite des Tals verläuft.

Wem die Strecke zu weit ist, der kann mit dem Bus Teile abkürzen. Am besten entweder von Sils bis Maloja oder von Maloja bis Casaccia. Von Sils bis Maloja kann man in den Sommermonaten auch ein kleines Schiff nehmen, sofern die Abfahrtszeit passt. Von Casaccia aus würde ich auf alle Fälle wandern, denn der Höhenweg ist eines der Highlights der gesamten Route.

Prachtvoller Blick auf die Bernina-Gruppe von der Fuorcla Surlej (Etappe 10)

ETAPPE 12

Soglio – Tombal – Soglio – Dasciun – Castasegna (EM) – Grenze Schweiz/Italien – Ponteggia – San Croce – Chiavenna (mehrere ÜM).

6:30 Std.	19,5 km	670 m ↗	1440 m ↘

Soglio gilt als eines der schönsten Dörfer der Alpen, deshalb wollte ich es von oben fotografieren. Und bin vormittags noch zum Weiler Tombal aufgestiegen, möchte aber nicht schwören, dass sich die über 400 Höhenmeter in der Augusthitze gelohnt haben. Der Abstieg von Soglio nach Castasegna ist noch ganz hübsch; dann allerdings gibt es keinen durchgängigen Wanderweg bis Chiavenna, und man geht teils an der Straße, teils kann man auf Hangwege ausweichen, die aber unnötige Höhenmeter im Auf- und Abstieg mit sich bringen. Chiavenna ist ein schöner Kontrast zu den stillen Schweizer Städtchen: Abends flanieren die Einwohner, und die Straßencafés sind voll.
Wer den Trip nach Tombal weglässt, geht etwa anderthalb Stunden kürzer.

ETAPPE 13

Mit dem Zug von Chiavenna zum Haltepunkt Samolaco, etwa 10 Min.
Samolaco – Giavere – in südlicher, dann südöstlicher Richtung nach Staller di Botti und Alpe di Teolo – Höhenweg nach Albonico über dem Lago di Mezzola – auf schmaler Straße und dann einem Stückchen Wanderweg nach Sorico – auf der Uferstraße des Comer Sees nach Domaso, Schiffslände.

6:20 Std.	20,2 km
460 m ↗ und ↘	

Danach mit dem Schiff nach Bellagio, etwa 1 Std. (diverse ÜM).

Bis Albonico eine hübsche Tour, dann muss man sich über Straßen quälen, zunächst wenig befahren, am Seeufer stärker, aber da gibt es meist einen Gehweg. Die Schifffahrt nach Bellagio entschädigt dann für die Unannehmlichkeiten.

Der Comer See ist ein mühsames Wanderterrain, da die Berge um ihn steil ansteigen und dabei durch Nebentäler zergliedert sind. Fußwege direkt am See gibt es kaum. Ich hatte lange nach einer schönen Passage oberhalb des Sees gesucht, aber eine solche hätte unverhältnismäßig lange Anstiege erfordert. So wählte ich die Variante, den größten Teil des Sees per Schiff zu überwinden.

ETAPPE 14

Bellagio Hafen – Ortsteil Perlo – Höhenweg Dorsale del Triangolo Lariano über Brogno und Rovenza – Alpe delle Ville – Alpe del Borgo – Monte Ponciv – Alpe Spessola – Colma del Bosco – Sormano.

6:50 Std.	18,8 km	1260 m ↗	690 m ↘

Eine Etappe, die ich mit gemischten Gefühlen ging. Das Wetter war heiß und diesig, die Aussicht nicht gut, Wolken zogen auf, und der Weg führte schutzlos über hohe Bergrücken. Allerdings gewitterte es dann erst am Abend, zu meinem Glück.

ETAPPE 15

Sormano – Passhöhe Colma del Piano – Höhenweg Dorsale del Triangolo Lariano – Brago di Cavallo – Monte Palanzone (in der Nähe Rifugio Riella, EM, ÜM) – Monte Bolettone – Monte Boletto – Ortschaft Brunate über Como.

7:45 Std.	20,9 km	1200 m ↗	1270 m ↘

Dann noch Abfahrt mit der Zahnradbahn von Brunate nach Como, ca. 15 Min.

Diesmal erwischte mich tatsächlich ein Gewitter schon vormittags auf dem Kammweg kurz hinter Colma del Piano, und starker Regen fiel. Ich brach ab, wartete in einem Gasthaus an der Passhöhe, bis der Regen nachließ, und stieg dann auf der Straße nach Westen ab zum nächsten Bushalt in Richtung Como. Leider endete so meine Alpenüberquerung unbefriedigend mit einer Busankunft im (sehenswerten) Como. Es gewitterte den ganzen Tag über, wenigstens musste ich mich nicht über eine Fehlentscheidung ärgern. Ich gebe hier also den Idealweg wieder, den ich nicht gegangen bin. Im Rifugio Riella könnte man nächtigen und so diese lange Etappe in zwei teilen.
Rückfahrt: Como liegt an der Strecke Mailand – Schweiz. Direkte Züge nach Basel, dort Umsteigen in den Westen Deutschlands. Nach München und den Osten muss man in Zürich und manchmal vorher in Arth-Goldau umsteigen.

Im Uhrzeigersinn von oben: Das schöne Soglio; Bellagio am Comer See; Dom von Como; Piz Roseg im Nachmittagslicht

2. OBERAMMERGAU – VITTORIO VENETO

Wetterstein, Karwendel, Dolomiten – der Trail der bleichen Berge

Oberammergau – Garmisch-Partenkirchen – Wettersteingebirge, Meilerhütte – Scharnitz – Karwendel, Hafelekar – Innsbruck – Neustift im Stubaital – Gschnitztal – Pflerscher Scharte – Pflerschtal – Sterzing – Jaufental – Penser Scharte – Durnholz – Pfannscharte – Brixen – Geislerscharte – Grödner Joch – Piz Boè, 3152 m (höchster Punkt dieser Alpenüberquerung) – Passo Campolongo – Falzaregopass – Cinque Torri – Dolomiten-Höhenweg 1 um Monte Pelmo und Civetta – Passo Duràn – Rifugio Pian de Fontana – Belluno – Nevegal – Col Visentin – Vittorio Veneto.

22 Etappen | Insgesamt: 330 km | 20.440 m ↗ | 20.360 m ↘
Durchschnittliche Etappe: 15,0 km | 929 m ↗ | 925 m ↘

Gleich darauf entwarf ich wieder eine Route; sie sollte weiter östlich verlaufen und die Dolomiten mit ihren imposanten Felsbergen einbeziehen. Natürlich war mir die Route des »Traumpfads« München – Venedig bekannt, die auch durch die Dolomiten führt, aber es hätte meinem Ethos (und meiner Eitelkeit) widersprochen, einfach dieser Route zu folgen. Ich bin mein eigener Geograph! Freilich wollte ich auch nicht bloß deshalb andere Wege finden, weil die schönen bereits von anderen beschrieben worden waren. Und in den Dolomiten gibt es ja ohnehin schon eine Reihe von »offiziellen« Dolomiten-Höhenwegen, die nicht zu toppen sind. Im zweiten Teil ab Brixen ist meine Route überwiegend eine Kombination der Dolomiten-Höhenwege 2 und 1. Und weil sich auch der »Traumpfad« dieser Wege bedient, sind manche meiner Etappen gleich oder ähnlich. Da ich aber keine Neigung verspürte, bis zur Touristenfalle Venedig zu wandern, wählte ich die Kleinstadt Vittorio Veneto am Alpenrand als Ziel.
Immerhin ist der erste Teil meiner Strecke bis Brixen eine völlig andere als der »Traumpfad«; sie ist meines Wissens noch von niemandem als Fernwanderroute beschrieben worden. Auf diesem ersten Teil begleitete mich meine Frau. Dass sie dann auf dem zweiten Teil, den ich ein Jahr später beging, nicht mehr dabei war, lag daran, dass ihr manche Etappen zu anstrengend gewesen waren und dass sie nicht schwindelfrei ist. Dennoch erinnert sie sich gern an die anderthalb Wochen. Die Verwendung von Bergbahnen und anderen Verkehrsmitteln geschieht bei dieser Tour nicht sehr häufig.

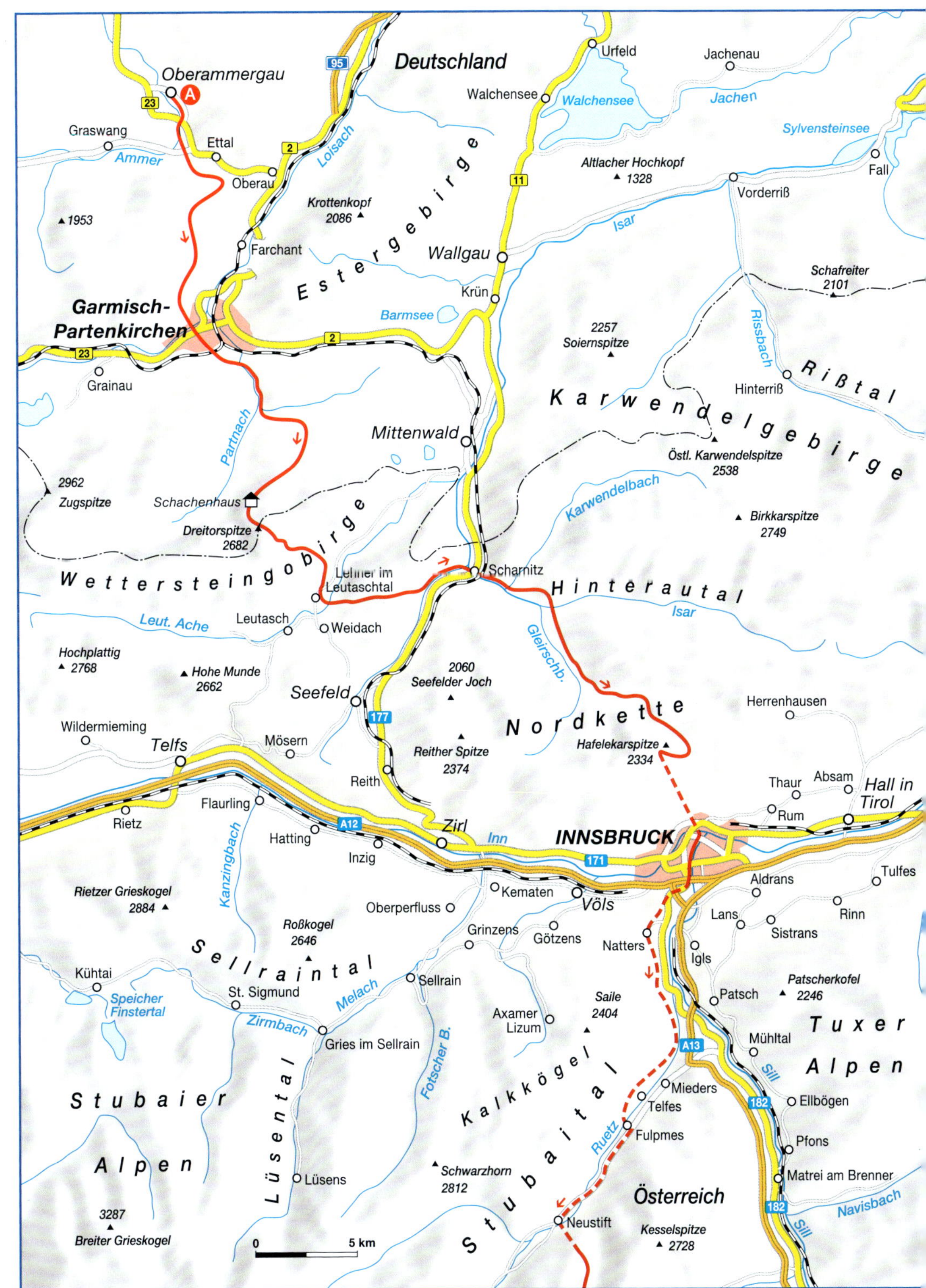

Deutschland
Oberammergau
Graswang
Ammer
Ettal
Oberau
Loisach
Krottenkopf
2086
1953
Farchant
Estergebirge
Walchensee
Urfeld
Walchensee
Jachenau
Jachen
Sylvensteinsee
Fall
Altlacher Hochkopf
1328
Vorderriß
Isar
Wallgau
Krün
Barmsee
Garmisch-
Partenkirchen
Grainau
Schafreiter
2101
2257
Soiernspitze
Rissbach
Hinterriß
Rißtal
Karwendelgebirge
Partnach
Mittenwald
Östl. Karwendelspitze
2538
2962
Zugspitze
Schachenhaus
Dreitorspitze
2682
Karwendelbach
Birkkarspitze
2749
Wettersteingebirge
Lehner im
Leutaschtal
Scharnitz
Hinterautal
Isar
Leut. Ache
Leutasch
Weidach
Hochplattig
2768
Hohe Munde
2662
Gleirschb.
2060
Seefelder Joch
Seefeld
Nordkette
Herrenhausen
Wildermieming
Telfs
Mösern
Reither Spitze
2374
Hafelekarspitze
2334
Reith
Thaur
Absam
Hall in
Tirol
Rum
Rietz
Flaurling
Kanzingbach
Hatting
Zirl
Inn
INNSBRUCK
Inzig
Tulfes
Aldrans
Rietzer Grieskogel
2884
Kematen
Völs
Oberperfluss
Lans
Rinn
Sistrans
Roßkogel
2646
Grinzens
Götzens
Natters
Igls
Sellraintal
Kühtai
Sellrain
Patscherkofel
2246
Speicher
Finstertal
St. Sigmund
Melach
Patsch
Saile
2404
Axamer
Lizum
Zirmbach
Gries im Sellrain
Tuxer
Alpen
Mühltal
Fotscher B.
Kalkkögel
Sill
Mieders
Telfes
Ellbögen
Stubaier
Alpen
Lüsental
Ruetz
Fulpmes
Pfons
Stubaital
Schwarzhorn
2812
Matrei am Brenner
Lüsens
Österreich
Navisbach
Neustift
Sill
3287
Breiter Grieskogel
Kesselspitze
2728
0
5 km

ETAPPE 1

Oberammergau, Bahnhof – Ettaler Mühle – südlich an Ettal vorbei – Gießenbachschlucht – Gießenbacher Weg – Pflegersee – Garmisch-Partenkirchen (viele ÜM).

6:10 Std. | 19,4 km | 550 m ↗ | 680 m ↘

Oberammergau erreicht man mit der Bahn über München und mit Umsteigen in Murnau.

Die erste Etappe: ein hübscher Auftakt mit dem Höhepunkt der wilden Gießenbachschlucht. Wer die Etappe weglässt und erst in Garmisch beginnt, ist immer noch ein Alpenüberquerer.

ETAPPE 2

Garmisch-Partenkirchen – Partnachklamm – Kälbersteig – Schachenweg – Schachenhaus (ÜM).

5:00 Std. | 13,2 km | 1220 m ↗ | 50 m ↘

Erst durch die tosende Partnachklamm , dann lange nach oben auf dem rauen Kälbersteig. Erst kurz vor dem Ziel erreichen wir den Schachenweg, auf dem sich einst König Ludwig II. von Elmau her per Kutsche oder Schlitten hochkarren ließ zu seiner seltsam exotischen Jagdhütte am Schachen. Sie liegt in direkter Nachbarschaft zu unserem Tagesziel und sollte besichtigt werden (aktuelle Öffnungszeiten ermitteln!). Ich habe damals den Kälbersteig vermieden und bin weiter östlich auf einem Weg 844 aufgestiegen, der aber nun offenbar nicht mehr existiert.

Wer noch Kraft hat, könnte auch noch zur Meilerhütte aufsteigen (ca. 1:15 Std.) und dort nächtigen.

Blick von der Meilerhütte übers Leutascher Platt bis zum Alpenhauptkamm

ETAPPE 3

Schachen – Meilerhütte (EM, ÜM) – Abstieg ins Leutaschtal über den Nordalpenweg – Lehner oder Gasse im Leutaschtal (dort und in den umliegenden Siedlungen diverse ÜM).

4:20 Std.	10,5 km	570 m ↗	1320 m ↘

Der Abstieg von der Meilerhütte ins Leutaschtal war wohl der brutalste Bergwandersteig, den ich je gegangen bin. Steil, steinig, geröllig, mit einigen Passagen, bei denen man die Hände zu Hilfe nehmen musste. Bergauf dürfte er leichter zu begehen sein als bergab. Meine Frau stürzte mehrfach auf den Weg, blieb aber unverletzt. Wir brauchten auch weit länger als die Zeit, die mir jetzt der Tourenplaner-Rechner angegeben hat. Also Vorsicht!

ETAPPE 4

Lehner im Leutaschtal – Satteltal – Hoher Sattel – Scharnitz (diverse ÜM).

3:00 Std.	8,5 km	400 m ↗	550 m ↘

Eine Halbtagesetappe, Erholung nach dem harten Abstieg vom Vortag und vor der Monsteretappe am nächsten. Die sehr Kräftigen könnten sie zusammen mit Etappe 3 an einem Tag bewältigen.

ETAPPE 5

Scharnitz – in den Naturpark Karwendel über die Hinterautal-Straße an der Nordseite des Tals – ab Gleirschhöhe auf den Fahrweg (!) nach Süden ins Gleirschtal (nicht in die Gleirschklamm absteigen!) – Möslalm (EM, ÜM) – bergauf durch den Angerwald ins Mandltal – nicht den Weg zum Hafelekar nehmen (beim Aufstieg Steinschlaggefahr), sondern den östlicheren zum Gleirschjöchl – Gleirschjöchl – Goetheweg/Adlerweg zum Hafelekar (Bergstation der Innsbrucker Nordkettenbahn).

6:40 Std.	18,2 km	1380 m ↗	70 m ↘

Abfahrt mit der Nordkettenbahn nach Innsbruck, in ca. 20 Minuten.
In Innsbruck übernachten (viele ÜM) oder noch am Abend oder am nächsten Morgen mit der mit der Stubaitalbahn nach Fulpmes im Stubaital fahren (Dauer 1 Std.). Mit dem Regiobus von dort in ca. 15 Minuten nach Neustift im Stubaital. Auch in Fulpmes und Neustift gibt es ausreichend ÜM.

Ein Höhepunkt der Route. Das wilde Karwendel wird durchquert, ein Vorgeschmack auf die Dolomiten, auf einer spektakulären Strecke. Vom Gleirschjöchl und danach hat man einen Wahnsinnsblick auf das fast 2000 Meter tiefer liegende Innsbruck. Damit man die Tour schaffen kann, sollte man bis zur Möslalm auf den Fahrwegen bleiben und nicht die wahrscheinlich hübscheren, aber zeitraubenderen Wanderwege nehmen! Wir stiegen damals vom Hafelekar noch zu Fuß bis zur Mittelstation der Seilbahn ab und übernachteten dort im Berghotel Seegrube – das allerdings existiert nun nicht mehr als Übernachtungsmöglichkeit. Deshalb sollte man gleich vom Hafelekar hinunterfahren (vorab die Uhrzeit der letzten Fahrt recherchieren!)
Wer sich die anstrengende Gesamtstrecke nicht zutraut, kann auf der Möslalm übernachten (begrenzte Zahl an Lagern).
Oder zum Übernachten von der Möslalm noch weitere 2:30 Std. im Haupttal, dem Samertal aufsteigen bis zur Pfeishütte (ÜM). Von dort zur Seegrube ist es aber dann eine andere, hochalpine Strecke, die ich nicht kenne.

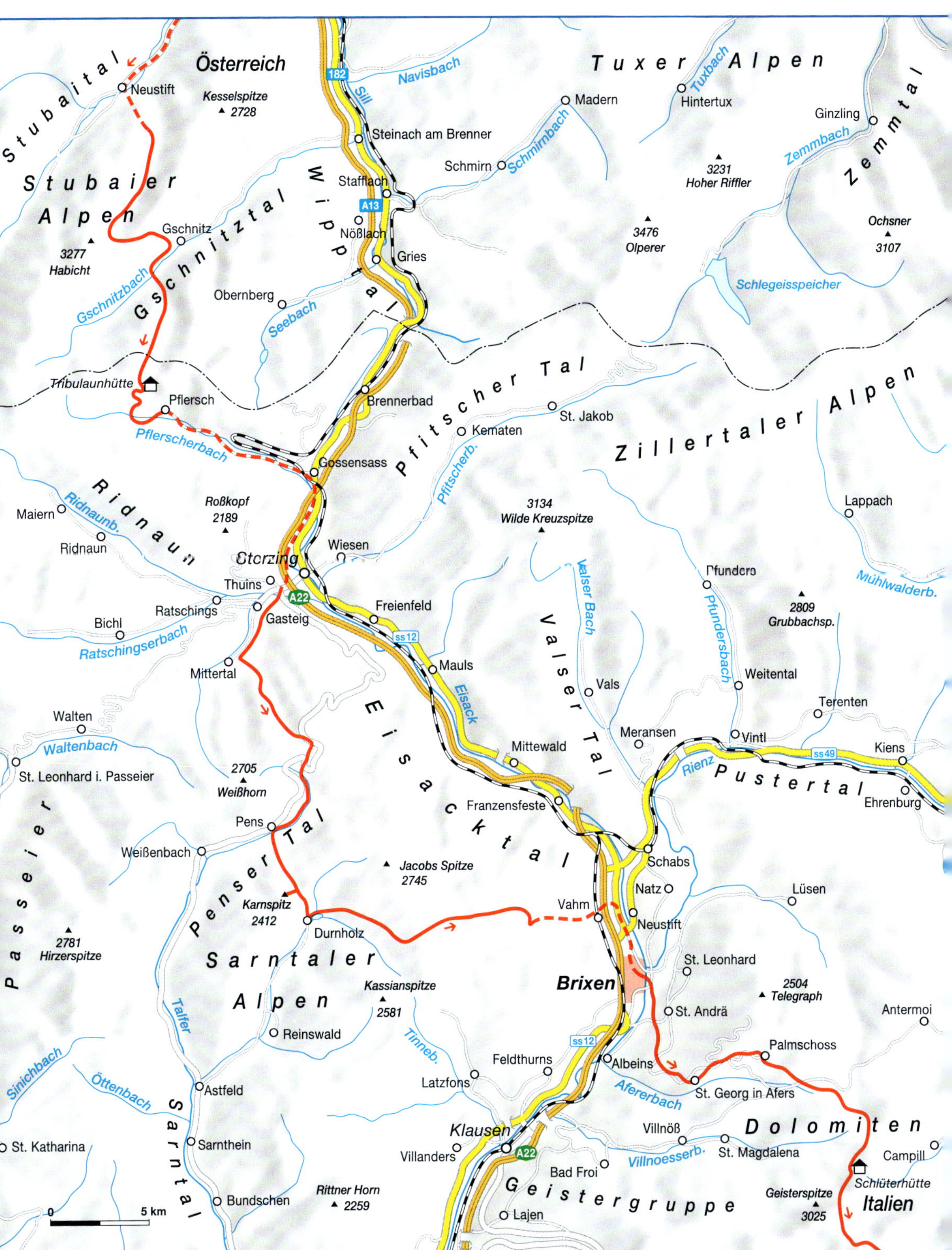
Österreich
Stubaital
Neustift
Kesselspitze 2728
Stubaier Alpen
3277 Habicht
Gschnitz
Gschnitztal
Gschnitzbach
Wipptal
Navisbach
Sill
182
Steinach am Brenner
Stafflach
A13
Nößlach
Gries
Obernberg
Seebach
Tuxer Alpen
Madern
Tuxbach
Hintertux
Schmirn
Schmirnbach
3231 Hoher Riffler
3476 Olperer
Ginzling
Zemmbach
Zemmtal
Ochsner 3107
Schlegeisspeicher
Tribulaunhütte
Pflersch
Pflerscherbach
Brennerbad
Pfitscher Tal
St. Jakob
Kematen
Gossensass
Pfitscherb.
Zillertaler Alpen
Ridnaun
Maiern
Ridnaunb.
Roßkopf 2189
3134 Wilde Kreuzspitze
Lappach
Sterzing
Wiesen
Thuins
A22
Ratschings
Gasteig
Bichl
Ratschingserbach
Freienfeld
ss12
Valser Bach
Pfunders
Pfundersbach
2809 Grubbachsp.
Mühlwalderb.
Mittertal
Mauls
Eisack
Valser Tal
Vals
Weitental
Terenten
Walten
Waltenbach
St. Leonhard i. Passeier
2705 Weißhorn
Eisacktal
Mittewald
Meransen
Vintl
Rienz
ss49
Pustertal
Kiens
Ehrenburg
Franzensfeste
Pens
Penser Tal
Weißenbach
Jacobs Spitze 2745
Schabs
Natz
Lüsen
Passeier
2781 Hirzerspitze
Karnspitz 2412
Durnholz
Vahm
Neustift
Sarntaler Alpen
St. Leonhard
Brixen
2504 Telegraph
Kassianspitze 2581
St. Andrä
Antermoi
Talfer
Reinswald
Tinneb.
Palmschoss
Feldthurns
Albeins
Sinichbach
Öttenbach
Astfeld
Latzfons
Afererbach
St. Georg in Afers
Sarntal
Klausen
Villnöß
Dolomiten
St. Katharina
Sarnthein
Villanders
Villnoesserb.
St. Magdalena
Campill
Bad Froi
Schlüterhütte
Geistergruppe
Geisterspitze 3025
Italien
Bundschen
Rittner Horn 2259
Lajen
0
5 km

Pflerscher Tribulaun (3097 m); halbrechts liegt das Sandesjöchl.

ETAPPE 6

Mit der Elferbahn von Neustift zur Bergstation Elfer (ca. 15 Min.). Von dort bergab zur Pinnisalm – Karalm – bergauf zur Innsbrucker Hütte (EM, ÜM) – Gschnitz (dort und in den Weilern talauf einige Ü-Möglichkeiten).

5:20 Std.	11,8 km	950 m ↗	1500 m ↘

Um angesichts der vielen Höhenmeter im Abstieg die Anstrengung beim Aufsteigen in Grenzen zu halten, nahmen wir den Lift. Eine schöne Tour unweit der mächtigen Pyramide des Habicht. Wer den Lift verschmäht, geht von Neustift aus 6:30 Std., 15,8 km, 1410 Höhenmeter im Anstieg, 1140 Höhenmeter in Abstieg. Diese Route hat weniger Höhenmeter im Abstieg, weil man den Bergrücken Elfer, auf den die Bahn führt, umgeht und nicht von der Bergstation aus einen Zwischenabstieg einlegen muss.

ETAPPE 7

Gschnitz – auf der Straße zum Weiler Obertal – auf dem Fahrweg (!) ins Sandes-Tal bis Hintersandes gehen – Wanderweg zur Pflerscher Scharte, auch Sandesjöchl genannt (2600 m, Grenze Österreich/Italien) – italienische Tribulaunhütte (Rifugio Caciati al Tribulaun), dort ÜM.

4:40 Std.	11,8 km	1370 m ↗	230 m ↘

Am Sandesjöchl sind nicht nur Wanderer unterwegs.

Auf dieser Etappe überschreiten wir den Alpenhauptkamm, die Höhe des Passes, 2600 Meter, ist dem angemessen.
Ich erinnere mich an eine üble Schinderei im Aufstieg, vor allem in den steileren Passagen vor dem Sandesjöchl. Wir brauchten wohl auch deutlich länger als die hier errechnete Zeit. In weiser Voraussicht blieb ich so lange wie möglich auf dem Fahrweg, weil, wie ich glaubte, man dort schneller voran kam als auf dem Wanderweg auf der anderen Talseite.
Vorsicht: Es gibt eine österreichische Tribulaunhütte im Sandestal, durch das wir aufstiegen, und eine italienische, die auf Deutsch genauso heißt, wo wir übernachteten. Wenn man nicht den Fahr-, sondern den Wanderweg im unteren und mittleren Teil des Sandestals nimmt, kommt man auf der eben erwähnten österreichischen Tribulaunhütte (EM, ÜM) vorbei. Diese Variante ist ähnlich lang (4:50 Std., 11,2 km), man hat aber noch mehr Höhenmeter zu bewältigen (1530 auf, 400 ab).

ETAPPE 8

1. Teil: Italienische Tribulaunhütte – Abstieg über Wanderweg Nr. 8 ins Pflerschtal – Innerpflersch/St. Anton (EM, ÜM).

2:30 Std.	7,5 km	40 m ↗	1130 m ↘

Von Innerpflersch nach Sterzing (Vipiteno) mit dem Bus, ca. 20 Min.

2. Teil: Sterzing Omnibusbahnhof – Innenstadt – Wanderweg Nr. 11 in Richtung Jaufental – Wanderweg Nr. 12 im Jaufental bis zum Weiler Mittertal (drei ÜM dort).

1:40 Std.	5,8 km	110 m ↗	20 m ↘

Nach den Strapazen der vergangenen Tage nun eine Etappe zur Erholung. Samt Besichtigung der hübschen Altstadt von Sterzing, an der man ja schon so oft auf der Brennerautobahn vorbeigefahren ist.

ETAPPE 9

Mittertal im Jaufental – Seiterbergtal – Seiterbergjöchl – Penser Joch (EM) – Abstieg ins Talfertal nach Pens (zwei ÜM, in umliegenden Weilern weitere).

5:50 Std.	16,1 km	1130 m ↗	820 m ↘

Wir befinden uns in den Sarntaler Alpen, die im touristischen Schatten der nahen Dolomiten stehen, weil ihre Berge nicht so spektakulär aussehen. Auch ich war noch nie dort gewesen, deshalb baute ich sie in die Tour ein und habe es nicht bereut.

ETAPPE 10

Pens – Wanderweg Nr. 12 – Durnholzer Jöchl – Karnspitz (2412 m) – Durnholzer Jöchl – Durnholz (zwei ÜM: Jägerhof, Messnerhof).

4:10 Std.	8,8 km	990 m ↗	910 m ↘

Eine kürzere Etappe ins hübsche und abgelegene Dorf Durnholz. Den Abstecher zum Gipfel Karnspitz kann man auch weglassen.

ETAPPE 11

Durnholz – Rapphüttl – Weg Nr. 5 – Feldwies – Pfannscharte – Weg Nr. 19 durch den Kasebacher Wald – Schalders.

5:50 Std.	15,8 km	850 m ↗	1220 m ↘

Von Schalders, Bushalt Kirche, mit dem Bus nach Brixen, ca. 30 Min. Dort viele ÜM. Achtung, Bus fährt nicht an Sonntagen. Dann Taxi oder Autostopp.
An der Pfannscharte genießt man einen ersten Blick auf die Felszacken der Dolomiten. Langer Abstieg nach Schalders. Wir übernachteten in Schalders, in einem Privatzimmer oder einer kleinen Pension, leider weiß ich nichts mehr Näheres. Zu meiner Betrübnis scheint diese Unterkunft nicht mehr zu existieren; ich durchforschte alle denkbaren Internetquellen und fand in Schalders lediglich 2 Bauernhöfe, die Ferienwohnungen vermieten: Schwaigerhof und Lercherhof. Falls diese ihre Fewos nicht für eine Nacht raus-

rücken sollten, muss man, wie oben angegeben, hinunter ins Tal fahren, nach Vahrn oder gleich Brixen. Der Abstieg zu Fuß nach Vahrn dauert etwa 1:30 Std. bei weiteren 530 m Abstieg.

ETAPPE 12

Brixen Innenstadt – Ortsteil Sandsiedlung – Kirche St. Maria im Sand – Aufstieg über Weg Nr. 8 nach Klerant – weiter über Weg Nr. 8 zum Weiler Brandschwöll – Kirchlein St. Jakob – Dorf St. Georg in Afers (mehrere ÜM).

4:00 Std.	10,6 km	960 m ↗	20 m ↘

Von der schönen Brixener Altstadt geht es knapp 1000 Meter hinauf ins Örtchen St. Georg.

Die Altstadt von Sterzing lädt zur Mittagspause auf der 8. Etappe

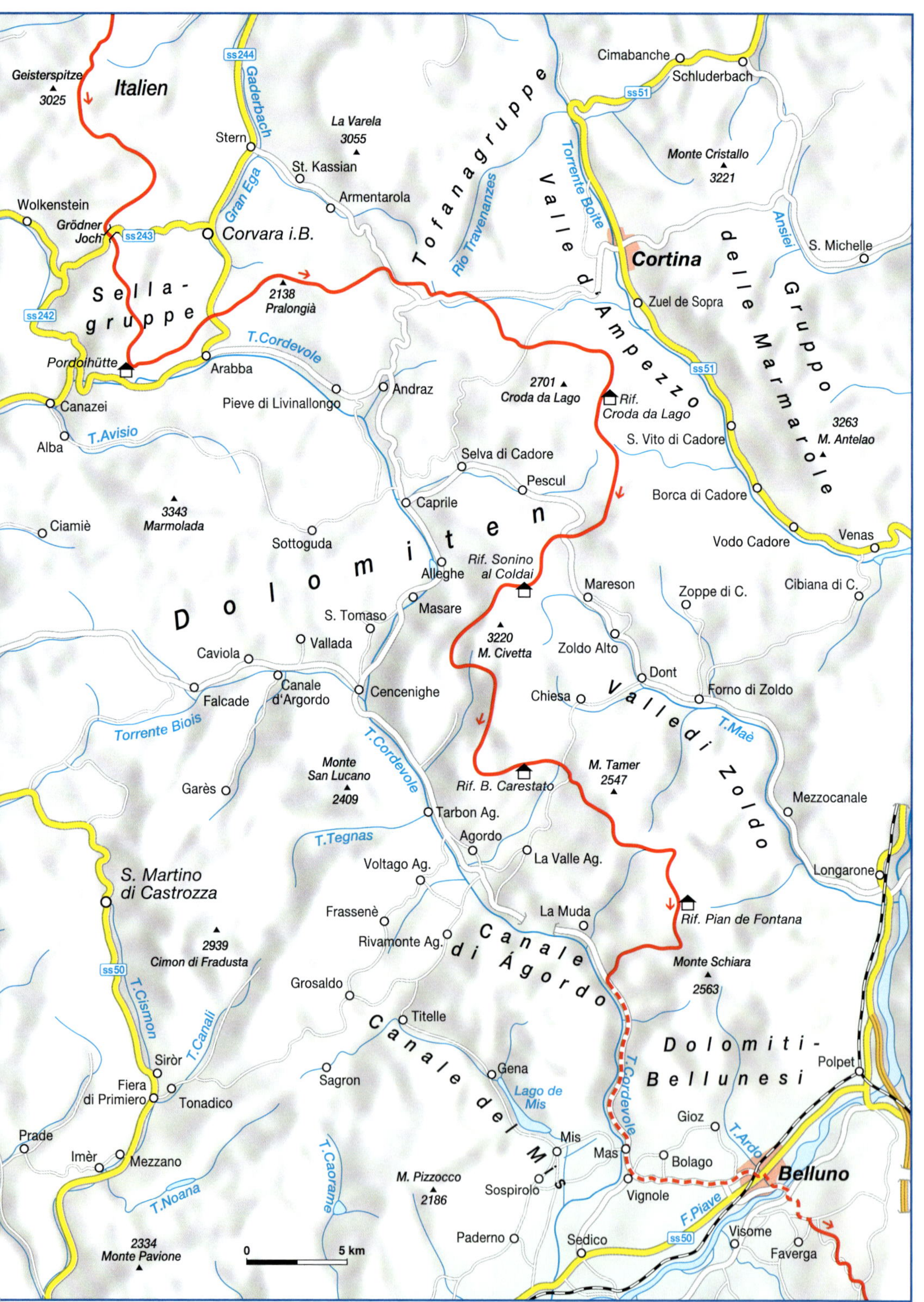

Italien
Geisterspitze
3025
Stern
Gaderbach
La Varela
3055
St. Kassian
Armentarola
Tofanagruppe
Cimabanche
Schluderbach
Monte Cristallo
3221
Wolkenstein
Grödner Joch
Corvara i.B.
Gran Ega
Sellagruppe
2138
Pralongià
Rio Travenanzes
Valle d'Ampezzo
Torrente Boite
Cortina
Ansiei
S. Michelle
Zuel de Sopra
Gruppo delle Marmarole
Pordoihütte
Arabba
T.Cordevole
Canazei
Alba
T.Avisio
Pieve di Livinallongo
Andraz
2701
Croda da Lago
Rif. Croda da Lago
S. Vito di Cadore
3263
M. Antelao
Selva di Cadore
Pescul
Caprile
Borca di Cadore
Ciamiè
3343
Marmolada
Sottoguda
Dolomiten
Vodo Cadore
Venas
Alleghe
Rif. Sonino al Coldai
Mareson
Zoppe di C.
Cibiana di C.
S. Tomaso
Masare
3220
M. Civetta
Zoldo Alto
Vallada
Caviola
Falcade
Canale d'Argordo
Cencenighe
Chiesa
Dont
Forno di Zoldo
Valle di Zoldo
T.Maè
Torrente Biois
T.Cordevole
Monte San Lucano
2409
Garès
Rif. B. Carestato
M. Tamer
2547
Mezzocanale
Tarbon Ag.
T.Tegnas
Agordo
La Valle Ag.
S. Martino di Castrozza
Voltago Ag.
Longarone
Frassenè
La Muda
Rif. Pian de Fontana
2939
Cimon di Fradusta
Rivamonte Ag.
Canale di Ágordo
Monte Schiara
2563
Grosaldo
Titelle
T.Cismon
T.Canali
Canale del Mis
Dolomiti-Bellunesi
Siròr
Fiera di Primiero
Tonadico
Sagron
Gena
Lago de Mis
T.Cordevole
Polpet
Gioz
T.Ardo
Prade
Imèr
Mezzano
T.Caorame
M. Pizzocco
2186
Mis
Mas
Bolago
Belluno
Sospirolo
Vignole
T.Noana
F.Piave
2334
Monte Pavione
0
5 km
Paderno
Sedico
Visome
Faverga
ss244
ss243
ss242
ss51
ss50

ETAPPE 13

St. Georg – auf dem Wanderweg 7 bis Palmschöß – auf dem Wanderweg 8 bis zur Schatzerhütte und der Einmündung des Dolomitenhöhenwegs 2 – Abstieg in den Talgrund bei der Piskoialm – Dolomitenhöhenweg weiter bis Peitlerscharte – Schlüterhütte (Rifugio Genova).

5:50 Std.	16,4 km	1080 m ↗	280 m ↘

Zunächst durch Wälder und Almen am Südabhang der Plose; dann wird's zur Peitlerscharte hin steiniger, und oben befindet man sich schon in der Felszackenwelt der Dolomiten.
Ich hatte zunächst vorgehabt, zur Plose, dem großen Aussichtsberg, aufzusteigen, ließ das aber sein, weil mir das Wetter nicht sicher schien und weil es auch einen zusätzlichen Tag erfordert hätte – der Weg zur Schlüterhütte ist dann einfach zu weit. Wer trotzdem so gehen will, findet auf und an der Plose ÜM.

ETAPPE 14

Schlüterhütte – südwärts auf dem Dolomitenhöhenweg 2 – Roa-Scharte – Furcela de Forces de Cieles – Puezhütte (EM, ÜM) – Ciampeijoch – Crespainasee – Cirjoch – Grödner Joch (oder Passo Gardena, dort zwei ÜM).

7:00 Std.	18,4 km	1030 m ↗	1200 m ↘

Ich würde mal behaupten, diese Strecke ist eine der tollsten Wanderungen, die man in den Alpen überhaupt machen kann. Extrem abwechslungsreich geht es über mehrere Pässe, über Geröllhalden, Hochalmen und Karstgebiete, mit Blick auf viele große Massive der Dolomiten: Geislergruppe, Puezgruppe, Langkofel, Sella – sogar den Monte Pelmo im Süden sieht man schon. Ich entdeckte auch Edelweiß nahe am Weg.

ETAPPE 15

Grödner Joch – Dolomitenhöhenweg Nr. 2 südwärts zur Sella – Val Setus (leichte Kletterstellen) – Pisciadùhütte (EM, ÜM) – Antersas, 2907 m – Boèhütte (EM, ÜM) – Aufstieg zum Piz Boè, 3152 m (höchster Punkt dieser Alpenüberquerung), dort Rifugio Capanna Fassa (EM, ÜM) – Pordoihütte/Rifugio Forcella Pordoi (EM, ÜM). Übernachtung dort, oder im Rifugio Capanna Fassa (Achtung, Höhenlage!), oder in der Boèhütte, oder in Pensionen bzw. Hotels am Pordoijoch (drei ÜM), das man nach der Abfahrt mit der Seilbahn (ca. 15 Min.) von der Bergstation nahe der Pordoihütte erreicht.

4:20 Std.	9,5 km	1350 m ↗	620 m ↘

Brixen liegt auf 540 Metern, der Piz Boè auf über 3100 – diese Riesendifferenz haben Sie nun zu Fuß bewältigt, und noch ein paar Höhenmeter mehr, wegen der Zwischenabstiege! Gratuliere! Faszinierender Aufstieg zur Mondlandschaft des Sella-Plateaus, das auf fast 3000 Metern liegt. Im steilen Val Setus muss man auf etwa 50 Metern die Hände zu Hilfe nehmen, es gibt eiserne Trittstufen und Drahtseile, an denen man sich festhalten kann. Schwierig ist die Passage nur für nicht Schwindelfreie. Auch beim Auf- und Abstieg zum und vom Piz Boè muss man manchmal die Hände zu Hilfe nehmen. Oben hatte ich bei schönstem Wetter großartige Aussicht bis zu Ortler und Großglockner. Erwarten Sie aber nicht, allein zu sein, denn über die Seilbahn vom Pordoijoch strömen Massen von Touristen herauf. Ruhiger ist es, wenn Sie den Aufstieg auf den Piz Boè auf den nächsten Morgen verschieben.
Ich selbst fuhr damals mit der Seillbahn zum Pordoijoch hinunter, weil ich komfortabler übernachten wollte, und fuhr am nächsten Morgen wieder hinauf.

ETAPPE 16

Pordoihütte – Abstieg durch die Scharte in Richtung Pordoijoch bis etwa Höhe 2600 Meter – Wechsel nach Osten auf den Weg Nr. 626 – über das Geröllband zwischen den beiden Steilstufen der Sella – der Weg wird zum Weg Nr. 638 – Franz-Kostner-Hütte/Rifugio Kostner al Vallon (EM, ÜM) – Passo Campolongo (EM, ÜM) – La-Marmotta-Hütte (EM) – Berggasthof Pralongià (ÜM).

5:50 Std.	14,5 km	770 m ↗	1480 m ↘

Vom Piz Boè ist in den Karten auch ein direkterer Weg (Nr. 672) bergab in Richtung Nordosten eingezeichnet. Ich hatte über diesen Abstieg nachgedacht, dann aber Hinweise auf schwierige Passagen gefunden, und mich entschieden, zunächst nach Süden zu gehen und dann, wie oben beschrieben, den Weg über das Geröllband zwischen den zwei Felsstufen der Sella zu nehmen. Etwa nach einem Drittel auf diesem Weg entschied ich mich aber, weil dichte Wolken aufzogen, abzusteigen (Richtung eines deutschen Militärfriedhofs), und nahm dann eine andere Route, über den Ort Arabba. Einen Teil der beschriebenen Route oben bin ich also nicht gegangen, habe aber in Büchern und dem Internet keine Hinweise auf besondere Schwierigkeiten gefunden.

ETAPPE 17

Pralongià – Weg Nr. 24 zum Valparolapass und Rifugio Valparola (EM, ÜM) – Falzaregopass – Abstieg zum Rifugio Col Gallina (EM, ÜM) und noch ca. 1 km weiter, bis man auf den Dolomitenhöhenweg Nr. 1 zu den Cinque Torri trifft – Rifugio Cinque Torri (EM, ÜM) – weiter auf dem Dolomitenhöhenweg 1 zum Rifugio Croda da Lago (ÜM).

Das Kirchlein von St. Georg in Afers (Etappe 12)

7:30 Std.	20,7 km	1030 m ↗	1120 m ↘

Schöne Blicke auf die Marmolata und den Heiligkreuzkofel, dann vorbei an ehemaligen Stellungen aus dem Ersten Weltkrieg, und an den bizarr geformten Felstürmen der Cinque Torri.
Die Etappen 16 und 17 stellen die Verbindung dar zwischen den beiden berühmten Dolomitenhöhenwegen 1 und 2. Meine Route folgt in den nächsten Tagen dem Höhenweg 1.

ETAPPE 18

Rifugio Croda da Lago – Forcella Ambrizzola – Rifugio Città di Fiume (EM, ÜM) – Rifugio Passo Staulanza (EM, ÜM) – Rifugio Sonino al Coldai (ÜM).

5:50 Std.	16,5 km	950 m ↗	870 m ↘

Man bewegt sich jetzt im Umkreis des imposanten Monte Pelmo. Und steigt ins Reich der Felszacken des Civetta-Massivs empor. Ein Paradies der Kletterer, das vom Höhenweg 1 in einer Kurve nach Osten umgangen wird.

Aufbruch von der Schlüterhütte zur großartigen Etappe 14

ETAPPE 19

Rifugio Sonino al Coldai – Dolomitenhöhenweg 1 – Forcella Col Negro – südlich am Rifugio Tissi vorbei – Rifugio Mario Vazzoler (EM, ÜM) – Forcella del Camp – Rifugio Bruto Carestato (ÜM).

6:50 Std.	17,3 km	1290 m ↗	1610 m ↘

Eine ganz zauberhafte Etappe durch einsames Gebiet, immer unter den Zacken der Civetta, teils im Wald, teils auf freien Flächen. Aber durch die Länge und die Summe der Auf- und Abstiege sehr anstrengend. Wer nach dem Rifugio Carestato noch eine Dreiviertelstunde weitergeht, hat am Passo Duràn weitere zwei ÜM (eine Hütte, eine Pension).

ETAPPE 20

Rifugio Carestiato – Passo Duràn (EM, ÜM) – weiter auf dem Dolomitenhöhenweg 1, erst einmal ca. 1 km nach Süden bergab auf der Straße, dann dem Weg links in den Wald folgen – Rifugio Sommariva al Pramperet (EM, ÜM) – Rifugio Pian de Fontana (ÜM).

7:10 Std.	18,0 km	1090 m ↗	1270 m ↘

Erst leicht, dann kräftig ansteigend zum höchsten Punkt, der Forcella del Zita Sud (2400 m), wo es ein paar ausgesetzte Stellen gibt. Dann Abstieg durch schöne alpine Matten zum Rifugio.

ETAPPE 21

1. Teil: Rifugio Pian de Fontana – Forcella la Varéta – Casonet de Nerville – hier den Höhenweg 1 nach rechts verlassen und ins Val Vescova absteigen – Rifugio Bianchet (EM, ÜM) – weiter bergab, Weg wird zum Fahrweg – kurz vor einer Rechtskurve vor dem Haupttal Canale d'Agordo führt links ein Steig zum Talgrund – dort Bushaltestelle namens La Pissa.

4:50 Std.	11,4 km	470 m ↗	1670 m ↘

Von Haltestelle La Pissa mit dem Bus nach Belluno-Zentrum, etwa 30 Min. Achtung, Bus fährt nicht häufig! Von dort umsteigen auf den Bus nach Nevegal (falls möglich: Der Bus fährt erstens nur viermal am Tag, und das nur im August, ansonsten nur Samstag und Sonntag) und in der Ortschaft Caleipo aussteigen. Notfalls Taxi nehmen (oder Strecke zu Fuß zurücklegen, dann wird die Tagesetappe aber sehr lang).

2. Teil: Caleipo – Feriensiedlung Nevegal (mehrere ÜM).

2:30 Std.	6,7 km	610 m ↗

Der offizielle Dolomitenhöhenweg 1 führt vom Rifugio Pian de Fontana über den Berg Schiara bis nach Belluno. Das erste Problem ist die Länge dieser Etappe: 8:30 Std., 19,8 km, 1460 m auf, 2730 m ab. Vor allem die Meter im Abstieg sind Wahnsinn! Das zweite Problem ist, dass die Passage über die Schiara ein ernstzunehmender Klettersteig ist, der nicht ohne Ausrüstung begangen werden sollte. Damit war das Thema für mich gegessen. Auf den Abstieg ins Tal und die Busfahrt nach Belluno weichen viele der Höhenweg-Wanderer aus.

Wer in Belluno schon müde ist, kann mit Bus oder Taxi auch ganz nach Nevegal hochfahren – oder in Belluno übernachten und dies erst am nächsten Morgen tun. Die Gegend ist recht zersiedelt und der Fußweg nach Nevegal kein Muss.

ETAPPE 22

Vom Ortszentrum Nevegal mit der Seilbahn auf den Monte Faverghera hinaufliften, ca. 15 Min.
Monte Faverghera – Monte Visentin (1776 m, dort auch Rifugio Col Visentin, EM, ÜM) – Forcella Zoppei – von dort über Wanderweg in Richtung Südosten (Anmerkung unten beachten!) – Borgo Collon – Crodarossa – Savassa – Vittorio Veneto, Bahnhof (mehrere ÜM).

6:00 Std.	17,5 km	240 m ↗	1710 m ↘

Nach den Strapazen am Vortag gönnte ich mir die Seilbahn auf den Kamm. Vom Höhenrücken hat man eine weite Sicht in die Po-Ebene, bei ganz klarem Wetter wahrscheinlich bis Venedig. Leider entwickelte sich der Abstieg nicht sehr erfreulich: Eingezeichnete Wanderwege waren kaum gangbar, und so wechselte ich auf die Autostraße, die in langen Serpentinen und deshalb zeitraubend bergab führt.
Ich ging die Etappe vor anderthalb Jahrzehnten und weiß nicht, wie die Verhältnisse jetzt sind. Die Online-Karte zeigt einen Fußweg von der Forcella Zoppei bergab, der ziemlich direkt ins Tal nördlich von Vittorio Veneto führt. Diesen habe ich oben angegeben und berechnen lassen. Ob es ihn wirklich gibt und ob er durchgängig gangbar ist, weiß ich also nicht sicher. Notfalls müssen Sie auf die Straße Via del Col Visentin wechseln, die aufgrund ihrer weiten Serpentinen deutlich mehr Zeit zum Abstieg erfordert. Deshalb sollten Sie sicherheitshalber, wie angegeben, morgens den Lift auf den Kamm nehmen, weil der Aufstieg zu Fuß Sie Zeit kosten würde, die Sie später vielleicht benötigen.
Vittorio Veneto hat zwar ein paar hübsche alte Häuser, ist sonst aber nicht allzu attraktiv, so dass ich, um den Abschluss der Tour zu feiern, mit dem Zug ins hübschere Belluno zurückfuhr.
Rückreise: Von Vittorio Veneto aus mit dem Regionalzug nach Venedig-Mestre, dort Umsteigen in den EC nach München. Von Belluno aus nutzte ich damals einen Fernbus der regionalen Busgesellschaft, der in drei Stunden durch die Dolomiten nach Bozen fuhr, und nahm dort den Zug. Ob diese Option noch existiert, weiß ich nicht.

Im Uhrzeigersinn von oben: Lago di Coldai vor der Civetta-Westwand; Mutter Murmel ist die Beste; Schlutzkrapfen in Pralongià; geschafft – in Vittorio Veneto

3. SALZBURG – TOLMEZZO

In der Kürze liegt die Würze (und die Härte)

Salzburg – Untersberg – Königssee – Steinernes Meer – Maria Alm – Hundstein – Taxenbach – Rauris – Hochtor – Heiligenblut – Gössnitzscharte (2732 m, höchster Punkt dieser Alpenüberquerung) – Lienz – Lienzer Dolomiten – Lesachtal – Wolayersee – Monte Crostis – Ravascletto – Monte Zoncolan – Tolmezzo in Friaul

13 Etappen | Insgesamt: 234 km | 14.000 m ↗ | 12.980 m ↘
Durchschnittliche Etappe: 18,0 km | 1077 m ↗ | 998 m ↘

Auf diese Route bin ich besonders stolz, weil es für sie noch weniger ein Vorbild gab als für die beiden vorangegangenen. In nur zwei Wochen führt sie vom Nord- an den Südrand der Alpen, und es gelang mir sogar aufgrund Wetterglücks, sie an einem Stück zu absolvieren. Auf allen anderen Überquerungen waren es sonst

Auf dem Salzburger Hochthron – mit großartigem Panorama der Berchtesgadener Alpen

mindestens zwei Teile. Dass der Zielort Tolmezzo in Friaul noch nicht ganz jenseits der Alpen liegt, ist ein kleiner Schönheitsfehler. Er liegt aber etwa so zum südlichen Alpenrand wie Oberstdorf zum nördlichen: am Ende eines breiten Tals, das sich in die Berge hinein erstreckt. Und wenn Oberstdorf als Startpunkt für meine erste Überquerung okay war, so musste es folglich auch Tolmezzo als Endpunkt für meine dritte sein. Es gibt einfach keinen überzeugenden Fußweg für das letzte Stück von Tolmezzo bis in die Poebene, alle möglichen Routen sind von Straßen belegt.

Als ich jetzt die Höhenunterschiede ermittelte, war ich erstaunt ob der Härte dieser Alpenüberquerung. Sie ist mit 13 Etappen zwar relativ kurz, aber mit durchschnittlich rund 1000 Metern Auf- und Abstieg pro Tag auch ehrfurchtgebietend anspruchsvoll. Erstaunlicherweise habe ich das mit Anfang 50 noch geschafft!

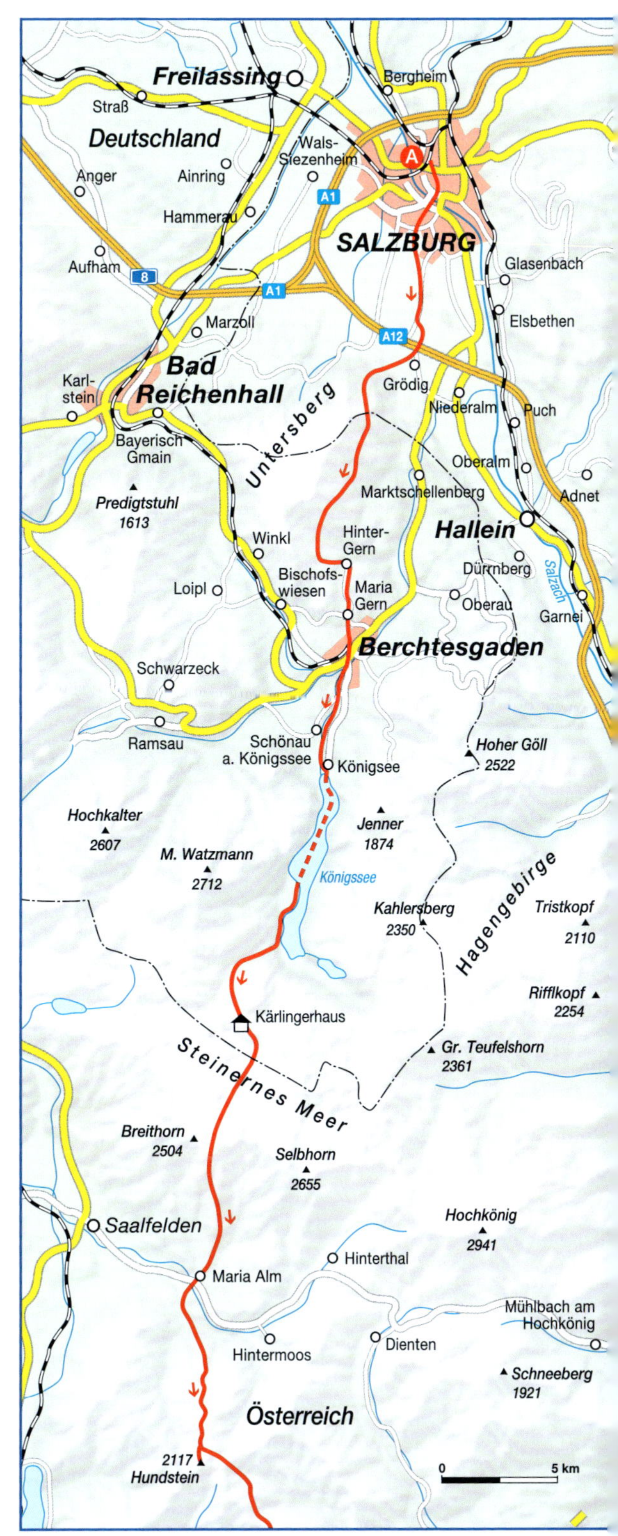

ETAPPE 1

Salzburg, Hauptbahnhof – Innenstadt – Schloss Leopoldskron – Arnoweg bis Eichetwald – Rupertiweg bis Glanegg – Aufstieg zum Untersberg auf dem Reitsteig (nicht den Dopplersteig nehmen!) – Zeppezauerhaus (EM, ÜM) – Bergstation der Untersberg-Seilbahn, dort auch

Hochalm am Untersberg (EM, ÜM). ÜM auf der Hochalm oder dem Zeppezauerhaus, oder Abfahrt mit der Bahn nach St. Leonhard (dort mehrere ÜM, und am nächsten Morgen Wiederauffahrt).

5:20 Std.	15,3 km	1480 m ↗	110 m ↘

Anreise: Salzburg liegt an der vielbefahrenen Bahnlinie München – Wien. Und hat sogar einen internationalen Flughafen. Wer mit dem Flieger kommt, kann direkt vom Terminal aus losgehen.
Man kann gut 2:30 Std. einsparen, wenn man zwischen Salzburg und Grödig den Stadtbus nimmt. Achtung, der Tourenplaner geht anscheinend von 600 Höhenmetern Aufstieg pro Stunde aus. Ich schaffte damals, zu meiner besten Zeit, höchstens 500, und auch das nur bei gut gangbaren Wegen. Von Glanegg bis zur Hochalm habe ich mindestens 3 Stunden gebraucht. Ich bin damals noch weiter über den Untersberg gegangen und hatte erst im Stöhrhaus übernachtet, wo ich nach ca. 1900 Höhenmetern Aufstieg gegen Abend und völlig erschöpft ankam. Nur die Herkulesse unter den Lesern sollten mir das nachmachen!

ETAPPE 2

Hochalm am Untersberg – Salzburger Hochthron, 1853 m – Mittagscharte – Weg 417 nach Süden – Grenze Österreich/Deutschland – Berchtesgadener Hochthron, 1972 m – Stöhrhaus (EM, ÜM) – weiter nach Süden auf Weg 417, dann auf dem Rupertiweg nach Maria Gern – Berchtesgaden (viele ÜM).

6:40 Std.	17,9 km	610 m ↗	1820 m ↘

Der Weg über das Karstplateau mit seinen riesigen Erdfällen und der tollen Aussicht bis zu Watzmann, Steinernem Meer und Dachstein ist großartig, aber wegen des ständigen Auf und Abs auch sehr anstrengend. Bei Gewittergefahr nicht gehen, es gibt über Stunden keine Hütte zum Unterstehen!

ETAPPE 3

Teil 1: Berchtesgaden – Rupertiweg – Königssee, Schiffslände.

1:40 Std.	5,9 km	80 m ↗	30 m ↘

Mit dem Schiff über den Königssee bis St. Bartholomä, ca. 20 Min.

Teil 2: St. Bartholomä – zunächst am See nach Süden, dann Aufstieg auf dem Rupertiweg/Weg Nr. 410 – Saugasse – Funtenseesattel – weiter bis zum Kärlingerhaus (ÜM).

Das Zeppezauerhaus auf der Nordseite des Untersbergs

4:30 Std.	10,3 km	1250 m ↗	150 m ↘

Eine steile Plackerei aufwärts, dann schönes Hochtal am Funtensee – das ist der, an dem es in der Wettervorhersage immer so kalt ist!

ETAPPE 4

Kärlingerhaus – Funtensee – Stuhlgraben – Weg 413, gleichzeitig Rupertiweg, Via Alpina und E10 – Grenze Deutschland/Österreich – über das Steinerne Meer – Salzburger Kreuz – Riemannhaus (EM, ÜM) – Maria Alm (EM, ÜM) – Aberg (mehrere ÜM).

6:10 Std.	16,3 km	890 m ↗	1430 m ↘

Das Steinerne Meer ist in seiner Ödheit noch extremer als der Untersberg, nackter Fels und Karrenfelder wohin das Auge schaut. Wie in eine Oase blickt man dann vom Riemannhaus in die weiter südlich gelegenen grünen Täler und Bergketten. Auf das Wetter achten! Auch Nebel ist im Steinernen Meer gefährlich, denn es handelt sich meist nicht um einen erkennbaren Weg, sondern um eine Route über Felsplatten, die man mithilfe

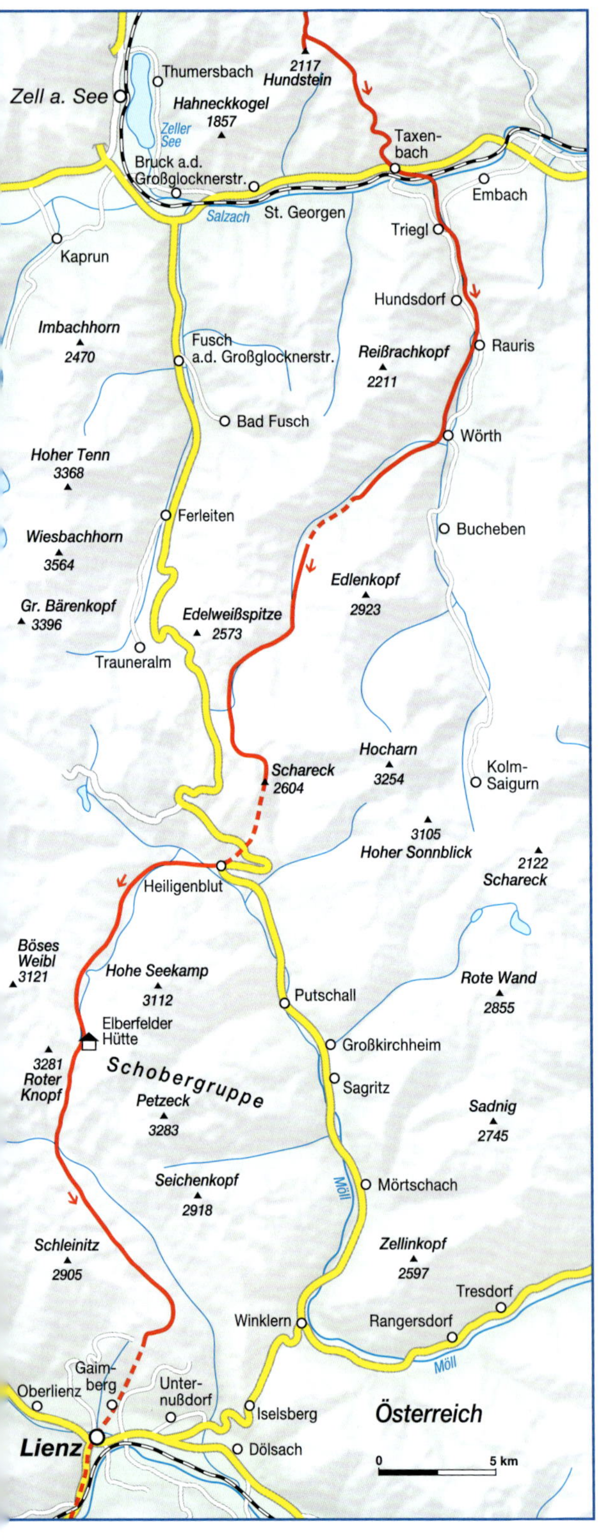

der rotweißen Markierungen finden muss. GPS-Navigation kann hier sehr nützlich sein.
Steiniger und zunächst steiler Abstieg vom Riemannhaus. Ich zog es vor, nicht im Ort Maria Alm zu übernachten, sondern noch etwa 300 Höhenmeter den nächsten Berg, den Hundstein, hinaufzugehen zum Weiler Aberg. Dort finden sich, in unterschiedlichen Höhenlagen, einige Pensionen. Man hat von dort einen schönen Blick zurück auf den schroffen Wall des Steinernen Meers und den höchsten Gipfel der Salzburger Kalkhochalpen, den Hochkönig (2941 m).

ETAPPE 5

Aberg – Hundstein (2117 m), am Gipfel Statzerhaus (EM) – auf dem Aufstiegsweg einen knappen Kilometer zurück, bis nach rechts der E10, der auch als Rupertiweg ausgewiesen ist, abzweigt – durch Almen in Richtung Taxberghöhe – Abstieg über Fahrweg nach Taxenbach (diverse ÜM).

7:20 Std.	20,4 km
1100 m ↗	1440 m ↘

Der Hundstein wird als »höchster Grasberg Europas« gerühmt. Deshalb und wegen der großen Aussicht sollte man ihn »mitnehmen«, obwohl der Gipfel nicht ganz auf dem Weg liegt. Danach zieht sich der Weg ganz schön dahin, und der Abstieg ins tiefliegende Salzachtal ist lang.

ETAPPE 6

Taxenbach – Kitzlochklamm – Rupertiweg/E10/Zentralalpenweg bis Rauris (EM, ÜM) – entlang der Rauriser Ache bis Wörth – weiter auf der Straße ins Seidlwinkltal – bis zum Haltepunkt Fleckweide (Meereshöhe 1100 m) an der Seidlwinklstraße.

6:10 Std.	20,2 km	700 m ↗	340 m ↘

Rückfahrt mit dem Tälerbus Seidlwinktal nach Rauris (ca. 20 Min., fährt nicht häufig, oder Autostopp), in Rauris übernachten.

Wer es bequemer haben möchte, geht nur bis Rauris und verzichtet auf die ersten Kilometer im Seidlwinkltal.

Die ersten Meter am Königssee sind noch kommod ... (Etappe 3)

Schrattenkarst im Steinernen Meer, dahinter Schönfeldspitze (Etappe 4)

ETAPPE 7

Mit dem Tälerbus Seidlwinkltal von Rauris bis zur Palfneralm im Seidlwinkltal, ca. 30 Min.

Palfneralm – Tauernhaus (EM) – Aufstieg zur Großglockner-Hochalpenstraße, nördliches Tunnelportal am Hochtor – Aufstieg zum Hochtor, 2576 m – Höhenweg in östlicher Richtung über Tauernkopf (2625 m) zum Schareck – Bergrestaurant Schareck (EM, Bergstation Schareck-Bahn).

5:30 Std.	13,8 km	1450 m ↗	200 m ↘

Mit der Schareck-Bahn nach Heiligenblut hinabfahren (etwa 30 Minuten), dort viele ÜM.

Aufstieg durch ein einsames Tal, dann wird es an der Großglockner-Hochalpenstraße etwas lauter. Vom Hochtor und danach große Blicke auf den Großglockner (3798 m). Den steilen Abstieg nach Heiligenblut wollte ich mir ersparen. Es sind über 1200 Höhenmeter bergab und dauert wohl über 3 Std.!

Wer im Seidlwinkltal mit dem Bus gleich bis zum Tauernhaus fährt, spart etwa eine Stunde und 200 Höhenmeter Aufstieg ein.

ETAPPE 8

Heiligenblut – zunächst auf dem Zentralalpenweg nach Westen, bis zur Anhöhe First – dann Wanderweg nach Süden, ins Gössnitztal – Aufstieg zur Elberfelder Hütte (ÜM).

5:40 Std.	15,2 km	1300 m ↗	250 m ↘

Ich traf auf dieser Strecke kaum einen Menschen, auch die Elberfelder Hütte war fast leer. Vielleicht, weil das Berggebiet, die Schobergruppe, nicht so bekannt ist, weil es »im Schatten« der Hohen Tauern und des Großglockners liegt. Möglicherweise ist es mittlerweile dort etwas belebter. Ich ging damals noch bis zur Lienzer Hütte (siehe unten) weiter, was ich aber nur den sehr Kräftigen raten würde, denn dann sind es über 1700 m Aufstieg und mindestens 8:30 Std. Weg.

ETAPPE 9

Elberfelder Hütte – Kärntner Grenzweg – am Gössnitzkees vorbei – Gössnitzscharte (2732 m, höchster Punkt dieser Alpenüberquerung) – Lienzer Hütte (EM, ÜM) – im Debanttal abwärts bis Seuchenbrunn/Schäferhütte – Aufstieg zur Seewiesenalm und zum Berggebiet Zettersfeld, dabei aber um den Bergrücken Steinermandl östlich und südlich herumgehen – Abstieg zur Siedlung Hoch-Lienz (EM, mehrere ÜM) und Bergstation Zettersfeldbahn.

7:00 Std.	18,7 km	1030 m ↗	1560 m ↘

Runter mit der Bahn nach Lienz, ca. 20 Min. Viele ÜM in Lienz.

Der Gletscher Gössnitzkees ist kein Problem, da er im Bereich des Wegs von Blöcken und Schutt bedeckt ist. Bis zur Gössnitzscharte muss man aber Blöcke übersteigen und genau auf die Wegmarkierungen achten. Erst langer Abstieg, dann mittellanger Wiederanstieg auf den Höhenrücken über Lienz. Verpasst man die letzte Gondel nach Lienz, bietet es sich an, in Hoch-Lienz zu nächtigen. Bei schlechtem Wetter – oder Erschöpfung – kann man sich den Aufstieg nach Zettersfeld ersparen und im Debanttal bis zur Ortschaft Debant bei Lienz absteigen.

ETAPPE 10

Von Lienz aus mit dem Taxi nach Leisach-Gries und auf den Fahrweg entlang der Galitzenklamm. Auffahrt bis Parkplatz Klammbrückl, ca. 20 Min.
Parkplatz Klammbrückl – Schutzhaus Kerschbaumer Alm (EM, ÜM) – Zochenpass, 2260 m – Kärntner Grenzweg – Tuffbad – St. Lorenzen im Lesachtal (mehrere ÜM).

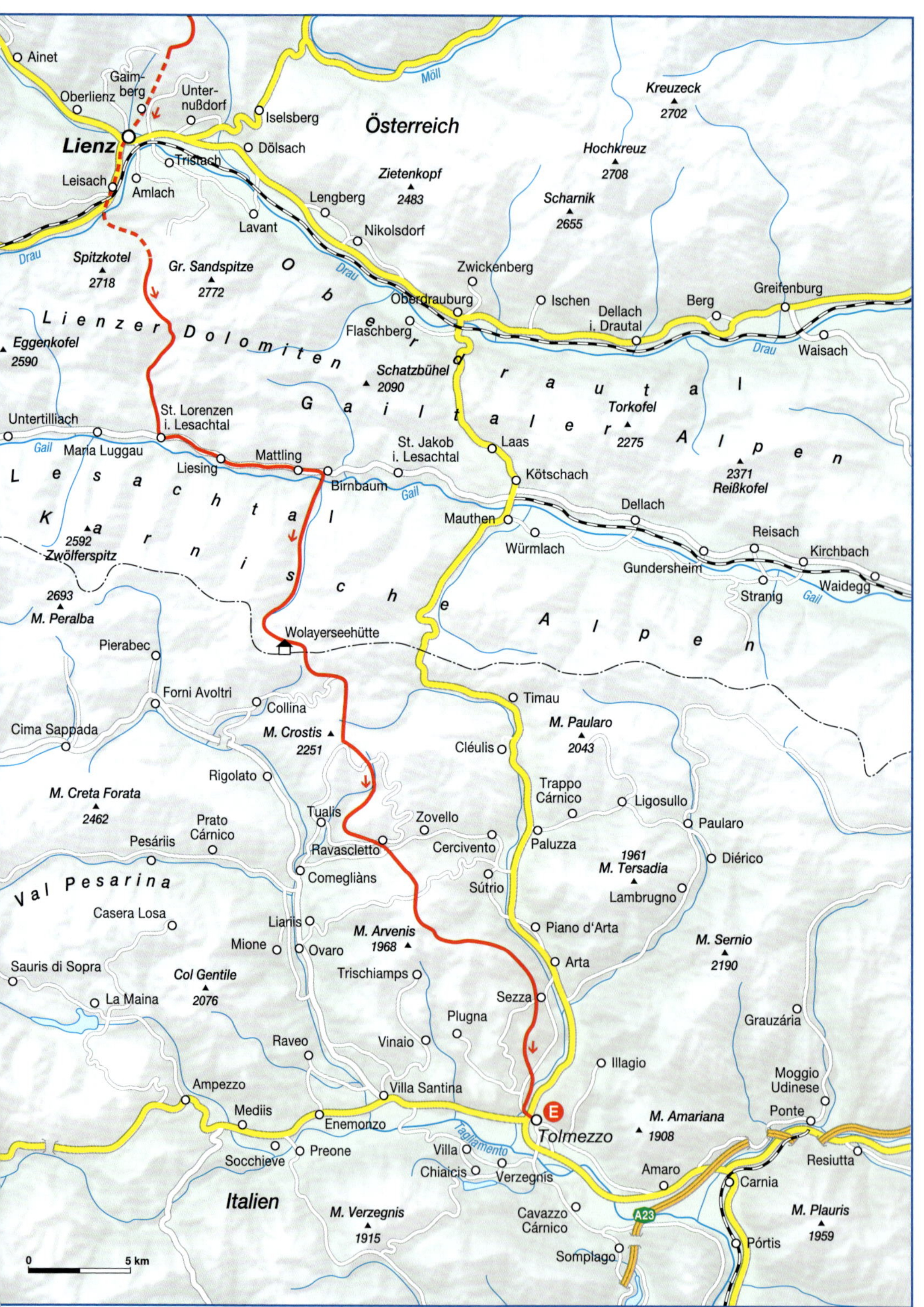
Ainet
Gaimberg
Oberlienz
Unternußdorf
Iselsberg
Österreich
Möll
Kreuzeck
2702
Lienz
Dölsach
Tristach
Leisach
Amlach
Hochkreuz
2708
Zietenkopf
2483
Lengberg
Scharnik
2655
Lavant
Nikolsdorf
Drau
Spitzkotel
2718
Gr. Sandspitze
2772
Zwickenberg
Oberdrauburg
Ischen
Berg
Greifenburg
Dellach i. Drautal
Flaschberg
Waisach
Lienzer Dolomiten
Eggenkofel
2590
Schatzbühel
2090
Oberdrautaler Alpen
Gailtaler Alpen
Torkofel
2275
Untertilliach
St. Lorenzen i. Lesachtal
Laas
Gail
Maria Luggau
Mattling
St. Jakob i. Lesachtal
Liesing
Kötschach
2371
Reißkofel
Lesachtal
Birnbaum
Dellach
Mauthen
Reisach
2592
Würmlach
Kirchbach
Zwölferspitz
Gundersheim
Waidegg
Karnische Alpen
Stranig
2693
M. Peralba
Wolayerseehütte
Pierabec
Forni Avoltri
Collina
Timau
Cima Sappada
M. Crostis
2251
M. Paularo
2043
Cléulis
Rigolato
Trappo Cárnico
Ligosullo
M. Creta Forata
2462
Tualis
Zovello
Paularo
Prato Cárnico
Pesáriis
Ravascletto
Cercivento
Paluzza
1961
M. Tersadia
Diérico
Val Pesarina
Comegliàns
Sútrio
Lambrugno
Casera Losa
Liariis
Piano d'Arta
M. Arvenis
1968
M. Sernio
2190
Mione
Ovaro
Arta
Sauris di Sopra
Trischiamps
Col Gentile
2076
Sezza
La Maina
Plugna
Grauzária
Raveo
Vinaio
Illagio
Moggio Udinese
Ampezzo
Villa Santina
Mediis
Ponte
Enemonzo
E
Tolmezzo
M. Amariana
1908
Tagliamento
Preone
Villa
Resiutta
Socchieve
Chiaicis
Verzegnis
Amaro
Carnia
Italien
M. Verzegnis
1915
Cavazzo Cárnico
A23
M. Plauris
1959
Pórtis
Somplago
0
5 km

Der Weiler Xaveriberg bei St. Lorenzen im Lesachtal

6:00 Std.	14,1 km	1250 m ↗	1230 m ↘

Ohne Taxifahrt geht man noch mindestens eine Stunde mehr. Es gibt offenbar auch ein Sammeltaxi (fährt morgens nur einmal) vom Bahnhof Lienz aus.
Vom Zochenpass hatte ich einen schönen Blick zurück auf die leicht verschneiten Berge der Schobergruppe – am Nachmittag des Vortags und in der Nacht hatte sich ein kleines Gewittertief bemerkbar gemacht.

ETAPPE 11

St. Lorenzen im Lesachtal – auf der Gailtal-Bundesstraße B111 bis zum Weiler Egg – hinter Egg, aber 200 m vor dem Weiler Birnbaum (dort EM, ÜM) rechts abwärts auf Fahrstraße mit Richtungsangabe Nostra – Lesachbrücke – Nostra – Weg zur Wolayer Alm – Untere, dann Obere Wolayer Alm – Wolayerseehütte (ÜM).

7:40 Std.	22,8 km	1390 m ↗	540 m ↘

Warum gebe ich hier eine Route an, die 9 km lang auf einer Autostraße verläuft? Weil man die Straße zwar teilweise vermeiden könnte, wenn man ganz unten im Tal am Fluss Gail wandern würde, aber diese Strecke wäre weiter, so dass die ohnehin schon lange

Tagesetappe noch länger würde. Heute würde ich die Strecke St. Lorenzen bis Birnbaum ganz oder teilweise mit dem Bus (Achtung, fährt morgens wohl nur einmal) oder Taxi zurücklegen.
Um den Grinse-Reflex bei Besuchern zu vermeiden, vermarktet sich dieser Teil des Gailtals heute lieber mit seiner anderen Bezeichnung, Lesachtal. Die Ortschaft Obergail, an der man vorbeikommt, steht aber stolz zu ihrem Namen.
Ab Nostra langer Aufstieg zur Kette der Karnischen Alpen, wo die Grenze zu Italien verläuft.

ETAPPE 12

Wolayerseehütte – Passo Volaia (Grenze Österreich/Italien) – knapp 600 m nach dem Pass nach links steil hinauf in Richtung Rifugio Marinelli, einige Passagen klettersteigähnlich – Rifugio Marinelli (EM, ÜM) – Monte Floriz – Forcella Plumbs – Monte Crostis (2250 m) – Abstieg nach Südost auf den Weg Panoramica delle Vette – Casera Tarondon bassa – Casera Pezzet di Sotto – Ravascletto (mehrere ÜM).

7:40 Std.	20,2 km	890 m ↗	1910 m ↘

Gleich zu Beginn wird der Karnische Kamm, Kampfgebiet im Ersten Weltkrieg, überwunden. Dann bewegen wir uns zunächst an der Südseite der Hohen Warte (2780 m), des höchsten Bergs der Kette. Später kommen wir in südalpine Grasberge mit Buschbestand.
Der klettersteigähnliche Pfad zum Rif. Marinelli ist nicht besonders schwierig. Wer ihn dennoch vermeiden will, muss erst einmal weiter ins Tal absteigen und dann wieder zum Monte Crostis hinauf. Laut Tourenrechner sind das nur 20 Minuten mehr und etwa 30 Höhenmeter.

ETAPPE 13

Von Ravascletto mit der Zoncolan-Seilbahn bis zur Bergstation Zoncolan (ca. 15 Min.).
Bergstation Zoncolan – Monte Zoncolan – Monte Tamai, 1970 m – Forcella Arvenis – Forcella Meleit – Abstieg nach Südosten zur Ortschaft Fielis – Kirche Madonna in Monte – Wanderweg nach Süden zur Ortschaft Sezza – Sentiero della Fede – auf kleinen Straßen nach Cazzaso – Wanderweg bergab nach Casanova – auf der Straße SP21 (und durch kurzen Straßentunnel mit Gehsteig) nach Tolmezzo (mehrere ÜM).

8:00 Std.	23,1 km	580 m ↗	1970 m ↘

Eine harte Schlussetappe, vor allem, was die Höhenmeter im Abstieg betrifft. Etwas kürzer ist unterwegs, wer von Fielis ganz ins Tal nach Zuglio absteigt und dann flach auf Sträßchen nach Tolmezzo geht. Man erspart sich dann etwa 45 Min. sowie 280 m im Auf- und Abstieg.
Wer statt mit der Seilbahn zu fahren, zu Fuß aufsteigt, wird die Etappe nicht schaffen bzw. muss ab etwa Fielis Autostopp machen.
Rückreise: Etwa 10 km entfernt von Tolmezzo liegt die Bahnstation Carnia, von dort gibt es Züge nach Villach in Österreich, wo man in Fernzüge nach Salzburg und München umsteigen kann. Nach Carnia kommt man am besten mit dem Taxi, Busse gibt es eher selten. Häufiger fahren Busse von Tolmezzo nach Udine, wo man ebenfalls Züge nach Villach nehmen kann.

Die großartig gelegene Wolayerseehütte vor dem Karnischen Grenzkamm

4. THUN – BIELLA

Der Jungfrau-Matterhorn-Monte Rosa-Weg

Thun – Beatenberg – Interlaken – Mürren – Sefinafurgga – Hohtürli – Kandersteg – Lötschenpass – Hohtenn – Visp – Grächen – Europaweg – Oberrothorn, 3414 m (höchster Punkt) – Zermatt – Grächen – Hanigalp – Saas Fee – Monte-Moropass – Macugnaga – Türlipass – Alagna Valsesia – Rifugio Rivetti – Oropa – Biella

17 Etappen | Insgesamt: 264 km | 15.690 m ↗ | 16.780 m ↘
Durchschnittliche Etappe: 15,5 km | 923 m ↗ | 987 m ↘

Die Tour ist die am westlichsten gelegene meiner Alpenüberquerungen. Sie führt durch die beiden größten landschaftlichen Highlights der Schweiz, das Berner Oberland und die Gegend um Zermatt (mit Matterhorn und Monte Rosa). Auf die Viertausender kann ein Wanderer natürlich nicht steigen, doch auf gut 3400 Meter (am Oberrothorn) haben wir es dann doch gebracht. Diese Transalp-Tour ist diejenige, die am meisten hochalpinen Zuschnitt besitzt. Dennoch verläuft sie auf Wanderwegen. Allerdings sind einige Wege, manchmal noch im Juli, noch von Schneefeldern bedeckt.

Kurz nach dem Start: Oberhofen am Thunersee

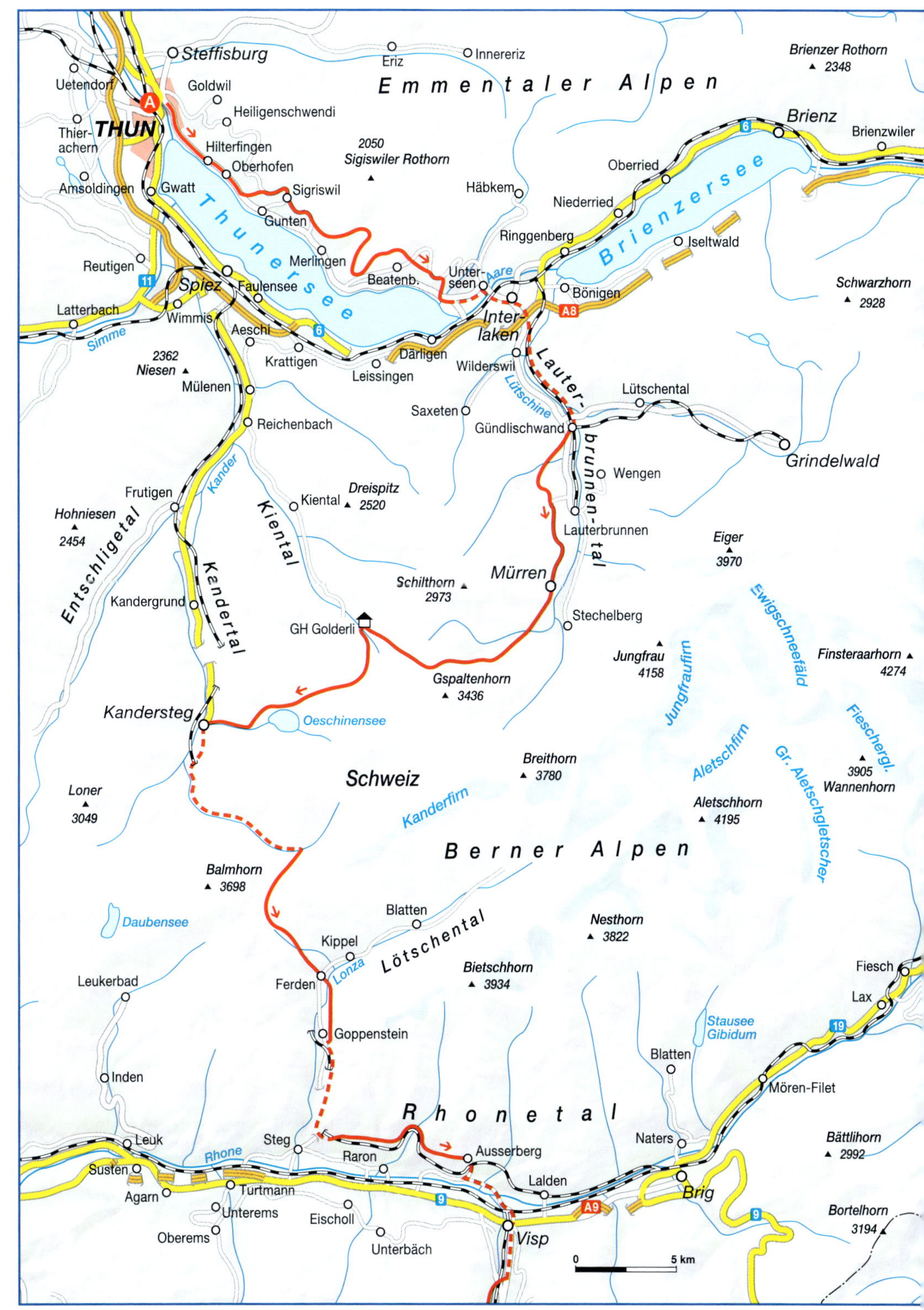
Steffisburg
Eriz
Innereriz
Emmentaler Alpen
Brienzer Rothorn
2348
Uetendorf
Goldwil
Heiligenschwendi
THUN
Thier-
achern
Hilterfingen
Oberhofen
2050
Sigiswiler Rothorn
Brienz
Brienzwiler
Amsoldingen
Gwatt
Sigriswil
Häbkern
Oberried
Niederried
Brienzersee
Thunersee
Gunten
Ringgenberg
Iseltwald
Reutigen
Merlingen
Beatenb.
Unter-
seen
Aare
Schwarzhorn
2928
Spiez
Faulensee
Bönigen
Latterbach
Wimmis
Inter-
laken
A8
Simme
Aeschi
Krattigen
Därligen
Leissingen
Wilderswil
2362
Niesen
Mülenen
Lauter-
brunnen-
tal
Lütschine
Lütschental
Saxeten
Gündlischwand
Reichenbach
Grindelwald
Kander
Wengen
Frutigen
Kiental
Dreispitz
2520
Hohniesen
2454
Entschligetal
Kiental
Kandertal
Lauterbrunnen
Eiger
3970
Mürren
Schilthorn
2973
Kandergrund
Stechelberg
GH Golderli
Jungfrau
4158
Finsteraarhorn
4274
Ewigschneefäld
Gspaltenhorn
3436
Jungfraufirn
Kandersteg
Oeschinensee
Fieschergl.
Aletschfirn
Gr. Aletschgletscher
Breithorn
3780
Schweiz
Loner
3049
3905
Wannenhorn
Kanderfirn
Aletschhorn
4195
Berner Alpen
Balmhorn
3698
Daubensee
Blatten
Nesthorn
3822
Kippel
Lötschental
Lonza
Leukerbad
Ferden
Bietschhorn
3934
Fiesch
Lax
Goppenstein
Stausee
Gibidum
Blatten
Inden
Mören-Filet
Rhonetal
Leuk
Steg
Naters
Bättlihorn
2992
Rhone
Raron
Ausserberg
Susten
Lalden
Agarn
Turtmann
Brig
Unterems
Eischoll
A9
Bortelhorn
3194
Oberems
Unterbäch
Visp
0
5 km

Die Jungfrau, 4158 m, vom Weg nach Mürren aus

Ich unternahm die Überquerung mit meinem alten Freund Udo, den ich aus dem Geographiestudium kannte, und der inzwischen leider verstorben ist.
Diese 4. Überquerung ist die einzige Tour, die sozusagen eine Sackgasse beinhaltet. Nämlich die von Grächen nach Zermatt auf dem Europaweg; danach kehrten wir mit Bahn und Bus nach Grächen zurück, um von dort auf dem fabelhaften Balfrin-Höhenweg im Saastal nach Süden zu gehen. Grund hierfür war vor allem, dass man von Zermatt aus nicht auf Wanderwegen nach Italien gelangen kann, sondern nur über Gletscher. Das Saastal hingegen kann man nach Süden auf einem Wanderweg verlassen. Wer sich den Schlenker nach Zermatt sparen will (weil er oder sie zum Beispiel den Europaweg schon kennt), kann die Etappen 9 bis 11 weglassen und von Grächen gleich Richtung Saas und Biella gehen.
Außerdem ist es möglich, diese Überquerung mit meiner Überquerung 10 zu kombinieren, und zwar dergestalt, dass man die hier gleich folgenden Etappen 1 bis 3 weglässt und durch die Etappen 1 bis 6 der Überquerung 10 ersetzt, die insgesamt noch attraktiver sind (aber auch eine längere Strecke mit sich bringen). Die Etappe 6 der 10. Überquerung muss dann nur insofern abgeändert werden, als

dass man von der Kleinen Scheidegg, statt wieder nach Grindelwald abzusteigen, ins Lauterbrunnental und von dort nach Mürren geht (oder hilfsweise fährt). Diese Neukombination habe ich weiter oben schon mit dem Namen »Best of Switzerland« bezeichnet; durch den neuen Beginn kämen auch noch die Aussichtsgipfel Pilatus und Brienzer Rothorn hinzu.

ETAPPE 1

Thun, Bahnhof – Innenstadt – Uferweg an der Aare, dann am Thunersee – Hilterfingen – Oberhofen – Aufstieg im Ortsteil Bloch – am Waldrand und im Wald zum Weiler Erizbüel – Aeschlen – Tschingel ob Gunten, Unterdorf – Abstieg ins Guntebachtal – Aufstieg nach Sigriswil (mehrere ÜM).

3:40 Std.	11,7 km	410 m ↗	170 m ↘

Anreise: Nach Thun gelangt man mit der Eisenbahn über Bern. Vom Westen Deutschlands aus gibt es sogar direkte ICEs. Von München und dem östlichen Deutschland aus muss man in Zürich und Bern umsteigen.
Zuerst eine Halbtagesetappe, da wir erst gegen Mittag angekommen waren. Schon vom Ufer des Thunersees aus hat man eigentlich erste Blicke auf die Eisriesen, doch leider lagen jene an diesem und dem nächsten Tag unter Wolken.

ETAPPE 2

Sigriswil – Weiler Rotbühl – Sträßchen ins Justistal – Grön – weiter auf dem Sträßchen – nach dem Tunnel und vor dem Weiler Uf Schmocken links auf einen Weg bergauf bis auf Höhe 1465 m – nach rechts zum Aussichtspunkt und der Seilbahnstation Vorsass (EM) – Beatenberg – Ruchenbühl – Birchi – Abstieg über Waldgebiet Dälebode zum Strandbad Neuhaus.

6:00 Std.	17,1 km	860 m ↗	1090 m ↘

Mit dem Stadtbus von Neuhaus nach Interlaken, ca. 10 Min. Dort zahlreiche ÜM.

Eine aussichtsreiche Tour am halben Hang der Berge nördlich des Thunersees. Das Sträßchen zwischen Grön und Beatenberg ist im Winterhalbjahr wegen Steinschlaggefahr gesperrt, müsste aber ab April offen sein. Bei schlechtem Wetter oder schlechter Fernsicht kann man auch von Sigriswil nach Merligen absteigen und dann auf einem Weg etwas oberhalb des Seeufers gehen. Auf diese Weise kann man auch noch die spektakulären St. Beatus-Höhlen besichtigen. Danach am See bis Neuhaus weiterwandern. Wer vom Strandbad Neuhaus aus nicht mit dem Bus fahren möchte, geht eine Dreiviertelstunde bis zur Innenstadt von Interlaken.

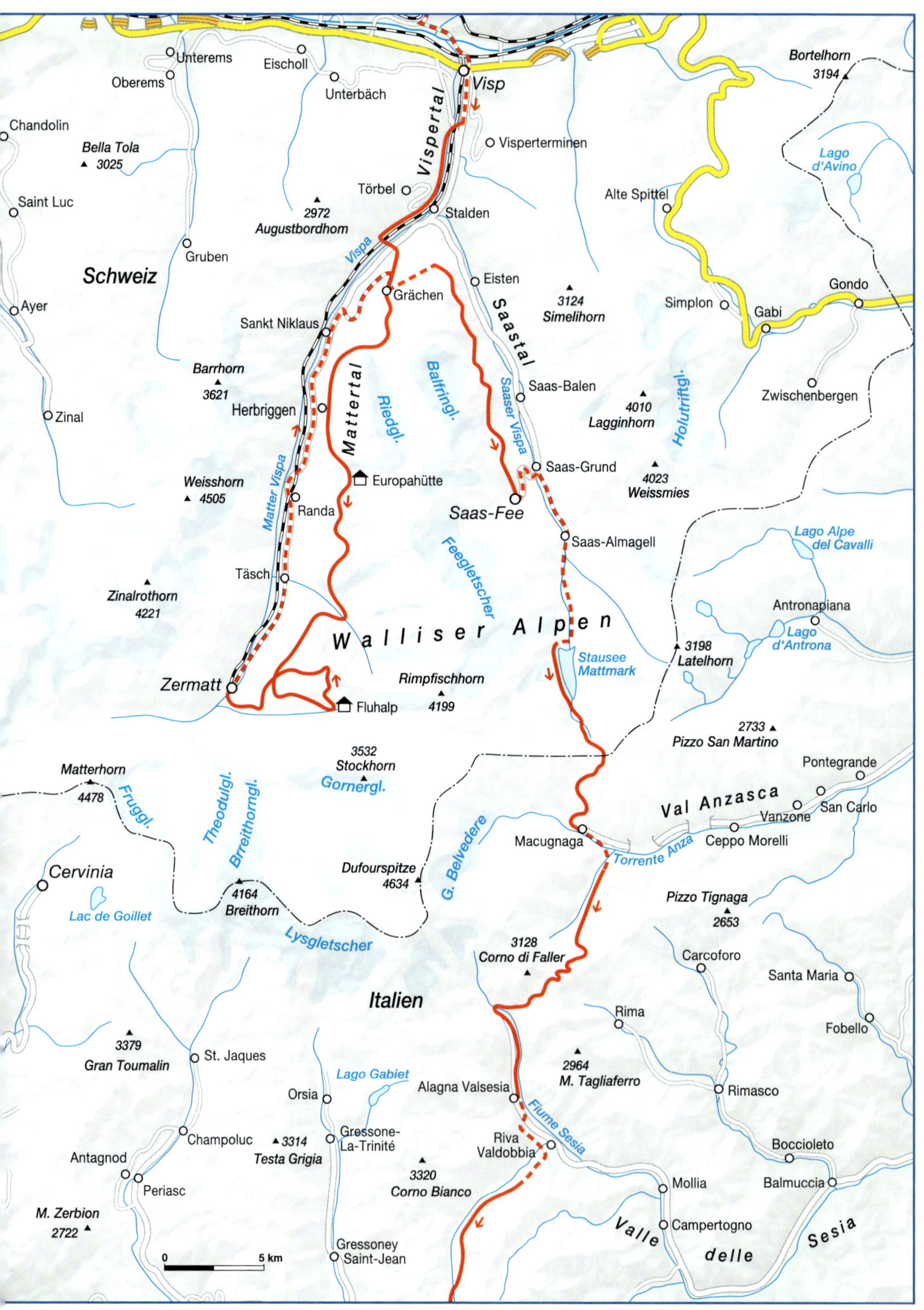
Unterems
Eischoll
Oberems
Unterbäch
Visp
Vispertal
Bortelhorn
3194
Chandolin
Bella Tola
3025
Visperterminen
Lago d'Avino
Törbel
Saint Luc
2972
Augustbordhom
Stalden
Alte Spittel
Gruben
Vispa
Schweiz
Eisten
Grächen
3124
Simelihorn
Saastal
Simplon
Gabi
Gondo
Ayer
Sankt Niklaus
Barrhorn
3621
Mattertal
Balfringl.
Riedgl.
Saaser Vispa
Saas-Balen
4010
Lagginhorn
Holutriftgl.
Zwischenbergen
Zinal
Herbriggen
Weisshorn
4505
Europahütte
Saas-Grund
4023
Weissmies
Matter Vispa
Randa
Saas-Fee
Saas-Almagell
Lago Alpe del Cavalli
Täsch
Feegletscher
Zinalrothorn
4221
Walliser Alpen
Antronapiana
Lago d'Antrona
3198
Latelhorn
Stausee Mattmark
Zermatt
Rimpfischhorn
4199
Fluhalp
2733
Pizzo San Martino
3532
Stockhorn
Gornergl.
Matterhorn
4478
Fruggl.
Theodulgl.
Breithorngl.
Pontegrande
Val Anzasca
San Carlo
Vanzone
Ceppo Morelli
Macugnaga
G. Belvedere
Torrente Anza
Cervinia
Lac de Goillet
4164
Breithorn
Dufourspitze
4634
Pizzo Tignaga
2653
Lysgletscher
3128
Corno di Faller
Carcoforo
Santa Maria
Italien
Rima
Fobello
3379
Gran Toumalin
St. Jaques
2964
M. Tagliaferro
Lago Gabiet
Orsia
Alagna Valsesia
Rimasco
Fiume Sesia
Champoluc
3314
Testa Grigia
Gressone-La-Trinité
Riva Valdobbia
Boccioleto
Antagnod
Periasc
3320
Corno Bianco
Mollia
Balmuccia
M. Zerbion
2722
Campertogno
Valle delle Sesia
0
5 km
Gressoney Saint-Jean

ETAPPE 3

Zunächst mit der Berner Oberlandbahn von Interlaken nach Zweilütschinen, ca. 15 Min.
Zweilütschinen – Isenfluh – Grütschalp – Wanderweg oberhalb der Bahnlinie – Mürren (dort zahlreiche ÜM).

4:40 Std.	12,3 km	1130 m ↗	140 m ↘

Man könnte die gesamte Strecke mit der Zahnradbahn fahren, doch der Fußweg über dem spektakulären Lauterbrunnental mit Blicken auf die Eisflanken der Jungfrau sollte nicht ausgelassen werden.

ETAPPE 4

Mürren – auf der Via Alpina zur Rotstockhütte (EM, ÜM) – Sefinafurgga (2612 m) – Obere Dürreberg – Berggasthaus Golderli (ÜM).

6:00 Std.	15,8 km	1010 m ↗	1220 m ↘

Anstrengend und aussichtsreich geht es hinüber ins obere Kiental. Es gibt noch ein Naturfreundehaus und ein Hotel je etwa eine halbe Stunde entfernt vom Golderli, falls dieses ausgebucht sein sollte.

ETAPPE 5

Berggasthaus Golderli – Brücke über den Gornerbach bei Bundstäg – Via Alpina – Bundläger – Pass Hohtürli – Blümlisalphütte (2834 m, EM, ÜM) – Oberbärgli – Oeschinensee – Kandersteg (diverse ÜM).

6:50 Std.	16,2 km	1380 m ↗	1660 m ↘

Wieder sehr anstrengend und sehr schön, am Berg Blümlisalphorn und seinem Gletscher sowie dem eisblauen Oeschinensee vorbei.

ETAPPE 6

Mit dem Bus der privaten Gesellschaft Kander-Reisen (Reservierungspflicht) von Kandersteg nach Selden im Gasterntal (ca. 25 Min.). Notfalls mit dem Taxi. (Zu Fuß ca. 3 Std.)
Selden – Berghaus Gfelalp (EM) – Lötschenpasshütte (EM, ÜM) am Lötschenpass (2690 m) – Kummenalp (EM) – Ferden (mehrere ÜM).

5:20 Std.	11,8 km	1210 m ↗	1380 m ↘

Wieder sehr anstrengend, wieder grandiose Gegend. Vor dem Lötschenpass geht man ein Stück am (oder nahe am) dünn gewordenen und meist schuttbedeckten Lötschengletscher, aber die Route ist markiert und nicht spaltengefährdet.
Von der Lötschenpasshütte bis zum Talgrund bei Ferden müsste man einen guten Blick haben auf den Bergsturz von Blatten vom Mai 2025. Es besteht auf unserem Weg keine Gefahr durch weitere Abbrüche dort, weil wir uns mindestens drei Kilometer entfernt auf der anderen Talseite außerhalb der Falllinie befinden.
Wer diese Etappe nicht gehen möchte, kann ausweichen über die Strecke Kandersteg – Gemmipass – Leukerbad. Von dort weiter zu Fuß oder mit Bussen nach Hohtenn.

ETAPPE 7

1. Teil: Ferden – Goppenstein, Bahnhof.

1:10 Std.	3,5 km	70 m ↗	230 m ↘

2. Teil: Goppenstein – Hohtenn mit dem Zug, ca. 5 Min.
Hohtenn, Bahnhof – auf der Via Alpina, gleichzeitig Wanderweg Lötschberg-Südrampe – Ausserberg (mindestens 2 ÜM).

3:20 Std.	9,9 km	310 m ↗	370 m ↘

Hübscher Weg an der alten Lötschberg-Eisenbahnlinie, der auf einer Teilstrecke sogar ein aufgegebenes Stück der Bahnstrecke nutzt, inklusive Tunneln. Später sieht man dann unten im Tal die südliche Öffnung des Lötschberg-Basistunnels, der zwischen hier und Frutigen auf 34 Kilometern die Berner Alpen unterquert. Statt in Ausserberg zu nächtigen, könnte man auch bis Visp weitergehen (plus ca. 1:20 Std.). Doch der Weg dorthin ist nicht sehr attraktiv.

ETAPPE 8

Mit dem Bus von Ausserberg nach Visp (ca. 12 Min.). Von Visp mit dem Bus zur Haltestelle Neubrück, ca. 5 Min.
Von der Haltestelle aus über eine alte Steinbrücke aufs nordseitige Ufer der Vispa – dort Aufstieg nach Stalden (EM) – ins Tal der Mattervispa – Wanderweg oberhalb der Bahnlinie bis Kalpetran – Aufstieg zur Vispertal-Straße – Wanderweg durch den Wald nach Grächen (dort viele ÜM).

4:30 Std.	11,6 km	1060 m ↗	130 m ↘

Die Wegstrecke zwischen Visp und Stalden ist unschön, weil es auch eine vielbefahrene Straße gibt, in deren Nähe man wohl oder übel gehen muss. Lösung 1: Bis Stalden am

Udo beim Aufstieg zur Sefinafurgga vor den Berner Gletschergipfeln (Etappe 4)

westlichen oder östlichen Talhang gehen; Nachteil: Viele unnötige Höhenmeter, da man nach Stalden wieder absteigen muss. Lösung 2: Von Visp nach Stalden mit dem Zug fahren. Lösung 3 ist, was ich oben beschreibe, und hat den Vorteil, dass man den hässlichsten Teil des Tals durchfährt, aber dabei kaum Höhenmeter gewinnt, so dass man dann, drei Tage später auf dem Oberrothorn, die Genugtuung hat, dieses »von ganz unten« ohne Aufstiegshilfen erklommen zu haben.

ETAPPE 9

Grächen – Gasenried – Europaweg (neue Trasse), auch Swiss Tour Monte Rosa – Abstieg zur Wegverzweigung am Ortsrand von Herbriggen – Aufstieg zur Europahütte (ÜM).

7:30 Std.	16,2 km	1460 m ↗	810 m ↘

Das ist eine brutale Etappe. Ich wäre sie damals wahrscheinlich nicht gegangen! Sie ist eine Notlösung, weil der ursprüngliche Weg, die nördliche Hälfte des berühmten Europawegs, heute gesperrt ist. Die Schweizer nehmen die Sperrung sogar so ernst, dass sie die Kartensignatur aus allen aktuellen Landkarten gelöscht haben!

Der ursprüngliche Europaweg wurde erst in den 1990er Jahren angelegt und dabei auch etwa in der Mitte die Europahütte gebaut, um eine Übernachtung auf dieser Zweitagestour zu ermöglichen. Schnell galt dieser Hochgebirgstrail als eine der schönsten Bergwandertouren der Alpen. Doch schon zur Zeit meiner Alpenüberquerung gab es gelegentlich Steinschlag und abstürzende Felsbrocken. Es wurde sogar eine 500 Meter lange Hängebrücke gebaut, um eine kritische Stelle zu überqueren.

Nun, da die Temperaturen weiter ansteigen und das Gestein destabilisieren, zog man die Notbremse und ersetzte den nördlichen Part des Wegs durch eine niedriger gelegene Strecke durch meist bewaldetes Gebiet. Dadurch gehen aber erstens viele große Aussichten verloren, und zweitens führt die Umleitung sogar ganz in den Talgrund hinab, von dem man dann sehr viele Höhenmeter zur Europahütte aufsteigen muss. Ich würde heute, ginge ich den Weg nochmal, statt am Vortag (Etappe 8) von Kalpetran nach Grächen aufzusteigen, von Kalpetran gleich nach Herbriggen gehen (oder mit der Bahn fahren), und dort übernachten. Grächen auszulassen, wäre auch nicht so schlimm, weil wir auf Etappe 12 dort ohnehin noch einmal sein werden.

Herbriggen ist der Talort, von dem der Zustieg zur Europahütte beginnt. Am nächsten Tag ginge ich dann eine kurze Etappe (gut 4 Stunden, 1150 m Aufstieg) bis zur Europa-

Auf dem Gipfel des Oberrothorn, 3414 m, mit Blick zum Monte Rosa, 4634 m

hütte. Sehr kräftige Naturen unter meinen Lesern könnten versucht sein, gleich die zweite Hälfte des Europawegs dranzuhängen. Aber dann müssten sie bis zur Täschalpe, der nächsten Übernachtungsmöglichkeit, von Herbriggen aus mindestens 8 Stunden lang gehen und rund 1900 Höhenmeter Aufstieg bewältigen!

ETAPPE 10

Europahütte – Täschalpe – Tufternalpe (EM) – Aufstieg zur Seilbahnstation Blauherd (EM) – Stellisee – Bergrestaurant Fluhalp, 2620 m (ÜM).

7:20 Std.	20,2 km	1330 m ↗	820 m ↘

Langsam kommen das Matterhorn und die Eisgipfel des Monte-Rosa-Massivs in den Blick. Die Übernachtung in den altmodischen Zimmern der Fluhalp war einmalig, hoffentlich hat man seither nicht zu viel renoviert. Ich stand frühmorgens auf, um den Sonnenaufgang auf dem Matterhorn verfolgen zu können.
Auch bei dieser Etappe gibt es ein aktuelles Problem: Bei der Überprüfung der Strecke Anfang 2026 entdeckte ich den Hinweis auf eine Sperrung auf dem zweiten Teil des Europawegs. Bei SchweizMobil heißt es, die Strecke zwischen den Punkten Springelboden und Eggelstaden sei wegen Steinschlags bis auf Weiteres gesperrt. Bei Alpenvereinaktiv steht, die Strecke sei bis Ende Oktober 2026 gesperrt.
Bevor Sie die Etappen 9 und 10 gehen, sollten Sie also überprüfen, ob diese Sperrung noch Bestand hat. Falls ja, hat es meines Erachtens kaum Sinn, auf Etappe 9 bis zur Europahütte 1150 Höhenmeter aufzusteigen und am nächsten Tag nach knapp fünf Kilometern des Wegs bei Springelboden wieder 800 Meter zum Talgrund abzusteigen. Die Alternative wäre, die Etappe 9 auszulassen oder nur bis Herbriggen zu gehen, und die Etappe 10 erst in der Ortschaft Täsch zu beginnen, von dort zur Täschalpe aufzusteigen und dann der Route wie oben beschrieben bis zur Fluhalp zu folgen.
Es wäre außerordentlich schade, wenn der großartige Europaweg dem Klimawandel zum Opfer fiele – aber leider wird die Erwärmung den Menschen wohl noch schlimmere Nachteile als diesen bescheren.

ETAPPE 11

Fluhalp – Roter Bodmen – Oberrothorn, Südostgrat – Oberrothorn-Gipfel, 3414 m – Abstieg auf dem Aufstiegsweg bis zum Punkt Furggji – Weg abwärts durchs Hochtal Tufterchumme – Tufternalpe (EM) – Zermatt (viele ÜM).

5:50 Std.	15,3 km	810 m ↗	1820 m ↘

Übernachtung in Zermatt oder Weiterfahrt nach Grächen (viele ÜM) mit Zug und Bus (ca. 1:30 Std.).

Wer Grächen wegen einer möglichen Sperrung der ersten Etappe des Europawegs ausgelassen hat, und diesen Ort zu Fuß erreichen möchte, fährt am besten mit der Bahn bis Sankt Niklaus. Von dort steigt man in etwa zwei Stunden auf; 540 Höhenmeter sind zu bewältigen.

Nur an wenigen Punkten in den Alpen gelangt man als Wanderer höher als aufs Oberrothorn. Gigantische Aussicht. Der Weg ist gut markiert und gut sichtbar. Vorsicht, falls noch Schnee liegt. Bei Gewittergefahr natürlich meiden. Langer, harter Abstieg nach Zermatt. Einen großen Teil des Abstiegs kann man sich ersparen, wenn man zum Gipfel des Unterrothorns hinabgeht und dort Bergbahnen nimmt. Von da nach Blauherd, dann nach Sunnegga, schließlich mit der Tunnelbahn nach Zermatt.

ETAPPE 12

Von Grächen mit der Kabinenbahn auf die Hanigalp – Hanigalp – Höhenweg Balfrin – Saas Fee (zahlreiche ÜM).

6:30 Std.	17,0 km	580 m ↗	900 m ↘

Udo und ich stiegen am Nachmittag zur Hanigalp auf und übernachteten dort. Allerdings kann man nun auf der Hanigalp nicht mehr nächtigen, der Berggasthof wurde komplett umgebaut zugunsten der Skitouristen, die lieber jeden Morgen mit der Kabinenbahn herausliften. Darum gebe ich hier auch den Lifttransport an. Zu Fuß bräuchte man für die 500 Höhenmeter bergauf zusätzlich etwa anderthalb Stunden. Von der Hanigalp noch einmal große Blicke auf die Viertausender des Mattertals.

Der Balfrin-Höhenweg ist im Übrigen ebenso schön wie der Europaweg. Weit über dem Saastal windet er sich in leichtem bis mittelstarkem Auf und Ab über die Steilhänge, mit Blick unter anderem auf den Viertausender Weissmies. Technisch unschwierig, doch schwindelfrei muss man sein.

ETAPPE 13

Saas Fee – Saas Almagell – Mattmark-Stausee (Staumauer) per Bus (ca. 40 Min.). Mattmark-Staumauer – westlich am Stausee vorbei nach Inner Bodmen – Tälliboden – Monte-Moro-Pass, 2853 m (Grenze Schweiz/Italien) – Rifugio Oberto (EM, ÜM) – Abstieg nach Macugnaga (diverse ÜM).

5:30 Std.	13,9 km	710 m ↗	1600 m ↘

Auf der Nordseite des Monte-Moropasses lagen Ende Juli 2009 noch Schneefelder, die den Weg verdeckten und durch die wir uns nach oben kämpfen mussten. Am Pass hat man eigentlich einen tollen Blick auf die Ostabstürze der Dufourspitze, des zweithöchsten Bergs der Alpen (4634 m), doch leider war es schon am Vormittag wolkig geworden, und wir sahen davon fast nichts. Der Abstieg ist lang und mühsam. Man kann ihn sich durch Benutzung der Seilbahn Moropass – Macugnaga ersparen; es entfallen dann 2:40 Std., 6,5 km, 1520 Höhenmeter abwärts. Wer das tun will, sollte sich sicherheitshalber versichern, dass die Bahn auch wirklich fährt.

Auf dem luftigen Bulfrin Höhenweg im Saastal (Etappe 12)

ETAPPE 14

Macugnaga – Lago delle Fatte im Valle Quarazza mit dem Taxi, ca. 15 Min. Lago delle Fatte – Bivacco Lanti (Unterstehmöglichkeit) – Passo del Turlo (Türlipass), 2738 m – Alpe Grafenboden – Alpe Faller – Rifugio Pastore (EM, ÜM) – Alagna Valsesia (mehrere ÜM).

8:20 Std.	21,9 km	1420 m ↗	1530 m ↘

Eine ultraharte Etappe an der Ostflanke des Monte-Rosa-Massivs. Immer steiler ging es durch das Valle Quarazza hinauf. Wolkiges Wetter, weiter oben begann es zu regnen, und dann der Alptraum: Im Kammbereich Schneefelder im Nebel. GPS-Navigation hatten wir noch nicht, und so mussten wir anhand der Karte und Trittspuren im Schnee den Türlipass finden, was nach bangen Minuten gelang. Es gibt nur diese eine Stelle, um ins nächste Tal zu gelangen, eine, wie der Name andeutet, schmale Öffnung zwischen Felsen. Nach einer Viertelstunde Abstieg erwischte uns dann auch noch ein Gewitter, glücklicherweise nur ein kurzes.

Eine Zahnradbahn verbindet in Biella Ober- und Unterstadt.

Unsere Route ist seit Saas Fee Teil der Walserwege, angelegt (sogar zum Teil mit Blocksteinen aufgemauert) von Siedlern aus dem Wallis, die im Spätmittelalter nach Norden und Süden migrierten, um hochgelegene, bis dahin unbewohnte Täler in Beschlag zu nehmen. Unter anderem auch Täler südlich der heutigen Grenze Wallis/Piemont. Deshalb stößt man in dieser Gegend auch noch immer auf deutsche bzw. schweizerdeutsche Ortsnamen. Der Ort Alagna etwa trägt auch den deutschen Ortsnamen »Im Land«.

Wer anfangs nicht mit dem Taxi fahren möchte, muss noch eine gute Stunde hinzuzählen. Die Übernachtung im Rifugio Pastore erspart bis Alagna eineinviertel Stunden und 370 Höhenmeter Abstieg.

ETAPPE 15

Alagna Valsesia – Weiler Sant‘ Antonio im Val Vogna mit dem Taxi (ca. 15 Min.). Sant‘ Antonio – Weg GTA (Grande Traversata delle Alpi) – Peccia – Alpe Buzzo – Lago Nero – Passo del Maccagno, 2472 m – Colle Lazoney – Colle de la Mologna Grande – Rifugio Alfredo Rivetti (ÜM).

6:00 Std.	15,0 km	1260 m ↗	450 m ↘

Das Val Vogna ist zunächst lieblich, dann folgen drei Passüberquerungen in steinigem Terrain auf dem Grenzkamm zum Aostatal.
Vom Colle de la Mologna Grande kann man noch gut 100 Höhenmeter hinaufgehen zum Gipfel Punta Tre Vescovi (2501 m). Von dort hat man bei guter Sicht Ausblick zum Monte Rosa und bei sehr guter sogar zum Montblanc.

ETAPPE 16

Rifugio Alfredo Rivetti – steiler Abstieg nach Piedicavallo – von dort auf der Autostraße SP 100 nach Rosazza – dann auf dem Wanderweg GTA am rechten Talhang aufsteigen, in Richtung Süden (der Wanderweg verläuft streckenweise auf der Autostraße SP 513) – durch den Autotunnel im Kammbereich – Abstieg nach Oropa (ÜM in der Pilgerherberge Santuario di Oropa).

6:20 Std.	16,4 km	740 m ↗	1740 m ↘

Nach dem Abstieg aus der Wildnis bewegt man sich auf dieser Etappe zwischen alten Dörflein, die unter Bevölkerungsschwund leiden und deren landwirtschaftliche Flächen zunehmend verbuschen oder verwalden. Der Zielort Oropa ist ein großangelegter Marien-Wallfahrtsort und einer der Sacri Monti, die im Rahmen der katholischen Gegenreformation im Piemont und der Lombardei angelegt wurden.
Wer den Straßentunnel vor Oropa nicht benutzen möchte (sehr viel Verkehr herrscht dort nicht), kann auf dem Wanderweg über den Kamm gehen, macht plus 110 Höhenmeter im Auf- und dann Abstieg.

ETAPPE 17

Oropa – Wanderweg am linken, östlichen Talhang – Capella Du Soleri – Sant' Eurosia – Cossila San Giovanni – Biella Piazzo (Oberstadt) – Biella-Unterstadt – Bahnhof (in Biella diverse ÜM).

5:50 Std.	18,5 km	240 m ↗	1020 m ↘

Nach einem ersten Stück auf Wanderwegen leider dann zumeist auf asphaltierten Sträßchen. Auch die Vororte sind nicht allzu reizvoll, doch vor allem die Oberstadt von Biella auf einem Hügelchen ist sehr hübsch. Biella war (und ist zum Teil noch) ein Zentrum der wollverarbeitenden italienischen Textilindustrie und Sitz z. B. der Firmen Zegna und Cerruti.
Rückreise: Mit der Bahn nach Novara, dort umsteigen nach Mailand. Von Mailand aus ins westliche Deutschland über die Strecke Domodossola – Brig – Bern – Basel, nach München und ins östliche Deutschland fährt man besser Mailand – Verona und steigt dort in die Fernzüge auf der Brennerstrecke um.

5. SCHEIBBS - GRAZ

Kurz vor Wien wird's gemütlicher

Scheibbs – Lackenhof – Ötscher – Ötschergraben – Mariazell – Niederalpl – Seewiesen – Hochschwab (2277 m, höchster Punkt) – Präbichl – Trofaiach – St. Michael in Obersteiermark – Speikkogel – St. Pankrazen – Graz

13 Etappen | Insgesamt: 229 km | 10.150 m ↗ | 10.200 m ↘
Durchschnittliche Etappe: 17,6 km | 781 m ↗ | 785 m ↘

Nach der hochalpinen Tour durch die Schweiz und Piemont stand mir der Sinn nach etwas völlig anderem. Und ich wollte mir auch mal etwas Bequemeres gönnen als täglich rund 1000 Meter auf- und abzusteigen, wie bei den Überquerungen 3 und 4. Ich versuchte, die Gemütlichkeit in Österreich zu finden, und zwar weit im Osten, wo sich die Berge kaum einmal über 2000 Meter erheben und die Alpen schon etwas schmäler sind. Fast schon in Sichtweite von Wien, eine Alpenüberquerung »light« sozusagen.
Dennoch werden drei bekannte Gipfel der Region bestiegen: Ötscher, Hochschwab und Speikkogel. Gleichzeitig angenehm wie herausfordernd ist, dass die Gegend

Der solitäre Rücken des Ötscher von Norden aus

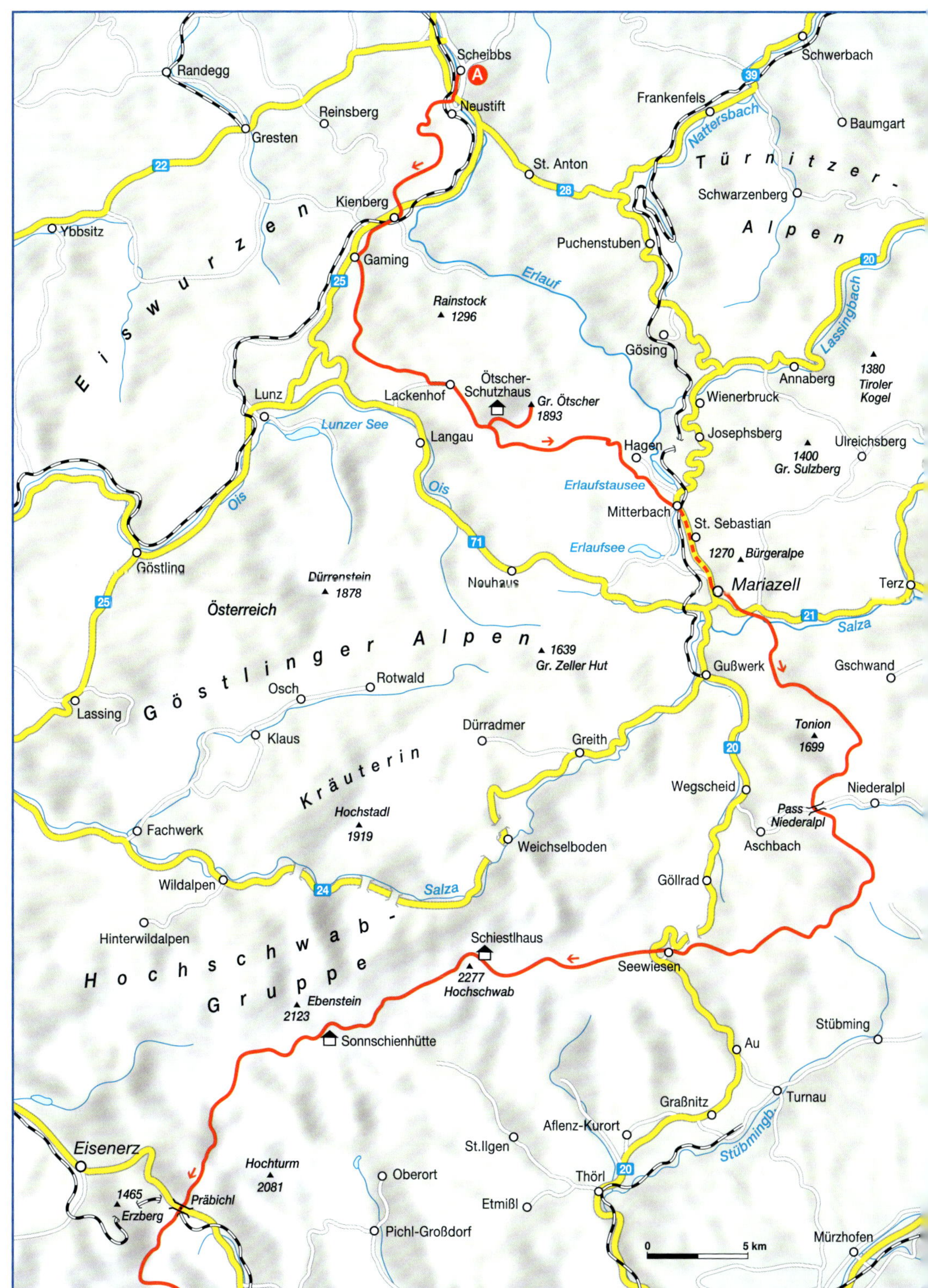
Scheibbs
A
Randegg
Neustift
Reinsberg
Gresten
22
St. Anton
28
Kienberg
Ybbsitz
Gaming
25
Eisenwurzen
Frankenfels
Nattersbach
Schwerbach
39
Baumgart
Türnitzer-Alpen
Schwarzenberg
Puchenstuben
Erlauf
Rainstock
1296
20
Lassingbach
Gösing
Annaberg
1380
Tiroler Kogel
Lunz
Lackenhof
Ötscher-Schutzhaus
Gr. Ötscher
1893
Wienerbruck
Josephsberg
Lunzer See
Langau
Hagen
1400
Gr. Sulzberg
Ulreichsberg
Ois
Erlaufstausee
Mitterbach
St. Sebastian
Erlaufsee
71
1270
Bürgeralpe
Göstling
Dürrenstein
1878
Neuhaus
Mariazell
Terz
Österreich
21
Salza
Göstlinger Alpen
1639
Gr. Zeller Hut
Gußwerk
Gschwand
Rotwald
Osch
Lassing
Klaus
Dürradmer
Greith
Tonion
1699
Kräuterin
Wegscheid
Niederalpl
Pass Niederalpl
Hochstadl
1919
Fachwerk
Weichselboden
Aschbach
Wildalpen
24
Salza
Göllrad
Hinterwildalpen
Hochschwab-Gruppe
Schiestlhaus
2277
Hochschwab
Seewiesen
Ebenstein
2123
Sonnschienhütte
Stübming
Au
Turnau
Graßnitz
Stübmingb.
Aflenz-Kurort
St.Ilgen
Eisenerz
Hochturm
2081
Oberort
Thörl
20
1465
Erzberg
Präbichl
Etmißl
Pichl-Großdorf
0
5 km
Mürzhofen

keine klassische Urlaubsregion ist, sondern eher ein Wochenendziel für Wien und Graz. Deshalb sind die Übernachtungsmöglichkeiten dünner gesät als anderswo in den Alpen. Jetzt, beim Rekonstruieren dieser Überquerung, merke ich, dass auch diese nicht gerade eine »Light«-Transalp-Tour gewesen ist.

ETAPPE 1

Scheibbs – Neustift – Aufstieg nach Südwesten – Großhöfen – Brunn – nun auf den Voralpenweg – Lierbach – Kienberg (Berg) – Kienberg (Ort) – an der Straße nach Pockau – Wanderweg nach Gaming (dort mindestens zwei ÜM).

5:10 Std.	15,1 km	650 m ↗	560 m ↘

Stille Etappe über Bergbauernland.
Anreise: Auf der Fernzug-Strecke München-Wien bis Amstetten fahren, erst nach Pöchlarn und dort nach Scheibbs umsteigen.

ETAPPE 2

Gaming – Gamingrotte – Unterleiten – Polzbergkapelle – Dachsbach – Freudental – Lackenhof (EM, ÜM) – Ötscher-Schutzhaus (ÜM).

5:30 Std.	15,8 km	1170 m ↗	180 m ↘

Durch abgelegene Wälder zuerst in den Fremdenverkehrsort Lackenhof, dann hinauf bis zur Hütte am Ötscher.

ETAPPE 3

Ötscher-Schutzhaus – Ötscher-Gipfel, 1893 m – Ötscher-Schutzhaus – Riffelsattel – Spielbichler – Ötschergraben – Ötscherhias (EM) – Mariazellerweg 06b – Erlauf-Stausee – Kapschhof – Mitterbach am Erlauf-Stausee, Bahnhof.

7:20 Std.	20,4 km	710 m ↗	1330 m ↘

Dann mit der Mariazellerbahn (oder mit dem Bus) von Mitterbach nach Mariazell, 5 bis 10 Min. Dort zahlreiche ÜM.

Der Ötscher, ein grasiger Rücken, felsig durchsetzt, würde in anderen Alpengebieten nicht weiter auffallen. Hier ist er aber die höchste Erhebung weit und breit, und seine Besteigung ein Muss.
Später durchqueren wir den faszinierenden Ötschergraben, eine Schlucht, die sich parallel zum Ötscher-Bergrücken eingegraben hat. Sehr sehenswert! Das letzte Stückchen nach Mariazell legen wir mit der Mariazellerbahn zurück, einer etwas altmodischen

Großartiger Mondaufgang am Niederalpl-Pass

Schmalspurbahn, die bislang allen Versuchen, sie stillzulegen, trotzen konnte. Mariazell ist ein vielbesuchter Wallfahrtsort.
Wer von Mitterbach nach Mariazell gehen statt fahren will, muss noch eine gute Stunde hinzuzählen.

ETAPPE 4

Mariazell – Abstieg südöstlich ins Salzatal – Weiler Wieland – Nord-Süd-Weitwanderweg 05 – Schöneben – Herrenboden – Ochsenboden – Wetterl – Pass Niederalpl an der Straße L 113 (dort zwei ÜM).

6:10 Std.	18,7 km	930 m ↗	560 m ↘

Abwechslungsreicher Weg durch eine stille, kaum bekannte Gegend.

ETAPPE 5

Niederalpl – Sohlenalm – Gingatzwiese – Hohe Veitsch (1986 m) – Graf-Meran-Haus (EM, ÜM) – Nikolokreuz – Turnauer Alm (EM, ÜM) – Göriacher Alm – Seebergalm (EM, ÜM) – Seewiesen (zwei ÜM).

7:40 Std. | 21,4 km | 1090 m ↗ | 1310 m ↘

Weite Etappe, vielleicht früher übernachten, auf der Turnauer Alm, und den Rest am nächsten Tag gehen. Bei schlechtem Wetter sollte man die Hohe Veitsch auslassen (westlich umgehen). Ich habe das so gemacht, weil eine Wetterverschlechterung angekündigt war und es bereits heftig windete.

Schiestlhaus, moderne Hütte nahe des Hochschwab-Gipfels

ETAPPE 6

Seewiesen – nach Westen auf den Nord-Süd-Weitwanderweg 05, gleichzeitig Nordalpenweg 01 – Höllkampl – Voisthalerhütte (EM, ÜM) – Obere Dullwitz – Schiestlhaus (ÜM).

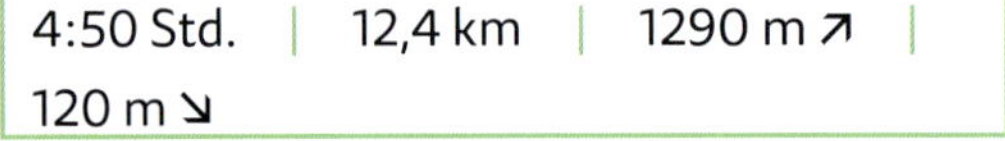

4:50 Std. | 12,4 km | 1290 m ↗ | 120 m ↘

Der Hochschwab ist ein verkarsteter Kalkriegel, in den sich Seitentäler eingeschnitten haben. Dolinen und andere Karsterscheinungen sind zu bewundern. Die moderne Berghütte Schiestlhaus liegt nahe des Gipfels.

ETAPPE 7

Schiestlhaus – Hochschwab Gipfel, 2277 m (höchster Punkt dieser Alpenüberquerung) – auf Nord-Süd-Weitwanderweg 05 – Häuslalm (EM, ÜM) – Sonnschienhütte (ÜM).

4:00 Std. | 11,2 km | 320 m ↗ | 950 m ↘

Abstieg über die westlichen Ausläufer des Hochschwab, dann weiter durch Karstgebiet. Die Lage der Unterkünfte zwischen Hoher Veitsch, Hochschwab und Präbichl lässt nur

entweder sehr lange oder recht kurze Etappen zu. Wenn man es sich zutraut, kann man diese Etappe mit der nächsten zusammenlegen.

ETAPPE 8

Sonnschienhütte – Hörndlalm – Dr. Koteksteig – Neuwaldeggsattel – Hirscheggsattel – Leobner Hütte (EM, ÜM) – Präbichl (EM, einige ÜM).

4:50 Std.	13,7 km	430 m ↗	730 m ↘

Abwechslungsreicher Weg durch einsame Gebiete.

ETAPPE 9

Präbichl – Reichensteinhütte (EM, ÜM) – Reichhals – Krumpalm – Hirnalm (EM) – Hafning bei Trofaiach – Schardorf (ÜM).

7:30 Std.	21,5 km	1110 m ↗	1560 m ↘

Auch das sind die Alpen: Der Tagebau des Erzbergs ist auf dieser Etappe gut zu sehen.

Hochturm
2081
1465
Präbichl
Erzberg
Oberort
St.Ilgen
Aflenz-Kurort
Graßnitz
Stübmingb.
Thörl
Etmißl
Pichl-Großdorf
Unterort
Floning
1583
Kindberg
Mürzhofen
St. Lorenzen
Parschlug
St. Marein
Allerheiligen
Vordernberg
Thalerkogel
1655
St. Katharein
Deuchendorf
Hafendorf
Friedauwerk
Kletschachkogel
1457
Kapfenberg
Gößeck
2214
Hafning
Laintal
Frauenberg
Trofaiach
Schardorf
Bruck a.d. Mur
Mur
Edling
1629
Rennfeld
St. Jakob
Proleb
Niklasdorf
St. Erhard
Seiz
St Peter-
Freienstein
Traboch
Leoben
Pernegg
Österreich
Donawitz
Kirchdorf
Goß
Mautstatt
Madstein
Herrenkogel
1642
Mixnitz
Kaisersberg
St. Michael
Röthelstein
Tyrnau
Kraubath
St. Stefan
Almwirt
Schrems
Rothleiten
Tulwitz
Lobming
Fensteralpe
1642
Frohnleiten
Gasthaus Spitzer
Preg
Markt-
Übelbach
St. Lorenzenbei Knittelfeld
Übelbach
Semriach
Glein
Neuhof
Peggau
Rachau
Gleinalm-
Schutzhaus
Großstübing
Deutschfeistritz
Sattelbauer
Kleinstübing
Friesach
Gleinalpe
Grazer Bergland
Geistthal
Hörgas
Stattegg
Steinplan
1670
St. Pankrazen
Rein
Kainach
Gratwein
Mur
Judendorf
Södingberg
Stiwoll
Afling
Gösting
Salla
St. Oswald
Gradnerb.
E
Piber
Bärnbach
St. Bartholomä
Köflach
GRAZ
Voitsberg
Maria Lankowitz
Stallhofen
Mantscha
0
5 km
Hitzendorf

Karst-Einsamkeit am Hochschwab

Lipizzanerpferde grasen nahe der Gleinalm.

Ich habe 2011 noch in einem Gasthof in Trofaiach genächtigt; das scheint jetzt nicht mehr möglich zu sein. Hotelseiten zeigen lediglich eine einzige »Zimmervermietung« im Ort, und eine Webseite der Ortsverwaltung gar keine ÜM in Trofaiach. Ein Hotel gibt es aber im ca. 3 km entfernten Schardorf, das ich nun als Etappenort angebe, wodurch die Etappe aber recht lang wird. Falls Sie doch eine ÜM in Trofaiach finden, gehen Sie eine gute Stunde kürzer.
Alternativ können Sie auch von Trofaiach mit dem Bus in die Stadt Leoben fahren, dort nächtigen, den 1. Teil der folgenden Etappe weglassen und gleich mit dem Bus zum Ausgangspunkt des morgigen 2. Etappenteils fahren.

ETAPPE 10

1. Teil: Schardorf – Gausendorf – auf dem Nord-Süd-Weitwanderweg 05 – Schafberg – Schollinger – Abstieg nach St. Michael, Bushaltestelle Zechnerhofweg.

4:00 Std.	13,2 km	360 m ↗	540 m ↘

Fahrt mit dem Bus von dort über St. Stefan ob Leoben und Vorlobming zum Weiler Klausner, 17 Min. Achtung, Busse verkehren nicht häufig.

2. Teil: Klausner – Walteralm – Spitzeralm – Almgasthof Spitzer (Ü dort).

1:50 Std.	5,4 km	330 m ↗	30 m ↘

Nun geht es durch eine mittelgebirgsartige Landschaft zum einsam gelegenen Almgasthof Spitzer mit schönem Blick auf die nördlich gelegenen Gebirgsketten. Vom nahegelegenen Industriegebiet Leoben-Donawitz bekommt man nichts mit.

ETAPPE 11

Almgasthof Spitzer – Wanderweg 525 – Obere Vorderleitenhütte – Lenzmoarkogel, 1991 m – Speikkogel, 1988 m – Gleinalm-Schutzhaus (ÜM).

4:50 Std.	12,3 km	1120 m ↗	490 m ↘

Zunächst etwas langweilig auf einem Fahrweg bergauf. Dann über die runden, unbewaldeten Kogel auf dem letzten Höhenzug vor dem südlichen Alpenvorland.

ETAPPE 12

Gleinalm-Schutzhaus – Wanderweg 535 nach Südosten – Kalkkreuz – Gasthof Krautwasch (EM) – Wanderweg 561 bis Knoblacher – Stübinggraben – Kalbacher – Hidner – Steinklauber – St. Pankrazen, Ortsteil Gschnaidt (dort zwei ÜM).

6:10 Std.	20,7 km	290 m ↗	1090 m ↘

Langer Abstieg über waldreiche Höhenzüge, dann durch die steirischen voralpinen Hügel. Bald hinter dem Gleinalm-Schutzhaus weideten damals Lipizzanerpferde auf einer Hochalm; anscheinend kann man auch heute noch solche dort entdecken.

ETAPPE 13

St. Pankrazen – Stiwoll – St. Oswald bei Plankenwarth – Schlüsselhof – Kreuzwirth – Arnold-Schwarzenegger-Wanderweg – Unterthal – Kirchberg – Gaisbergsattel – Graz Eggenberg – Graz Hauptbahnhof.

7:40 Std.	27,3 km	350 m ↗	750 m ↘

Eigentlich ist die Gegend mit ihren kleinen Tälchen und Höhenrücken hübsch, jedoch, da Umland der Großstadt Graz, recht zersiedelt. Auch geht man zumeist auf Sträßchen. Gegen Ende noch zwei Besonderheiten: Der »Arnold-Schwarzenegger-Wanderweg« bei der Ortschaft Thal, wo »Arnie« geboren und aufgewachsen ist, und gegenüber seiner alten Volksschule ein extravaganter Kirchenbau, den der »phantastisch-realistische« Künstler Ernst Fuchs entworfen hat. Vom Gaisbergsattel geht es dann hinab in die zweitgrößte Stadt Österreichs mit vielen sehenswerten Ecken.
Rückreise: Von Graz Fernzüge nach Salzburg und München.

Auch das sind die Alpen: Der Erzberg bei Präbichl

6. SCHLIERSEE – BASSANO DEL GRAPPA

Der lange und gewundene Weg

Schliersee – Spitzingsee – Rotwandhaus – Riedenberg – Kundl im Inntal – Wildschönau – Feldalphorn – Kelchsau – Wildkogel – Hollersbach – Sandebentörl, 2759 m – Innergschlöss – Löbbentörl, 2770 m – Galtenscharte, 2882 m (höchster Punkt) – Prägratental – Lasörlinghütte – St. Jakob in Defereggen – Ochsenlenke, 2744 m – Innervillgraten – Toblacher Pfannkogel – Innichen – Dreizinnenhütte – Misurinasee – Cortina d'Ampezzo – Rifugio Venezia – Zoldo di Cadore – Passo Duran – Agordo – Feltre – Monte Grappa – Bassano del Grappa

26 Etappen | Insgesamt: 409 km | 21.950 m ↗ | 26.490 m ↘
Durchschnittliche Etappe 16,4 km | 878 m ↗ | 1060 m ↘

Ungewöhnlich an dieser Überquerung ist ihre Länge in Kilometern und Jahren. Ich kam schon 2009 auf die Idee, eine Tour zu gehen, die nahe meines Wohnorts München beginnen sollte, und die nicht in einem oder zwei Stücken absolviert werden sollte, sondern nach und nach durch nicht allzu weite Anfahrten von Zuhause. Nachdem ich aber im Spätsommer 2010 die Scheibbs-Graz-Tour begonnen hatte, entschied ich mich, diese abzuschließen, bevor ich mich wieder der Strecke ab Schliersee widmen wollte. Da die Sommer 2011 bis 2014 vom Wetter her nicht so günstig waren und ich auch öfter anderweitig verreist war, zog sich dann die Vollendung in die Länge.

Highlights dieser Route sind die Passage am Großvenediger und das Drei-Zinnen-Gebiet. Von Anfang an hatte ich geplant, über die Drei Zinnen zu gehen. Diesen wohl schönsten Teil der Dolomiten wollte ich unbedingt einmal in eine Alpenüberquerung einbeziehen. Das hatte allerdings zur Folge, dass die Route südlich davon in die Nähe meiner 2. Überquerung geraten würde, was ich so löste, dass die neue Route die alte kreuzte und dann weiter westlich verlief. Übrigens das einzige Mal, dass sich meine Alpenüberquerungen schneiden.
Nicht optimal ist, dass der Weg im Pinzgau einen größeren Schlenker nach Osten macht. Das rührt daher, dass ich zunächst von Krimml südwärts über die Birnlücke gehen wollte, ins Südtiroler Ahrntal. Erst später entschied ich mich, über Osttirol zu gehen.
Osttirol hat freilich mehrere west-östlich verlaufende Gebirgsketten. Zwischen dem Pinzgau im Norden und dem Pustertal im Süden muss man nicht weniger als

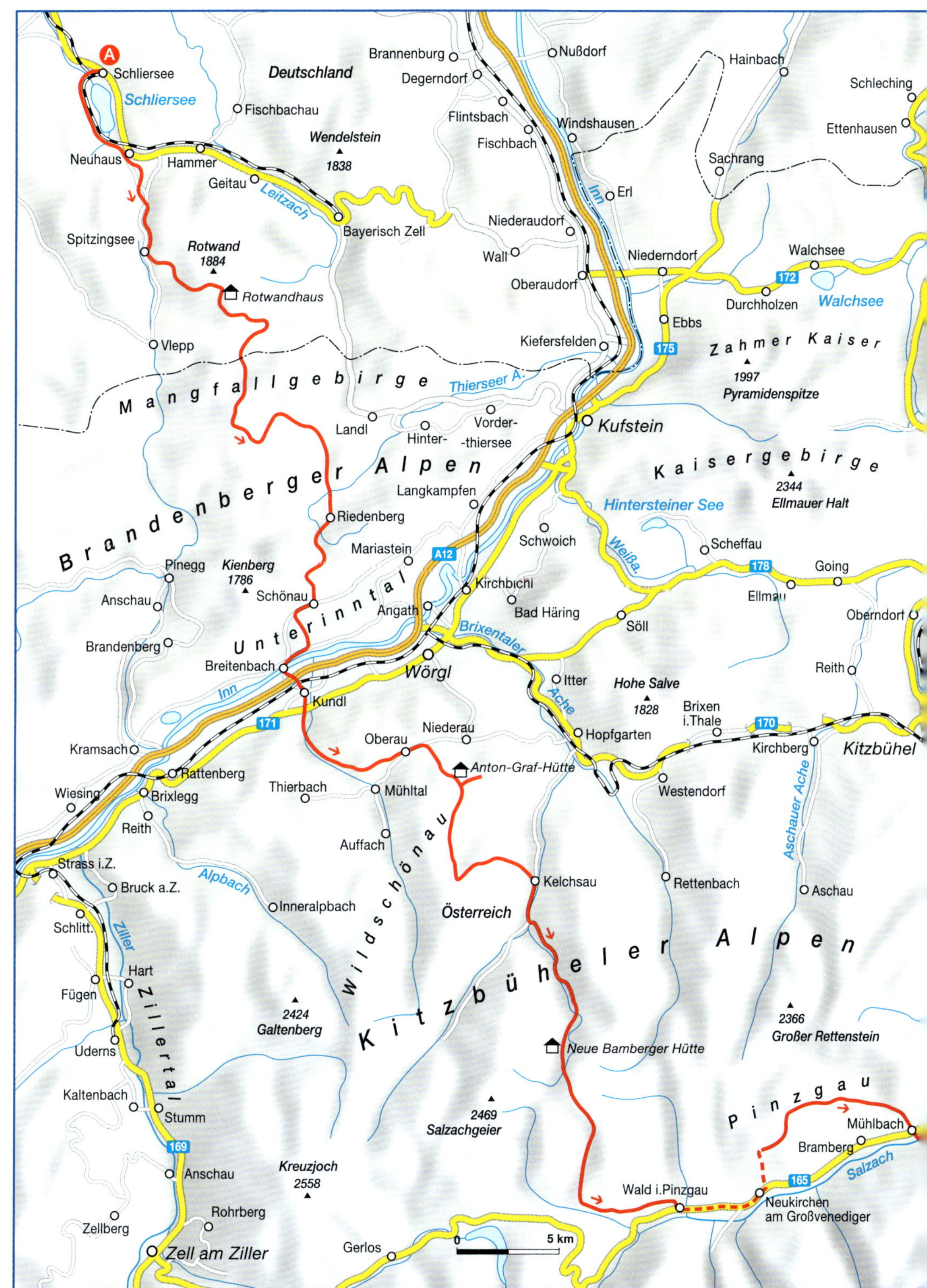
Schliersee
Schliersee
Deutschland
Fischbachau
Wendelstein
1838
Neuhaus
Hammer
Geitau
Leitzach
Bayerisch Zell
Spitzingsee
Rotwand
1884
Rotwandhaus
Vlepp
Mangfallgebirge
Brannenburg
Degerndorf
Flintsbach
Fischbach
Nußdorf
Windshausen
Inn
Erl
Niederaudorf
Wall
Oberaudorf
Kiefersfelden
Thierseer A.
Landl
Hinter-
Vorder-
-thiersee
Kufstein
Hainbach
Schleching
Ettenhausen
Sachrang
Niederndorf
Walchsee
Walchsee
Durchholzen
172
Ebbs
175
Zahmer Kaiser
1997
Pyramidenspitze
Brandenberger Alpen
Langkampfen
Kaisergebirge
2344
Ellmauer Halt
Hintersteiner See
Riedenberg
Mariastein
A12
Schwoich
Weißa.
Scheffau
178
Going
Pinegg
Kienberg
1786
Schönau
Anschau
Kirchbichl
Bad Häring
Ellmau
Unterinntal
Angath
Oberndorf
Brandenberg
Söll
Brixentaler
Breitenbach
Wörgl
Itter
Reith
Inn
Kundl
Hohe Salve
1828
Ache
171
Oberau
Niederau
Hopfgarten
Brixen i.Thale
170
Kramsach
Kirchberg
Kitzbühel
Rattenberg
Anton-Graf-Hütte
Wiesing
Brixlegg
Thierbach
Mühltal
Westendorf
Reith
Auffach
Aschauer Ache
Strass i.Z.
Bruck a.Z.
Alpbach
Inneralpbach
Kelchsau
Rettenbach
Aschau
Wildschönau
Österreich
Schlitt.
Ziller
Kitzbüheler Alpen
Hart
Fügen
Zillertal
2424
Galtenberg
2366
Großer Rettenstein
Uderns
Neue Bamberger Hütte
Kaltenbach
Stumm
2469
Salzachgeier
Pinzgau
Mühlbach
169
Bramberg
Kreuzjoch
2558
Salzach
165
Anschau
Wald i.Pinzgau
Neukirchen
am Großvenediger
Rohrberg
Zellberg
0
5 km
Gerlos
Zell am Ziller

sechs hohe Bergkämme überschreiten, mit Passhöhen zwischen 2500 und gut 2800 Metern.

Schliersee, beliebtes Wochenendziel der Münchner, war der Startpunkt meiner sechsten Alpenüberquerung.

ETAPPE 1

Schliersee-Bahnhof – westlich am Schliersee vorbei – Neuhaus – im Tal zum Spitzingsattel – Spitzingsee (mehrere EM und ÜM) – Aufstieg zum Rotwandhaus (dort ÜM) auf dem Normalweg.

6:10 Std.	18,0 km
1010 m ↗	60 m ↘

Anreise: Mit der Bayerischen Oberlandbahn (BOB) von München nach Schliersee.
Zum beliebten Spitzingsee steigen wir zu Fuß auf, dann geht es am Südende des Sees auf den breiten Weg mit der Beschilderung Rotwandhaus. Wer es anspruchsvoller mag, geht vom Spitzingsee über die Schönfeldhütte zum Taubenstein, nimmt dort den Kammweg zur Rotwand (1884 m) und steigt dann ab zum Rotwandhaus (1737 m, großes Bergpanorama). Die Tour kann man nach Belieben verkürzen durch Fahrt mit dem Zug bis Neuhaus, oder den Bus Neuhaus – Spitzingsee, oder Bergbahn vom Spitzingsee auf den Taubenstein.

ETAPPE 2

Rotwandhaus – Abstieg über die Kümpflalm zur Elendalm – weiterer Abstieg auf Forstweg nach Osten ins Kloo-Ascher-Tal – dort an einer Weggabelung Richtung Südwest zur Hintertoralm am Nordhang des Sonnwendjochs – Aufstieg zum Kamm nahe dem Wildenkarjoch – Abstieg in Richtung Ackernalm (EM, ÜM), jedoch bei Erreichen der Fahrstraße zur Ackernalm auf einen Forstweg am gegenüberliegenden Talhang wechseln, der nach Südosten und dann nach Süden ins Tal von Riedenberg führt. Im Weiler Riedenberg zwei ÜM.

7:30 Std.	22,6 km	860 m ↗	1630 m ↘

Runter, rauf, runter geht es auf dieser Etappe, die ich, wegen der damaligen Sperrung des Rotwandhauses nicht gegangen bin. Lang und anstrengend. Man kann auch vorher auf der Ackernalm übernachten (nur etwa 20 Schlafplätze), dann wird aber die nächste Etappe bis Kundl recht lang.

ETAPPE 3

Riedenberg – Abstieg nach Südwesten ins Tal – Aufstieg im Hasatal – Schusterloch – Almgebiet Nachberg-Niederleger – Abstieg nach Schönau im Inntal – Grub (EM) – am Butterbichl vorbei nach Grattau – Eigen – Straß – Kundl (mehrere ÜM).

5:20 Std.	15,7 km	600 m ↗	1050 m ↘

Kontrast zwischen stillen Waldgebieten und Almen und später dem dicht besiedelten Inntal.

ETAPPE 4

Kundl – Kundler Klamm – Ebersleiten – Straß – Wildschönau (Ort) – Oberau – Katzenberg – Anton-Graf-Hütte – Markbachjochalm (ÜM) – Anton-Graf-Hütte (ÜM).

Der Weiler Riedenberg, Station vor dem Abstieg ins Inntal

6:30 Std.	17,9 km	1230 m ↗	390 m ↘

Durch die interessante Kundler Klamm, dann durchs weniger interessante Wildschönauer Tal und schließlich kräftig hinauf zum Markbachjoch mit schöner Aussicht auf die Kitzbüheler Alpen. Wer sich den Aufstieg ersparen will, kann vom Ort Niederau mit der Kabinenbahn zum Markbachjoch hinauffahren, muss dazu aber noch länger im Wildschönauer Tal gehen (oder dort den Bus nehmen).

ETAPPE 5

Anton-Graf-Hütte – Halsgatterl – Kasalm – Horlerstiegl – östlich am Turmkogel vorbei – Feldalphorn, 1923 m – Trockenbachalm – Höhenbrandalm – Kelchsau (mehrere ÜM).

5:10 Std.	14,0 km	710 m ↗	1290 m ↘

Kammweg mit schöner Aussicht, am Feldalphorn schon alpines Gelände. Bei Gewittergefahr einen Weg am halben Hang oder im Tal suchen.

ETAPPE 6

Kelchsau – südlich weiter im Tal – beim Kraftwerk links (östlich) ins Tal Kurzer Grund – Gasthof Wegscheid (EM) – weiterer Anstieg zur Neuen Bamberger Hütte (ÜM).

4:00 Std.	11,3 km	960 m ↗

Der Beginn der Überschreitung von den Kitzbüheler Alpen (Tirol) ins Pinzgau (Salzburg). Eine etwas kurze Etappe, aber noch bis ins Pinzgau weiter zu gehen, würde sie sehr lang werden lassen.

ETAPPE 7

Neue Bamberger Hütte – Nadernachjoch (2100 m) – Bergeralm – Unterrankental – auf dem Arnoweg nach Vorderwaldberg – Wald im Pinzgau (mehrere ÜM).

6:50 Std.	19,6 km
570 m ↗	1490 m ↘

Mit Bahn oder Bus von Wald nach Neukirchen am Großvenediger (ca. 5 Min.), dort mehrere ÜM. Wald – Neukirchen zu Fuß ca. 1:15 Std.

Nach der Passüberschreitung langer Abstieg durch ein abgelegenes Tal, dann in den lebhafteren Oberpinzgau.

ETAPPE 8

In Neukirchen am Großvenediger mit der Wildkogelbahn zur Mittelstation (ca. 10 Min.).

Mittelstation Wildkogelbahn (Bergeralm) – Wildkogelhaus (EM) – Wildkogel, 2224 m – nach Osten bis Filzenhöhe – Arzboden – Moosen – Mühlbach – Salzachbrücke – Fußweg an der Salzach – Hollersbach (mehrere ÜM).

5:50 Std.	16,8 km	570 m ↗	1430 m ↘

Eine Genusstour über die Hochalmen am Wildkogel, mit Blick auf die Tauerngletscher. Auch deshalb, weil ich mir den vollen Aufstieg dank der Bahn ersparte.
Wer möchte, kann sich die letzten vier Kilometer zwischen Mühlbach und Hollersbach dank Bus oder Pinzgauer Bahn ersparen.

ETAPPE 9

Hollersbach – zunächst auf dem Fahrweg nach Süden ins Hollersbachtal – am Ende des kleinen Stausees nach rechts zum Talgrund, auf den Wanderweg – wo der Wanderweg endet, wieder auf den Fahrweg – Senningerbräualm und Edelweißhütte (beide EM) – Talschluss mit Wasserfällen – Aufstieg zur Neuen Fürther Hütte (ÜM).

5:40 Std.	17,3 km	1470 m ↗	80 m ↘

Erst gemächlich in einem breiten Almtal aufwärts, bevor es in steileres Gelände geht. Die Berge werden immer imposanter, und die Wasserfälle höher.

ETAPPE 10

Neue Fürther Hütte – auf dem Arnoweg zum Sandebentörl, 2759 m – Abstieg auf dem Fürther Weg in Richtung Villgratenkees – im Tal weiterer Abstieg nach Innergschlöss (ÜM im Venedigerhaus).

4:10 Std.	10,1 km	590 m ↗	1110 m ↘

Eine hochalpine Etappe auf rauen Wegen. Ich meine, dass ich deutlich länger brauchte als das, was jetzt der Tourenplaner errechnete. Vor allem der obere Teil des Anstiegs zum Sandebentörl ist nicht einfach, weil er über grobe Blöcke führt, die mit Vorsicht überquert werden müssen. Bei Nebel oder Nässe sicher noch schwieriger. Zur Belohnung dann Blick auf den Großvenediger, und den Großglockner in der Ferne. Schöne alte Zimmer (jedenfalls noch 2012) im Venedigerhaus. Falls ausgebucht, gibt es zwei Kilometer talab noch das Berghaus Außergschlöss.

Im Uhrzeigersinn von oben: Heidelandschaft beim Abstieg vom Wildkogel; Großvenediger vom Sandebentörl; Zimmer im Venedigerhaus; Wasserfälle im Hollersbachtal

ETAPPE 11

Innergschlöss – erst auf dem Fahrweg 1,5 km nach Westen, dann nach Süden auf den Venedigerhöhenweg, auch Adlerweg – Löbbentörl, 2770 m – Badener Hütte (ÜM).

4:00 Std.	8,6 km	1290 m ↗	380 m ↘

Aufstieg im Angesicht der imposanten Gletschermassen, die vom Kamm des Großvenedigers herabströmen. Ich konnte sogar einem lautstarken Gletscherabbruch beiwohnen. Dann felsiger Weg zur Hütte.

ETAPPE 12

Badener Hütte – Venedigerhöhenweg nach Süden – Alm Goldried – Galtenscharte, 2882 m (höchster Punkt dieser Alpenüberquerung) – Kälberscharte, 2791 m – Bonn-Matreier Hütte (ÜM).

3:55 Std.	9,3 km	800 m ↗	670 m ↘

Eine grandiose hochalpine Etappe – die ich aber nicht gegangen bin. Vor dem Aufstieg zur Galtenscharte zogen sich dunkle Wolken zusammen, und ich entschied mich, ins Matreier Haupttal abzusteigen.
Kurz vor dem Weiler Gruben bot mir ein autofahrendes Paar an, mich mitzunehmen, und zu meinem Glück fuhren sie auch dorthin, wo ich hin wollte, ins Virgental. Den Bus zu nehmen, wäre wesentlich langwieriger gewesen. Natürlich hat es den ganzen Tag nicht gewittert! Ich gebe hier trotzdem die geplante Route an.

Achtung, der Weg über die Galtenscharte ist anspruchsvoll und teilweise seilversichert. Von der Bonn-Matreier Hütte noch ins Tal abzusteigen, ist natürlich möglich, aber man hat dann mehr als 2000 Höhenmeter Abstieg an einem Tag, und das erscheint mir ziemlich brutal.

ETAPPE 13

Bonn-Matreier-Hütte – Abstieg zur Stuhleralm (EM) – an der Niljochhütte in Richtung Westen gehen, dann Abstieg ins Tal nach Bobojach – weiterer Abstieg zum Fluss Isel – Aufstieg nach Berg – Weg oberhalb von Welzelach – im Millitzbachtal aufwärts – Raineralm – Lasörlinghütte (ÜM).

7:20 Std.	18,4 km	1180 m ↗	1630 m ↘

Direkt nach dem steilen Abstieg beginnt der lange Aufstieg zum nächsten Osttiroler Kamm. Wem die Etappe zu heftig ist, der sollte im Virgental übernachten.

ETAPPE 14

Lasörlinghütte – Mullitztörl – östlich am Gasserhörndle vorbei – Tögischer Berg – Tögisch – St. Jakob in Defereggen (mehrere ÜM).

3:50 Std.	9,5 km	400 m ↗	1300 m ↘

Glücklicherweise ist es von der Hütte nicht mehr weit bis zum Pass Mullitztörl. In St. Jakob musste ich wegen einer Schlechtwetterphase zwei Ruhetage einlegen.

ETAPPE 15

Mit der Brunnalmbahn und Mooseralmbahn von St. Jakob auf die Mooseralm, ca. 20 Min.
Mooseralm – Wanderweg südlich zur Ochsenlenke, 2744 m – Degenhornsee – Arntaler Lenke, 2655 m – abwärts im Tal des Arntalbachs – Oberstalleralm – von dort an überwiegend auf der Straße – Innervillgraten (mehrere ÜM).

6:40 Std.	20,1 km	590 m ↗	1570 m ↘

Geradezu dankbar war ich, dass sich dieser Osttiroler Kamm mit Hilfe einer Sesselbahn leichter überqueren ließ. Ohne diese ist die Etappe schwer zu schaffen. Schöne einsame Gegend zwischen Ochsenlenke und Arntaler Lenke. Und das Innervillgratental ist noch recht ursprünglich mit vielen alten Bauernhöfen.

Blick zum Großvenediger vom Pass Löbbentörl aus (Etappe 11)

Die Brunnalm-Mooseralmbahn verkehrt nur von Anfang Juli bis Mitte September, zeitweise nicht montags und nicht bei Schlechtwetter.
Wer außerhalb der Betriebszeit kommt oder wer unbedingt auf die Sesselbahn verzichten möchte, muss noch gut zwei Stunden (und 970 m Aufstieg) mehr einplanen. Da in diesem Fall die Etappe zu lang wird, sollte man sich zur Oberstalleralm ein Taxi nach Innervillgraten bestellen (oder entsprechend Autostopp versuchen). Oder man steigt von der Ochsenlenke ins Winkeltal ab und nächtigt in der Volkzeiner Hütte. Dabei verliert man aber knapp 900 Höhenmeter, die man am nächsten Tag fast alle wieder aufsteigen muss.

Vom Toblacher Pfannhorn reicht der Blick weit in die Dolomiten hinein – bis zu den Drei Zinnen

Wer mit der Sesselbahn fährt und noch einen Gipfel besteigen möchte, kann von der Ochsenlenke über das Große Degenhorn, 2946 m, zur Oberstalleralm gehen. Das bedeutet gegenüber dem normalen Weg über die Arntaler Lenke lediglich einen Mehraufwand von etwa 100 Höhenmetern im Auf- und Abstieg. Es ist allerdings eine hochalpine Strecke, und wie schwierig sie ist, kann ich nicht sagen.

ETAPPE 16

Von Innervillgraten zum Weiler Kalkstein mit dem Taxi (ca. 10 Min.).
Kalkstein – Ruschletalm – Pfanntörl, 2508 m (Grenze Österreich/Italien) – Toblacher Pfannhorn, 2663 m – dann nach Osten auf dem Toblacher Höhenweg am Gipfel Ternegg vorbei – Abstieg über die Silvesteralm und das Blankental – auf dem Weg 3 östlich um den Berg Bodeneck herum – Innichen (viele ÜM).

6:40 Std.	18,1 km	1110 m ↗	1560 m ↘

Aufstieg über Almen zum Grenzgrat, wunderbarer Blick vom Pfannhorn auf die östlichen Dolomiten mit den Drei Zinnen. Und es war so klar, dass man im Norden noch den Großvenediger sehen konnte. Nach Kalkstein zu Fuß zu gehen, bedeutet einen Mehraufwand von anderthalb Stunden und 300 m Aufstieg.

ETAPPE 17

Innichen – auf dem Weg 105 ins Sextner Tal hinein und dann nach Süden ins Innerfeldtal – Dreischusterhütte (ÜM, EM) – bei einer Weggabelung auf ca. 1700 m Höhe links auf dem Weg 105 bleiben – auf Höhe 2300 m nochmals links halten Richtung Dreizinnenhütte – Gwengalpenjoch – Dreizinnenhütte/Rifugio Locatelli (ÜM).

5:40 Std.	15,6 km	1310 m ↗	60 m ↘

Nun also hinein in die Wunderwelt der Sextner Dolomiten, mit dem Zackenkönig Haunold am Beginn des Innerfeldtals, das auch im weiteren Verlauf umrahmt ist von mächtigen bleichen Felstürmen. Am Talschluss geht es steil nach oben auf Wegen, auf denen im Ersten Weltkrieg die Österreicher Nachschub und Truppen in die Kampfzone um die Drei Zinnen brachten. Oben sind dann auch Schützengräben zu sehen. Die Dreizinnenhütte ist viel besucht, eine Reservierung ist dringend angeraten. Unvergleichlich glühen im Abendlicht die Zinnen des Paternkofels und rechts davon die berühmten Drei.

ETAPPE 18

Dreizinnenhütte – Paternsattel – Büllelejoch – Büllelejochhütte (EM) – Oberbachernjoch – Büllelejoch – auf Weg 101, auch Dolomitenhöhenweg 9, zurück zur Dreizinnenhütte (ÜM).

3:50 Std.	10,2 km	590 m ↗	590 m ↘

Es wäre schade, schon am nächsten Tag dieses traumhafte Gebiet wieder zu verlassen; deshalb legte ich noch diese recht leichte Rundtour ein. Erst auf die östliche Schulter der Drei Zinnen, dann hinauf zum Büllelejoch, und dann noch etwas weiter nach Osten, um den mächtigen Turm des Zwölferkogels zu bewundern, der mit seinen 3094 Metern Höhe sogar die Große Zinne (2999 m) noch ein Stück überragt.

Diesen Rundweg bin ich schon 1965, mit zehn Jahren, mit meinem Vater gegangen. Von diesem Tag rührt möglicherweise auch meine Gewitterangst her, denn beim Aufstieg zum Büllelejoch erwischte uns ein schweres Unwetter, vor dem wir erst nach einigen Minuten in eine der Weltkriegskavernen fliehen konnten.
Wer es eilig hat, kann diese Tour weglassen, sie ist ja eine Art Abweichung von der Alpenüberquerung. Wem die Rundtour zu kurz ist, kann sie noch beliebig verlängern, etwa noch zur Zsigmondyhütte oder zur Zwölferscharte gehen. Oder vom Büllelejoch auf den Paternkofel (sehr alpin). Oder auf den Sextenstein über der Dreizinnenhütte hinaufsteigen und den Toblinger Knoten umrunden.

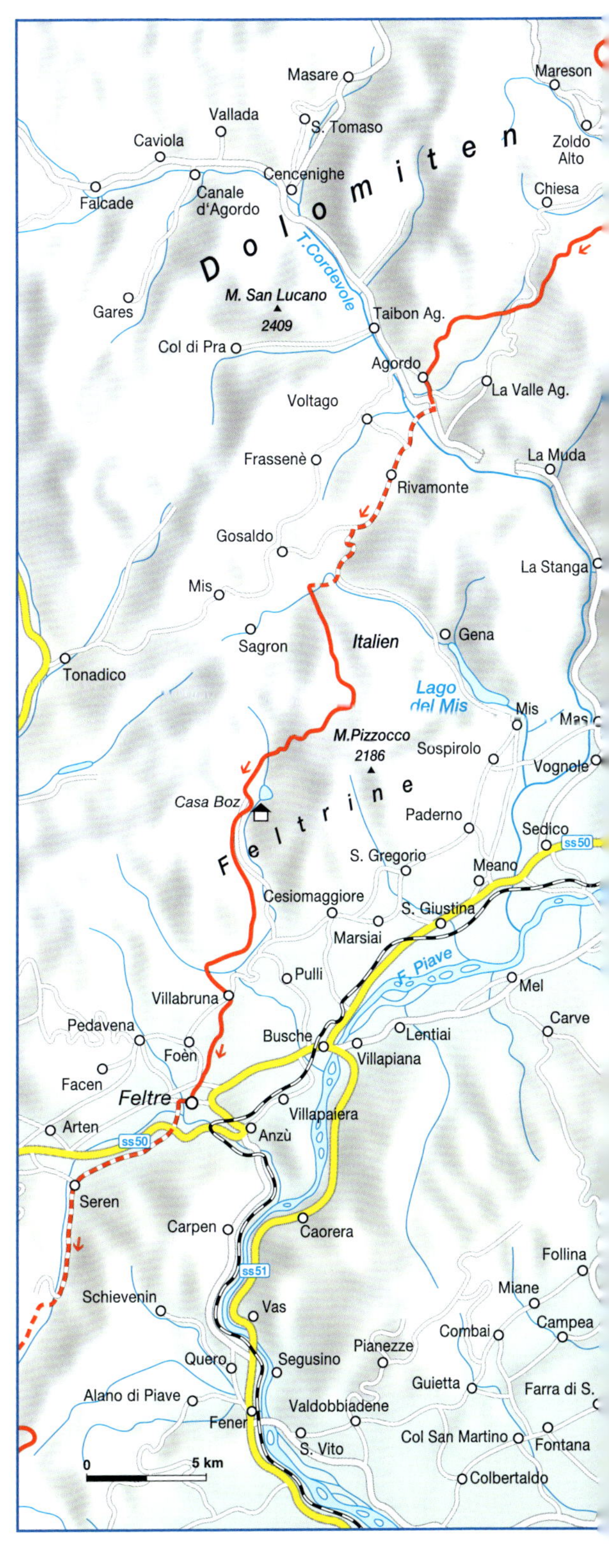

Im Innervillgratental gibt es noch viele traditionelle Höfe.

ETAPPE 19

Dreizinnenhütte – zunächst nach Süden in Richtung Paternsattel, dann aber bald auf Weg 105, auch Dolomitenhöhenweg 9, hinunter zum Rienzboden – Zinnenseen (Hochebene direkt vor den Zinnen) – Forcella del Campanili, auch Col de Mezzo genannt – südwestlich am Rifugio Auronzo vorbei (EM, ÜM) – zunächst entlang der Fahrstraße bergab, dann nach links (Südwesten) auf einen Wanderweg, der zum Lago d'Antorno führt – auf der Straße zum Misurinasee, dort mehrere ÜM.

4:00 Std.	12,1 km	240 m ↗	910 m ↘

Eindrucksvolle Passage an der Nordseite der Drei Zinnen vorbei, später schöner Blick auf die wilden Felsgebirge in ihrem Süden. Wegen der Lage der Übernachtungsmöglichkeiten eine eher kurze Etappe, es sei denn, man schließt gleich noch die nächste in einen Gewaltmarsch ein (oder verkürzt die Strecke nach Cortina durch eine Busfahrt).

ETAPPE 20

Misurinasee – Aufstieg nach Westen auf dem Dolomitenhöhenweg 9 auf die Ostseite des Monte-Cristallo-Massivs bis zur Forcella Popena, 2210 m – Abstieg nach Süden zur Straße SR 48 – Passo Tre Croci – Abstieg bis auf Höhe ca. 1620 Meter – Querung auf Wanderweg nach Süden zum Rifugio Mandres (EM) – Cortina d'Ampezzo (viele ÜM).

5:00 Std.	14,4 km	620 m ↗	1160 m ↘

Passage zwischen den Felsenburgen der Ampezzaner Dolomiten.

ETAPPE 21

Cortina d'Ampezzo – südwärts zum Ortsteil Socol – den Fluss Bòite auf der Brücke überqueren – Wanderweg 426, gleichzeitig Dolomitenhöhenweg 3 nach Süden – vor dem Weiler Chiapuzza wieder die Talseite wechseln – San Vito di Cadore (EM, ÜM) – Serdes – auf dem Weg 470, auch Dolomitenhöhenweg 3, zum Rifugio Venezia (ÜM).

7:10 Std.	21,8 km	1130 m ↗	420 m ↘

Zunächst unspektakulär im Tal, dann langer Aufstieg zur Hütte am Fuß des mächtigen Monte Pelmo.
Wer abkürzen will, nimmt von Cortina bis San Vito den Bus.

Leicht verhangen zeigt sich der Monte Cristallo über den Hotels von Cortina.

BELLEVUE

ETAPPE 22

Rifugio Venezia – auf dem Weg Anello Zoldano zur Moorebene I Lach – Weg nach Süden zum Passo Damal – Col Nero – Monte Ponta, 1952 m – Col de Salèra – Astragal – Forno di Zoldo (mehrere ÜM).

4:40 Std.	12,9 km	360 m ↗	1460 m ↘

Die Etappe führt über mittelhohe, meist bewaldete Berge, mit schönen Blicken auf Monte Pelmo und die Spitzen der Civetta.

ETAPPE 23

Forno di Zoldo – auf der Straße bis Pralongo, dann auf kleiner Straße bis zum Weiler Colcerver – auf dem Dolomitenhöhenweg 1 durch Waldgebiet zum Passo Duràn (EM, ÜM) – weiter zum Rifugio Bruto Carestiato (EM, ÜM) – Abstieg auf Weg 548 über Casa Pecole und Forte Dón nach Agordo (mehrere ÜM).

7:20 Std.	18,9 km	1120 m ↗	1350 m ↘

Schöner, stiller Weg zum Pass. Dann ein Stück Weg zum Rifugio Carestiato, das ich auf der Überquerung 2 schon einmal in der anderen Richtung gegangen war, darauf langer Abstieg ins hübsche Städtchen Agordo.

Vom Passo Duràn aus kann man auch die Endetappen 20 bis 22 meiner 2. Alpenüberquerung nehmen.

ETAPPE 24

Von Agordo mit dem Taxi nach California, etwa 30 Min. California? Ja, so heißt der Hof, der Ausgangspunkt der nächsten Etappe ist. Man erreicht ihn in Richtung Süd und dann Südwest auf der Straße SP3 über Rivamonte Agordino und dann auf der SP2 über Tiser, und kurz vor dem Einbiegen in die Schlucht Canal de Mis zweigt beim Weiler Bitti nach rechts (Südwest) ein Fahrweg ab.

California – Aufstieg nach Süd auf dem Weg 802 – nördlich am Monte Mondo vorbei – Hochfläche an der

Alm Ricovero Casera Erèra – steiler Abstieg nach Westen ins Tal – Stausee Lago della Stua – etwa 200 m südlich des Sees ÜM namens Casa Boz (Albergo, nur 6 Zimmer).

6:00 Std.	14,3 km
1230 m ↗	1220 m ↘

Wenig bekannter Passübergang in den südlichen Dolomiten. In der einsamen Gegend hörte ich Ende September unaufhörlich die Hirsche röhren, ein unheimliches Erlebnis. Man geht außerdem über eine sehenswerte Polje, eine topfebene Karst-Aufschüttungsfläche inmitten der Berge.
Die lange Anfahrt per Taxi unternahm ich, weil ich zwischen Agordo und California keine ÜM fand, und von Agordo aus wäre die Strecke viel zu weit. Bei der Vorbereitung dieser Neuauflage habe ich die Casa Boz als Übernachtungsmöglichkeit nicht wiedergefunden. Überprüfen Sie dies bitte, vielleicht haben die sich nur vorübergehend abgemeldet. Falls nicht, sehe ich nur eine praktikable Möglichkeit: Auf dem Fahrsträßchen talab weitergehen bis zur Ortschaft Soranzen und von dort den Bus oder ein Taxi nehmen (oder Autostopp versuchen), um nach Feltre zu gelangen. Es entfällt dann Etappe 25.

Agordo umrahmt von den Belluneser Dolomiten

ETAPPE 25

Lago della Stua (Casa Boz) – zunächst auf dem Fahrsträßchen in der Schlucht nach Süden – bei Le Ave nach Westen aufwärts bis zum Weiler Montagne – Arson – Vilabruna – Colle de la Croce – Feltre (mehrere ÜM).

5:40 Std.	18,4 km	360 m ↗	760 m ↘

Obwohl man zunächst durch ein schluchtartiges Tal geht, ist die Route, zumeist auf Sträßchen, eine nicht allzu interessante Übergangsetappe, die man auch weglassen könnte, indem man ein Taxi bestellt oder Autostopp versucht. Oder man geht in ca. 2:30 Std. zur Ortschaft Soranzen an der Hauptstraße SP12 und nimmt dort den Bus nach Feltre.

Das pompöse Schlachtendenkmal auf dem Monte Grappa

ETAPPE 26

Mit dem Taxi von Feltre über den Ort Seren del Grappa ins südlich anschließende Tal des Flusses Stizzon fahren, das weiter Richtung Süden zum Monte Grappa hinaufführt. An einer scharfen Rechtskurve auf Meereshöhe 1200 m aussteigen (die unmittelbare Umgebung wird auf Karten als Val dei Pezzi bezeichnet). Fahrzeit ca. 30–40 Min., Entfernung von Feltre Zentrum 20–21 km.

Val dei Pezzi – Aufstieg nach Süden, dann nach Osten zur Malga Valpore di Cima – Aufstieg zum Kamm – Weg 156, gleichzeitig Variante des Dolomitenhöhenwegs 8 – weiterer Aufstieg nach Süden zum Rifugio Bassano (EM) und auf den Gipfel des Monte Grappa, 1775 m, und zu den dortigen Gedenkstätten – Abstieg zunächst nach Süden, dann nach Südwesten auf dem Weg 80 (auch Dolomitenhöhenweg 8) ins Valle de Santa Felicità – Ausgang in die Ebene – Romano d'Ezzelino – Bassano del Grappa (zahlreiche ÜM).

7:50 Std.	23,2 km	580 m ↗	1640 m ↘

Das prachtvolle Städtchen Bassano del Grappa ist der Schlusspunkt.

Mit der Planung der Etappe über den Monte Grappa hatte ich Schwierigkeiten und ich finde auch jetzt keine bessere Möglichkeit. Eigentlich ist es eine Zweitagestour, doch es gibt keine ÜM im Gebiet des Berges, bis auf ein Rifugio Bocchette, das aber nur wenige Betten hat. Von Feltre bis zu diesem Rifugio gibt es jedoch nur eine lange und wohl wenig attraktive Strecke. So entschloss ich mich (und rate auch noch heute dazu), den Monte Grappa in einer langen Tagestour zu bewältigen, auch wenn man fürs Taxi eine Stange Geld abdrücken muss. Ich zahlte 50 Euro, vorab verhandeln!

Am Monte Grappa lagen sich im 1. Weltkrieg Österreicher und Italiener gegenüber. Schützengräben und Kavernen sind heute noch zu erkennen. Weil die Italiener den Angriffen standhalten konnten, bauten später die Faschisten ein riesiges Ehrenmal. Weiter Blick in die Poebene – falls klare Sicht herrscht.
Bassano ist sehr hübsch mit mittelalterlicher Altstadt und einer gedeckten Holzbrücke.
Rückreise per Eisenbahn: Am besten mit einem Regionalzug über das Valsugana nach Trento; dort Anschluss an die Fernzüge der Brennerlinie.

7. RORSCHACH – MENDRISIO

Durch die Schweiz auf ungewöhnlicher Route

Rorschach – Appenzell – Säntis, 2502 m (höchster Punkt) – Unterwasser – Churfirsten – Bad Ragaz – Taminatal – Rheinschlucht – Val Lumnezia – Pass Diesrut, 2430 m – Greina – Lukmanierpass – Piora – Strada alta – Biasca – Bellinzona – Capriasca – Lugano – Monte San Salvatore – Morcote – Mendrisio

15 Etappen | Insgesamt: 246 km | 9500 m ↗ | 12.660 m ↘
Durchschnittliche Etappe: 16,4 km | 633 m ↗ | 844 m ↘

Nach der langen 6. Alpenüberquerung sollte es diesmal etwas Kürzeres werden. Und gute Wetterphasen gestatteten es mir tatsächlich, die 7. im Juli 2015 zu beginnen und gleich Anfang August abzuschließen. Die Route verbindet einige Highlights der Schweiz: Bodensee, Appenzell, Säntis-Gebiet, Rheinschlucht, Greina-Hochtal und Luganer See. Sie umfasst auch zweieinhalb Etappen des Europäischen Fernwanderwegs E1, die Strada alta im Tessin, die ich bis dahin gemieden hatte, weil sie in jenem Tal verläuft, durch das auch die Gotthard-Autobahn führt. Den Bodensee nahm ich gerne als Startregion, weil ich den See liebgewonnen habe, als ich für einige Jahre in seinem (deutschen) Hinterland lebte und arbeitete.

Und weil ich einmal eine Überquerung nur durch ein einziges Land führen wollte, entschied ich mich, nicht bis Italien zu gehen, sondern für den vorletzten Ort vor der italienischen Grenze, Mendrisio, als Zielort (und nicht für das allzu nüchterne Chiasso).

Der Anteil der gefahrenen Strecken ist diesmal eher hoch; auf zwei längeren Abschnitten zwischen Walenstadt und Bad Ragaz sowie Biasca und Bellinzona findet man nun mal keine oder keine schönen Wanderwege. Und außerdem war ich gerade 60 geworden und dachte mir, ich dürfe es ab jetzt gemächlicher angehen lassen.

In Appenzell: Blick auf die schroffen Wände des Alpstein-Massivs

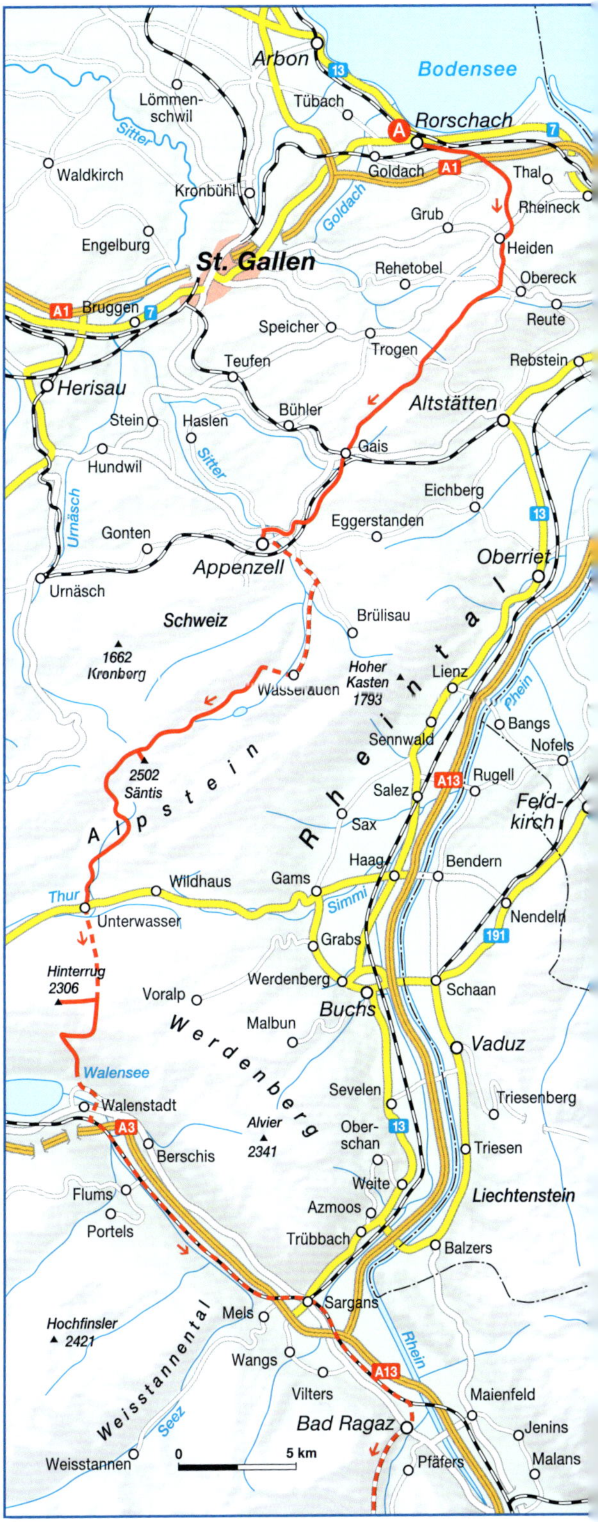

ETAPPE 1

Rorschach-Hafen – am Ufer nach Osten bis zum Bahnhof – nun immer dem Alpenpanoramaweg folgen – Schloss Wartensee – im Wald zum Bahnhof Wienachttobel – Bahnhof Schwendi – durch den Tobel des Mattenbachs nach Heiden (mehrere ÜM).

2:50 Std.	8,3 km	460 m ↗	60 m ↘

Anreise: Von Baden-Württemberg und dem Westen Deutschlands über Zürich, Schaffhausen oder Konstanz. Von München und dem Osten über Bregenz und St. Margrethen. Oder, wie ich, mit dem Schiff aus Lindau. Nette erste Halbetappe in den alten Kurort Heiden, mit Aussicht auf das Ostende des Bodensees.

ETAPPE 2

Heiden – nach Süden zur Wirtschaft Ruetegg – Zelg – Säge – Hau – Landmark (EM) – Suruggen – Unterer Gäbris – Gäbris-Gipfel, 1250 m (EM) – direkter Abstieg südlich nach Gais (EM, ÜM) – Zwislen – auf Wanderwegen südöstlich der Hauptstraße nach Appenzell-Stadt (mehrere ÜM).

7:00 Std.	22,7 km	770 m ↗	770 m ↘

Ab Gais mit Bus oder Bahn abkürzbar.

Die Route folgt, vor allem im ersten Drittel, keinem durchgängigen Wanderweg, sondern verbindet lokale Wege und Sträßchen, bitte sorgfältig orientieren! Hübsche ländliche Gegend mit schönen Appenzeller Bauernhäusern. Ab dem Weiler Landmark geht es über den Kammweg zum Voralpenberg Gäbris mit guter Aussicht zum Alpsteinmassiv mit dem Säntis, dann durch ein breites Tal nach Appenzell-Stadt.

ETAPPE 3

Zunächst von Appenzell-Bahnhof mit der S-Bahn nach Wasserauen (11 Min.). Dann mit der Luftseilbahn Wasserauen-Ebenalp zur Ebenalp (ca. 10 Min.).
Ebenalp – Berggasthof Schäfler (EM, ÜM) – auf dem Kammweg zum Lötzlialpsattel – Öhrligruben – Höch-Niederi-Sattel – auf dem südlicheren der beiden Wege in Richtung Säntis-Gipfel – steiler Aufstieg zum Gierenspitz – auf versichertem Steig auf den Säntis, 2502 m.

4:00 Std.	8,6 km	1110 m ↗	240 m ↘

ÜM im Berggasthaus Alter Säntis, oder Abfahrt mit der Seilbahn nach Schwägalp, ÜM dort.

Appenzeller Bauernhäuser in der Voralpenlandschaft (Etappe 2)

Ich wollte den Säntis in einer Tagestour besteigen, das erschien mir nur mit Seilbahnhilfe möglich. Man geht auf schmalen Wegen durch oft steiles Gelände, Schwindelfreiheit ist natürlich nötig. Unterhalb des Gipfels waren Mitte Juli noch einige Schneefelder zu queren. Letzter Aufstieg auf einer schrägen Gesteinsplatte mit Hilfe von Eisentritten und Stahlseilen. Bei klarem Wetter bietet sich eine großartige Aussicht über die nördliche Schweiz, und bis zur Bernina.

Leider war das Berggasthaus wegen einer Hochzeit ausgebucht, so dass ich mit der Seilbahn zur Schwägalp hinunterfahren (und am nächsten Morgen wieder hinauffahren) musste. Eine weitere Möglichkeit zu übernachten: etwa halbstündiger Abstieg zum Berggasthaus Tierwies, das ohnehin auf der Strecke des nächsten Tages liegt.

Wer die ganze Strecke auf den Säntis zu Fuß gehen möchte, sollte zwei Tage einplanen und dann im Berggasthof Schäfler, oder vorher im Berggasthaus Aescher-Wildkirchli übernachten. Von Appenzell bis zur Bergstation der Ebenalp-Seilbahn über das Wildkirchli sind es 3:40 Std., 10,3 km, 940 m auf, 110 m ab zum Schäfler dann noch einmal eine Stunde und 300 m Aufstieg.

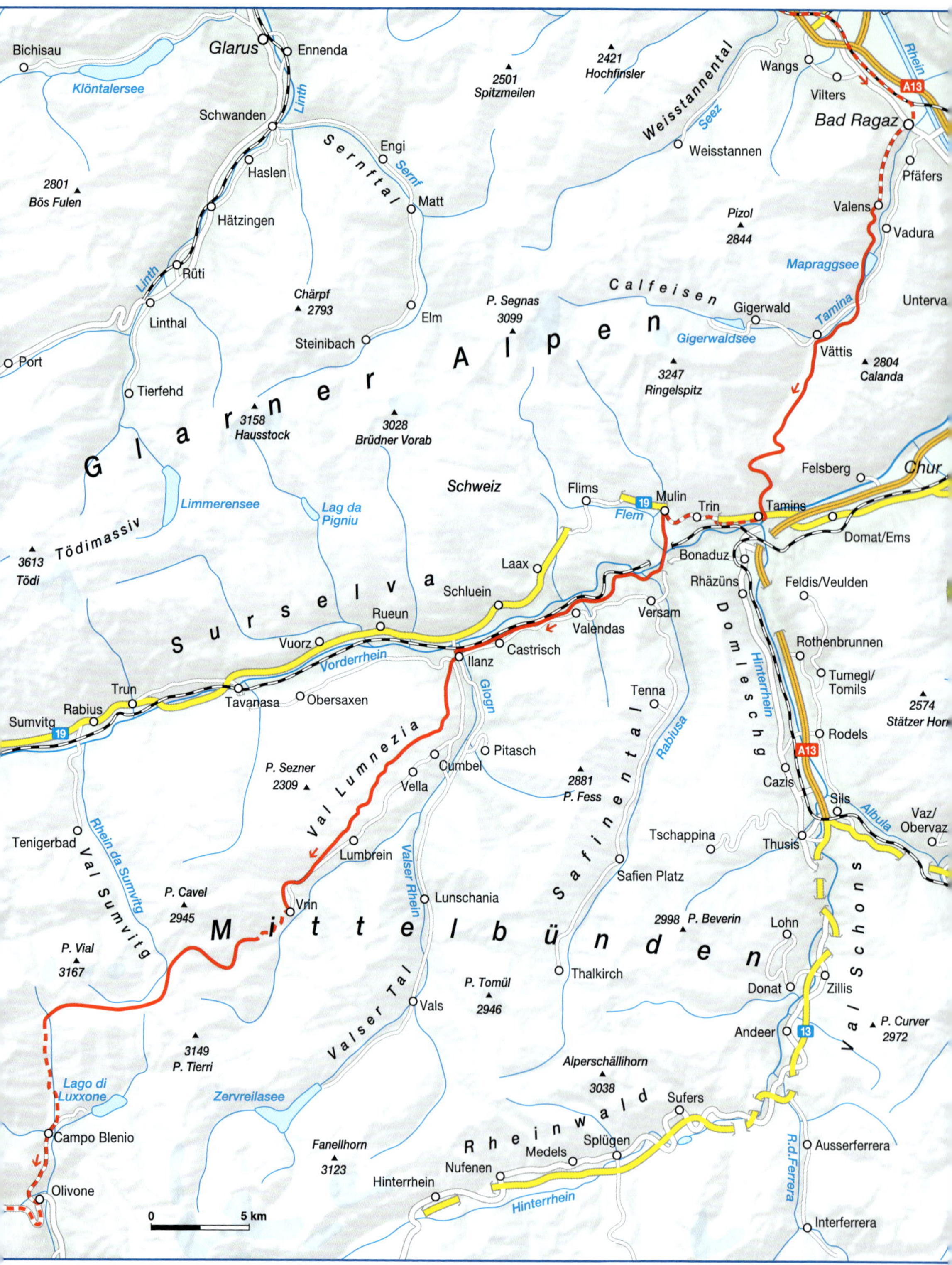
Glarner Alpen
Surselva
Mittelbünden
Schweiz
Glarus
Ennenda
Bichisau
Klöntalersee
Linth
Schwanden
Sernftal
Engi
Sernf
Matt
Haslen
Hätzingen
Rüti
Linthal
Port
Tierfehd
2801 Bös Fulen
Chärpf 2793
Elm
Steinibach
2501 Spitzmeilen
2421 Hochfinsler
Weisstannental
Seez
Weisstannen
Wangs
Vilters
Bad Ragaz
Rhein
A13
Pfäfers
Valens
Vadura
Pizol 2844
Mapraggsee
Calfeisen
Gigerwald
Gigerwaldsee
Tamina
Vättis
Unterva
P. Segnas 3099
3247 Ringelspitz
2804 Calanda
3158 Hausstock
3028 Brüdner Vorab
Limmerensee
Lag da Pigniu
Tödimassiv
3613 Tödi
Flims
Mulin
Flem
19
Trin
Tamins
Felsberg
Chur
Domat/Ems
Laax
Schluein
Rueun
Vuorz
Vorderrhein
Ilanz
Castrisch
Valendas
Versam
Bonaduz
Rhäzüns
Feldis/Veulden
Domleschg
Hinterrhein
Rothenbrunnen
Tumegl/Tomils
2574 Stätzer Horn
Rodels
Cazis
Sils
Albula
Vaz/Obervaz
Thusis
Trun
Rabius
Sumvitg
Tavanasa
Obersaxen
Glogn
Tenna
Rabiusa
Safiental
Pitasch
Cumbel
Vella
Val Lumnezia
P. Sezner 2309
2881 P. Fess
Tschappina
Safien Platz
Tenigerbad
Rhein da Sumvitg
Val Sumvitg
Lumbrein
Valser Rhein
Lunschania
P. Cavel 2945
Vrin
2998 P. Beverin
Lohn
Val Schons
P. Vial 3167
Thalkirch
P. Tomül 2946
Zillis
Donat
Vals
Valser Tal
Andeer
13
P. Curver 2972
3149 P. Tierri
Alperschällihorn 3038
Lago di Luxxone
Zervreilasee
Sufers
Rheinwald
Campo Blenio
Fanellhorn 3123
Splügen
Medels
Nufenen
Hinterrhein
Ausserferrera
R.d.Ferrera
Olivone
0
5 km
Interferrera

ETAPPE 4

Säntis-Gipfel – Berggasthaus Tierwies (EM, ÜM) – Abstieg nach Süden, nach Langenbüel – Laui – Unterwasser (mehrere ÜM).

4:10 Std.	12,1 km	1580 m ↘

Meist steiler Abstieg auf zunächst rauem Weg. Faszinierender Blick auf die Sägezahnkette der Churfirsten.

ETAPPE 5

Fahrt mit der Standseilbahn von Unterwasser zur Station Iltios, dann mit der Luftseilbahn auf den Chäserrugg, 2262 m (ca. 20 Min.).
Chäserrugg – Hinterrugg, 2306 m – Abstieg über Chammsässli nach Hinterbüel – Alp Tschingla (EM) – Abstieg nach Walenstadtberg, Bushalt Alte Post.

3:20 Std.	7,8 km	190 m ↗	1650 m ↘

Dann mit dem Bus nach Walenstadt-Bahnhof (ca. 15 Min.) und mit dem Zug nach Bad Ragaz (ca. 20 Min.). Diverse ÜM dort.

Weil die Bergseite zwischen Unterwasser und dem Gipfel Chäserrugg zu einem perfekten Skigebiet mit Beschneiungsanlagen ausgebaut wurde, wollte ich dort nicht wandern,

Die letzten Meter hinauf zum Säntis, 2502 m (Etappe 3)

auch wenn es nicht gerade konsequent ist, die Verantwortlichen dann noch mit dem Kauf eines Seilbahntickets zu belohnen. Nun ja. So erspart man sich auch einen mühsamen Anstieg, der zu Fuß vier Stunden bei 1360 m Aufstieg dauern würde (von Iltios 2:50 Std. und 920 m aufwärts).

Oben und während des zunächst sehr steilen Abstiegs schöne Blicke auf den Walensee. Wer statt den Bus zu nehmen, bis zum Bahnhof Walenstadt absteigen möchte, muss noch einmal 1:20 Std. veranschlagen, bei 390 Höhenmetern weiterem Abstieg.

ETAPPE 6

Mit dem Bus von Bad Ragaz nach Valens im Taminatal, ca. 25 Min.

Valens – auf der Straße bis Vasön – auf Wanderweg am Stausee vorbei – Vättis (EM, ÜM) – weiter auf Sträßchen im Tal bis Unter Kunkels – Fußweg an der östlichen Talseite – Kunkelspass (EM) – Tamins.

7:10 Std.	23,4 km	700 m ↗	950 m ↘

Fahrt mit Bus von Tamins, Bushalt Tamins Dorf, nach Trin, Ortsteil Mulin (ca. 15 Min.). Dort eine ÜM. Falls belegt, mehrere ÜM im Hauptort Trin.

Die Sägezahnkette der Churfirsten

Weil die Etappe von Bad Ragaz aus nicht in einem Tag zu bewältigen war, verkürzte ich mit dem Bus bis Valens, auch wenn ich dadurch die sehenswerte Taminaschlucht verpasste. Das hätte zusätzlich 2:10 Std. und 430 m Aufstieg erfordert. Wer darauf nicht verzichten will, sollte die Etappe zweiteilen und in Vättis nächtigen. Das Taminatal, von dem die Taminaschlucht nur den nördlichsten Teil darstellt, ist eine geographische Besonderheit, weil es an seinem Nord- und Südende zum Rheintal hin offen ist, das sich mit einer Biegung um es herum krümmt. Wahrscheinlich wurde das Taminatal von einem Vorläufer des Rheins geschaffen und dann von Gletschern vertieft. Jedenfalls eignet es sich ausgezeichnet, um die verstädterte Zone um Chur zu umgehen.

ETAPPE 7

Trin-Mulin – nach Süden in die Rheinschlucht – dort nach Westen zur Bahnstation Versam – weiter dem Tal folgen bis zur Bahnstation Valendas-Sagogn – auf dem Auenweg und dann Alpenpässe-Weg nach Ilanz (mehrere ÜM).

5:00 Std.	17,7 km	300 m ↗	420 m ↘

Ein Weg zum Erholen: meist flach durch die phantastische Rheinschlucht und danach durch hübsche Flussauen.

ETAPPE 8

Ilanz – immer dem Alpenpässe-Weg folgen – Luven – ins Val Lumnezia – Morissen (EM) – oberhalb (nördlich) von Lumbrein (EM, ÜM) – Vrin (eine ÜM).

8:30 Std.	25,8 km	1420 m ↗	670 m ↘ Oder nur bis Lumbrein
(zwei ÜM): 6:40 Std.	19,8 km	1200 m ↗	490 m ↘

Langer Aufstieg über Almgebiete ins Val Lumnezia – aber wir wollen ja morgen den Alpenhauptkamm überschreiten. Meist wenig Schatten, an ausreichend Wasser denken.

Tessin
Schweiz
Italien
Valle Leventina
Valle di Blenio
Riviera
Valle Maggia
Val Verzasca
Val Lavizzara
Centovalli
Locarno
Bellinzona
Lago Maggiore
Lai da Sontga Maria
Lago Ritom
Lago di Luxxone
Zervreilasee
L.Narèt
L.Sambuco
L.Tremorgio
Lago di Vogorno
Ticino
Brenno
Maggia
Bavona
Rovana
Isorno
Melezza
Moesa
Vedeggio
F.Peccia
Verzasca
2999 P. Centrale
Scopi 3190
3149 P. Tierri
P. Sole 2773
P. Molare 2586
Rheinwaldhorn 2402
3072 P. Campo Tencia
2640 P. Malora
M. Zucchero 2735
2706 P. di Mezzodi
Torrent Alto 2956
P. Cramalina 2322
P. di Vogorno 2442
Cimetta 1671
Gridone 2187
1962 M. Tamaro
Camoghe 2227
Airolo
Fontana
Altanca
Piotta
Deggio
Lurengo
Ambri
Osco
Rodi-Fiesso
Prima-dengo
Molare
Dalpe
Faido
Calonico
Lavorgo
Cavagnago
Sobrio
Giornico
Bodio
Campo Blenio
Olivone
Aquila
Dangio
Leontica
Acquarossa
Dongio
Madra
Malvaglia
Semione
Pontirone
Biasca
Iragna
Lodrino
Prosito
Cresciano
Preonzo
Claro
S. Vittore
Castione
Gnosca
Gorduno
Carasso
Sementina
Giubiasco
Pianezza
Carena
Fusio
Piano di Peccia
Peccia
Prato-Sornico
Bignasco
Cevio
Someo
Coglio
Lodano
Maggia
Gordevio
Avegno
Vergeletto
Russo
Spruga
Loco
Tegna
Verdasio
Intragna
Camedo
Palagnedra
Sonogno
Frasco
Brione
Lavertezzo
Vogorno
Mergoscia
Contra
Gordola
Minusio
Cugnasco
Gudo
Ascona
Ronco
Porte Ronco
Brissago
S.Bartolomeo
Cursolo
Orasso
Quartino
Cadenazzo
Magadino
S.Nazzaro
Vira Gambarogno
Gerra Gambarogno
Pino L.Maggiore
Indemini
Rivera
Isone
Bironico
Vira
Mezzovico
Bidogno
Cavargna
Bogno
A2
A13
2
13
0
5 km

Wem der Weg bis Vrin zu weit ist – oder wer dort keine Übernachtung bekommt –, geht nur bis Lumbrein und fährt am nächsten Morgen mit dem Bus nach Vrin.

ETAPPE 9

Von Vrin mit einem Bus in den Weiler Vrin-Puzzatsch. Achtung, verkehrt morgens nur einmal. Wer ihn nicht erreicht, muss Autostopp versuchen oder zusätzlich 1:20 Std. und 3,9 km gehen und dabei 260 Höhenmeter aufsteigen. (Dann ist aber der Bus am Ende der Etappe kaum noch zu erreichen!)
Vrin-Puzzatsch – auf dem Alpenpässe-Weg zum Pass Diesrut, 2430 m – nach Süden ins Greina-Hochtal – Passo de la Greina, 2380 m – Capanna Scaletta (EM, ÜM) – Abstieg zum Pian Geirett, Bushalt.

5:40 Std.	16,1 km	1060 m ↗	730 m ↘

Vom Pian Geirett mit dem Bus abwärts nach Campo oder Olivone (erst dort einige ÜM). Achtung, fährt nur einmal nachmittags! Die aktuelle Fahrzeit erfragen! Wer zu spät kommt, muss Autostopp versuchen, ein Taxi bestellen oder bis Campo zu Fuß zusätzliche 3:20 Std., 10,7 km und 1200 m Abstieg gehen.

Eine anspruchsvolle, aber großartige Etappe, zunächst durch das obere Val Lumnezia mit den Steilhängen seiner Grasberge, dann durchs einsame Hochtal Greina mit vielen Flüsschen und Mooren, umrahmt von stillen Bergen, auf die keine Straßen oder Bahnen führen.
Wer sich für die Etappe mehr Zeit lassen möchte, sollte auf einer der drei Hütten der Greina übernachten: Terrihütte am nördlichen Ende, Capanna Motterascio am südlichen oder Capanna Scaletta am westlichen.

ETAPPE 10

Zunächst mit dem Bus von Olivone zum Hospiz am Lukmanierpass (ca. 25 Min.)
Lukmanierpass – südlich am See vorbei – Val Termine, Passo dell'Uomo, 2218 m – nach der Alm Segna nach Westen ins Hochtal Piora hinein – Capanna Cadagno (EM, ÜM) – nördlich am Lago Ritom vorbei – Abstieg nach Altagna (EM) – auf der Strada alta nach Osten, talabwärts – Deggio (dort eine ÜM).

5:30 Std.	17,0 km	330 m ↗	1080 m ↘

Eigentlich lege ich Wert darauf, dass meine Alpenüberquerungen keine unnötigen Schlenker beschreiben. Diesmal machte ich eine Ausnahme, um die Strada alta, eine frühere Handelsroute und nun Teil des Fernwanderwegs E1, in den Weg zu integrieren. Um nicht zu viel Zeit zu verlieren, nahm ich bis zum Lukmanierpass den Bus. Dorthin,

von Olivone aus, zu Fuß zu gehen, ist möglich, dauert aber einen ganzen Tag. In diesem Fall ÜM im Lukmanier-Hospiz.
Grundsätzliches zum Übernachten an der Strada alta: Das Problem der Dörfer dort ist, dass es nur noch wenige Übernachtungsmöglichkeiten gibt. Also möglichst voraus reservieren. Wenn man spontan ankommt, kann man Pech haben, und muss dann mit dem Bus oder Taxi zu einem größeren Ort im Talgrund fahren. Auf diesem Teil der Strada alta gibt es wohl nur dieses Hotel namens Campagnola in Deggio, und etwas vorher, eine Pension in Altanca. Die nächste ÜM in Osco läge dann schon wieder zwei Stunden weiter. Oder man plant gleich im Talort Faido zu übernachten und ermittelt die Busfahrzeiten dorthin.

ETAPPE 11

Deggio – weiter auf der Strada alta (die überwiegend ein Wanderweg ist, selten auf Sträßchen verläuft) – Osco – Calpiogna – Rossura – Calonico – Anzonico – Segno – Cavagnago (eine ÜM).

8:00 Std.	24,1 km	860 m ↗	1000 m ↘

Hier im südlichen Teil der Strada alta gibt es nur die Pension Bertazzi in Cavagnago oder, zwei Orte vorher, eine Osteria in Anzonico sowie das B & B Da Norma in Sobrio.

Lohnt es sich, die Strada alta zu gehen? Einerseits ist die Landschaft schön, die Pflanzenwelt interessant und die Dörfer oft urig. Andererseits dringt immer wieder der Lärm der Gotthard-Autobahn herauf, und manchmal blickt man sogar auf die Staus unten. Nun, man erhält ein realistisches Bild großer Alpentäler.

ETAPPE 12

Cavagnago – Sobrio – Ronco – Abstieg nach Poleggio im Tal – Biasca-Bahnhof.

4:50 Std.	14,5 km	280 m ↗	1000 m ↘

Mit dem Zug nach Bellinzona (ca. 15 Min.), viele ÜM dort.

Wer glaubt, genug von der Strada alta gesehen zu haben, kann sich dieses letzte Stück (und damit eine Etappe) sparen, mit dem Bus von Cavagnago nach Lavorgo hinunterfahren und dort schon in den Zug steigen.

Auf der Strada alta ist man zu Fuß oft schneller unterwegs als die Fahrer unten auf der Gotthard-Autobahn

ETAPPE 13

Mit dem Stadtbus in den Vorort Giubiasco im Süden von Bellinzona.
Giubiasco – Camorino – Aufstieg im Wald nach Südwesten – Cima di dentro – Isone (2 ÜM).

3:30 Std. | 9,4 km | 800 m ↗ | 290 m ↘

Das ist nur eine Halbtagesetappe, doch der gesamte Weg nach Lugano nimmt nun einmal anderthalb Tage in Anspruch, und genau in der Mitte gibt es keine ÜM. Man kann allenfalls diese Etappe zu einer Tagesetappe bis Capriasca verlängern, hat dann aber von dort aus nur noch einen halben Tag bis Lugano.

ETAPPE 14

Isone – südlich aufsteigen nach Mürècc – Gola di Lago – im Tal absteigen nach Capriasca – weiter nach Süden über die Hügelkette um den Berg San Bernardo – Vorort Comano bei Lugano – Lugano-Zentrum.

6:10 Std. | 19,1 km | 530 m ↗ | 1000 m ↘

Knapp anderthalb Stunden kann man einsparen, wenn man von Comano aus einen Stadtbus bis Lugano-Zentrum nimmt. Eine knappe Stunde mehr braucht man, wenn man vom Pass Gola di Lago nicht den Talweg nach Capriasco nimmt, sondern den wahrscheinlich interessanteren Bergpfad Miguelon Trail weiter westlich am Hang der Monti di Cima.

ETAPPE 15

Von Lugano, Stadtteil Paradiso, mit der Zahnradbahn auf den Monte San Salvatore (ca. 15 Min.).

1. Teil: Monte San Salvatore – auf dem Bergrücken nach Süden – Ciona – Wanderweg Via Roccolo – Carona – auf dem Wanderweg westlich der Kuppen bis zum Ristorante Vicania (EM) – auf dem Treppenweg Abstieg nach Morcote (EM, ÜM).

Distelfeld auf der westlichen Greina-Hochebene (Etappe 9)

3:00 Std.	8,8 km	160 m ↗	780 m ↘

Schiffahrt Morcote – Brusino-Arsizio, ca. 10 Min.

2. Teil: Brusino-Arsizio, Schifflände – Aufstieg nach Serpiano – Meride – Abstieg auf dem Trans Swiss Trail nach Mendrisio, Gewerbegebiet – Mendrisio,-Altstadt.

3:40 Std.	10,8 km	530 m ↗	440 m ↘

Aussichtsreicher Weg vom Monte San Salvatore ins schöne Morcote. Wer den San Salvatore zu Fuß erklimmen will, geht zusätzlich mindestens 1:40 Std. bei 620 m Aufstieg. Auf dem zweiten Teil kann man auch einen weiter östlich gelegenen Weg über den Aussichtsberg Monte San Giorgio nehmen, geht dann aber etwa eine Stunde länger mit 350 Höhenmetern mehr Auf- sowie Abstieg. Mendrisio, der Zielort dieser Alpenüberquerung, hat außer einer kleinen Altstadt wenig Sehenswertes. Ich verbrachte den Abend zum Feiern in Lugano.
Rückreise nach Deutschland: Von Mendrisio mit der S-Bahn nach Lugano. Mit schnellen Zügen über den Gotthard-Basistunnel nach Basel oder Zürich, von dort weiter.

8. MONDSEE – BLED

Hinter dem Salzkammergut wartet Neuland

Mondsee – St. Gilgen – Schafberg – St. Wolfgang – Bad Ischl – Loser – Altaussee – Obertraun – Krippenstein – Karsthochebene am Dachstein – Schladming – Niedere Tauern – Waldhorntörl, 2283 m – Tamsweg – Ramingstein – Nockberge – Schönfeld – Königstuhl, 2336 m (höchster Punkt dieser Alpenüberquerung) – Falkertsee – Bad Kleinkirchheim – Wöllaner Nock – Feldkirchen – Wörthersee – Ferlach – Bodental – Klagenfurter Hütte – Hochstuhl, 2237 m – Bled

15 Etappen | Insgesamt: 245 km | 10.400 m ↗ | 11.620 m ↘
Durchschnittliche Etappe: 16,3 km | 693 m ↗ | 775 m ↘

Nach der Durchquerung der Schweiz sollte es diesmal, auch zur Schonung des Geldbeutels, durch Österreich gehen, und die Strecke sollte zwischen der Salzburg-Tolmezzo- und der Scheibbs-Graz-Route liegen. Naheliegender Weise kam ich auf das Salzkammergut, das ich bereits kannte, dann auf Gegenden, die Neuland für mich waren: Dachstein, Niedere Tauern, Nockberge, Karawanken. Und zum ersten Mal würde eine Überquerung in Slowenien enden.

Der Zielort Bled (Veldes) in Slowenien liegt an einem romantischen See

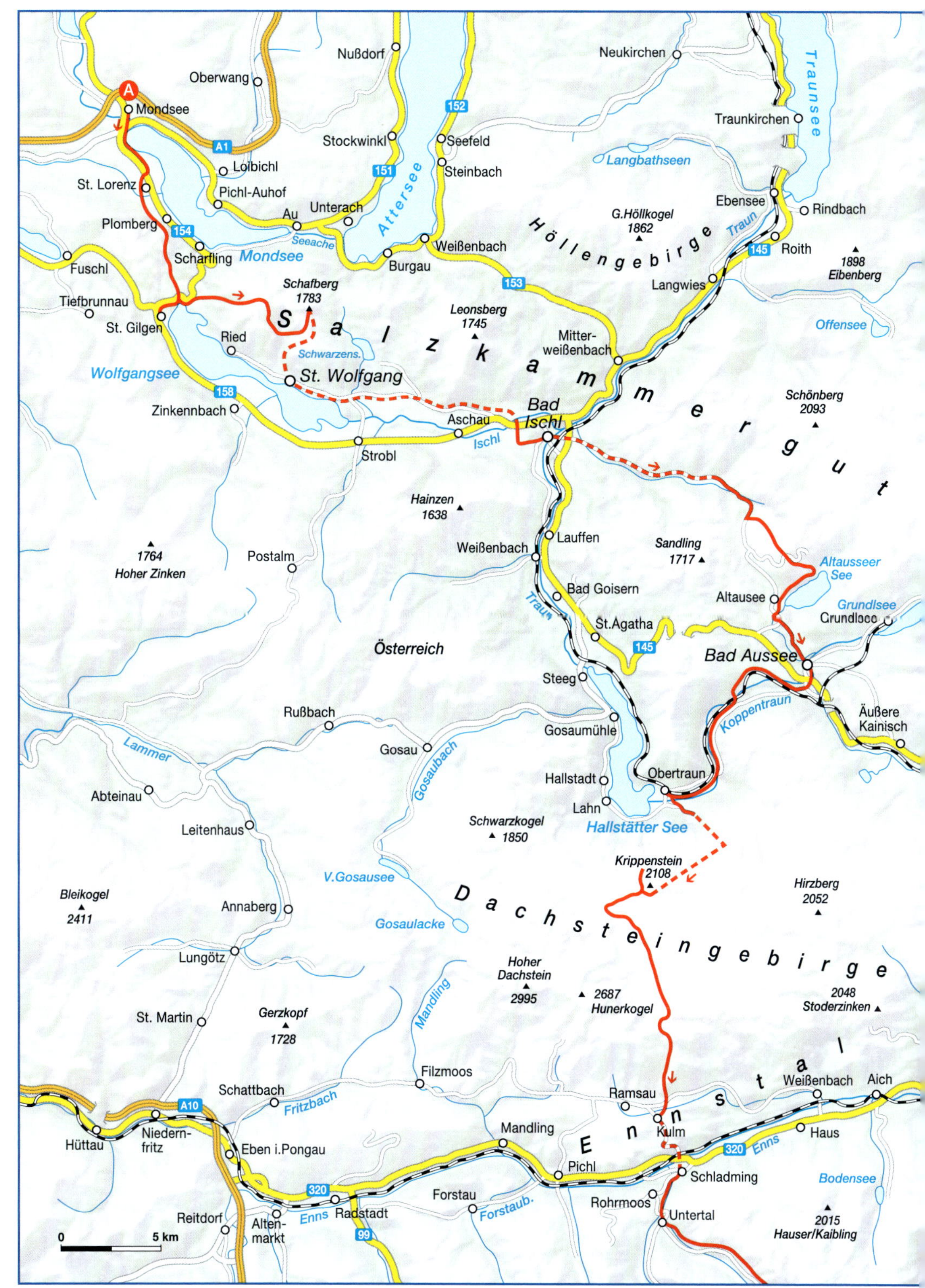

Nußdorf
Neukirchen
Traunsee
Oberwang
Mondsee
A1
152
Traunkirchen
Stockwinkl
Seefeld
Loibichl
151
Steinbach
Langbathseen
St. Lorenz
Attersee
Pichl-Auhof
Ebensee
Au
Unterach
G.Höllkogel
1862
Rindbach
Plomberg
154
Seeache
Weißenbach
Traun
Höllengebirge
Scharfling
Mondsee
145
Roith
Fuschl
Burgau
1898
Eibenberg
Schafberg
1783
153
Langwies
Tiefbrunnau
St. Gilgen
Salzkammergut
Leonsberg
1745
Offensee
Ried
Schwarzens.
Mitter-
weißenbach
Wolfgangsee
St. Wolfgang
158
Schönberg
2093
Zinkenbach
Bad
Ischl
Aschau
Ischl
Strobl
Hainzen
1638
Lauffen
Sandling
1717
Postalm
Weißenbach
1764
Hoher Zinken
Altausseer
See
Bad Goisern
Altausee
Grundlsee
Traun
St.Agatha
Österreich
145
Bad Aussee
Steeg
Koppentraun
Äußere
Kainisch
Rußbach
Gosaumühle
Lammer
Gosau
Gosaubach
Hallstadt
Obertraun
Abteinau
Lahn
Schwarzkogel
1850
Hallstätter See
Leitenhaus
Krippenstein
2108
Hirzberg
2052
V.Gosausee
Bleikogel
2411
Dachsteingebirge
Annaberg
Gosaulacke
Lungötz
Hoher
Dachstein
2995
2687
Hunerkogel
2048
Stoderzinken
St. Martin
Gerzkopf
1728
Mandling
Filzmoos
Ennstal
Weißenbach
Aich
Schattbach
Ramsau
A10
Fritzbach
Kulm
Haus
Hüttau
Niedern-
fritz
Mandling
Eben i.Pongau
320
Enns
Pichl
320
Schladming
Bodensee
Forstau
Rohrmoos
Reitdorf
Alten-
markt
Enns
Radstadt
Forstaub.
Untertal
2015
Hauser/Kaibling
99
0
5 km

Der Startpunkt hätte Salzburg sein können, doch weil ich dort schon zur 3. Überquerung aufgebrochen war, kam ich auf Mondsee. Bled als Endpunkt, an einem schönen See gelegen, macht Sinn; allerdings könnte man einwenden, dass sich südlich davon noch die Julischen Alpen erstrecken, und diese auch noch zu überqueren seien. Doch Bled liegt in einer Ebene, die sich nach Südosten hin zum Vorland um die slowenische Hauptstadt Ljubljana öffnet, so dass man auch hier schon die Alpen als bewältigt betrachten darf.

ETAPPE 1

Mondsee – Schwarzindien (die Ortschaft heißt wirklich so) – Theklakapelle – auf dem Berge-Seen-Trail unter der Drachenwand – Almkogel – Zeppezau – Buchberg – St. Gilgen (diverse ÜM).

4:20 Std.	13,8 km	580 m ↗	520 m ↘

Anreise aus Deutschland: Mit der Bahn nach Salzburg Hbf, von dort mit dem Bus in ca. 1 Std. nach Mondsee.

Ein langer Aufstieg führt auf den berühmten Schafberg, 1782m, mit seinem großen Bergpanorama.

Vom Mondsee zum Wolfgangsee – hübsche Halbtagestour zum Start. Das Salzkammergut war eine Art Privatbesitz der Habsburger, die hier die Einnahmen aus der Salzgewinnung einsackten, und später auch den Anstoß gaben zur Entwicklung des Tourismus.

ETAPPE 2

1. Teil: St. Gilgen – Brunnwinkl – Pucha – auf dem Berge-Seen-Trail, gleichzeitig Voralpentrail zur Schafbergalpe (EM) – Schafberg, Gipfel (1782 m, in der Nähe EM, ÜM).

3:40 Std. | 7,9 km | 1240 m ↗ | 20 m ↘

Mit der Schafberg-Zahnradbahn hinunter nach St. Wolfgang (ca. 30 Min.). Mit dem Bus von St. Wolfgang nach Pfandl, Bushalt Ort (ca. 30 Min.).

2. Teil: Pfandl (vor Bad Ischl) – südwärts auf den Hügel – Ahorn – Jubiläumssteig – Bad Ischl-Innenstadt.

1 Std. | 3,4 km | 70 m ↗ | 100 m ↘

Knackiger Aufstieg auf den berühmten Schafberg mit weiter Aussicht. Ich fuhr dann zur Schonung meiner Gelenke mit der Dampf-Zahnradbahn nach St. Wolfgang hinunter. Wer die Strecke gehen will, muss gut 2:30 Std. für die 1240 Höhenmeter Abstieg (über die Schafbergalpe) hinzuzählen – und sollte dann auf den 2. Teil der Etappe von Pfandl verzichten und gleich mit dem Bus die ganze Strecke nach Ischl fahren.
Zwischen St. Wolfgang und Pfandl fand ich keine lohnende Wanderroute. Der 2. Teil von Pfandl nach Bad Ischl ist eher ein Spaziergang zum »langsamen Ankommen« in dem Kurstädtchen, in dem Kaiser Franz Josef I. seine Sommer verbrachte und wo er sich mit »Sisi« verlobte.

ETAPPE 3

Von Bad Ischl auf der Rettenbachstraße zum Parkplatz vor der Rettenbachalm mit dem Taxi (ca. 20 Min.). Rettenbachalm – Rettenbachschlucht – Blaa-Alm (EM) – auf dem Nordalpenweg Aufstieg zur Loserhütte (EM, ÜM) – Abstieg auf dem Wanderweg 254 nach Altaussee (mehrere ÜM).

5:10 Std.	13,8 km
880 m ↗	790 m ↘

Wer nicht zu Beginn der Etappe mit dem Taxi fahren möchte, muss 8 Kilometer auf der Straße zu Fuß gehen! Es gibt keine weitere Alternative. Zur Krönung der Etappe kann man noch von der Loserhütte hinauf zum Loser-Gipfel gehen. Bedeutet ein Plus von 1:40 Stunden und 340 Höhenmetern im Auf- und Abstieg.

ETAPPE 4

Altaussee – Bad Aussee-Zentrum – Bad Aussee-Bahnhof – nach Westen, entlang des Flusses Koppentraun – über eine Brücke auf die Nordseite des Tals – wieder über den Fluss auf die Südseite – zum südlichen Talende – entlang der Eisenbahn und dann entlang der Traun nach Obertraun (mehrere ÜM).

In Bad Ischl erinnert vieles an die einstige Pracht als Habsburger Sommerresidenz

5:40 Std.	19,7 km	210 m ↗	420 m ↘

Die Strecke bis Bad Aussee-Bahnhof ist mit dem Bus verkürzbar. Von dort könnte man auch mit dem Zug nach Obertraun fahren, würde dann aber den interessanten Tal- und Schluchtweg verpassen.
Von Obertraun aus könnte man noch per Bus oder Schiff einen Abstecher in den nahen Ort Hallstatt unternehmen – und dort vor allem die Massen asiatischer Touristen beäugen, die sich normalerweise durch die Gassen drängen. Ein Teil Hallstatts wurde sogar in China nachgebaut.

ETAPPE 5

1. Teil: Obertraun – Talstation der Krippensteinseilbahn.

0:30 Std.	1,3 km	90 m ↗

Mit der Krippensteinseilbahn zum Hohen Krippenstein, ca. 20 Min.

2. Teil: Bergstation Seilbahn – Hoher Krippenstein-Gipfel, 2108 m – zunächst nach Norden, zum Pionierkreuz (Aussicht auf Hallstatt und den Hallstättersee) – zurück zur Seilbahnstation – Abstieg zum Talgrund in der Nähe des Schilcherhau-

Kapuzinersee am Waldhaustörl (Etappe 7)

Guttenberghaus am Dachstein

ses – nun auf einem markierten Weg nach Süden, mit Wegweisern zur Feisterscharte oder zum Guttenberghaus – Falscher Schönbühel – Wasserboden – westlich am Besenkogel vorbei – östlich am Hundsofen vorbei – durch immer schrundigeren Karst zur Feisterscharte, 2198 m – Guttenberghaus (EM, ÜM) – steiler Abstieg zur Lärchbodenalm – Feistererhof (EM) – Ramsau-Kulm (mehrere ÜM), Bushalt Kulm.

6:40 Std.	18,9 km	570 m ↗	1550 m ↘

Mit dem Bus von Ramsau nach Schladming (viele ÜM).

Der Weg führt über das Karstplateau östlich der Gipfel des Dachsteins. Ein faszinierendes, ungewöhnliches Berggebiet. Der Weg ist zunächst gut markiert, doch im Gebiet nördlich der Feistererscharte wird die Sache schwierig, weil man auf und ab durch steileres Gelände gehen muss und die Markierungen leicht aus den Augen verliert. Hier war ich froh, dass mir das GPS-Signal half. Den Weg nur bei gutem Wetter gehen!
Wer zu Fuß zum Krippenstein aufsteigen möchte, muss happige 1540 Höhenmeter aufsteigen und kann dann in der »Lodge am Krippenstein« übernachten.
Von Ramsau-Kulm noch zu Fuß nach Schladming zu gelangen, erfordert ca. 1:30 Std. bei 350 Höhenmetern Abstieg. Natürlich kann man auch in Ramsau übernachten und den Transfer nach Schladming auf den nächsten Morgen verschieben.

Der Riesachsee in den (gar nicht so) Niederen Tauern (Etappe 6)

ETAPPE 6

Schladming – am Talbach entlang nach Süden ins Untertal – Waldhäuslalm (EM) – Aufstieg zum Riesachsee – Großer Riesachwasserfall – Kerschbaumeralm – Preintalerhütte (ÜM).

5:50 Std.	18,1 km	960 m ↗	40 m ↘

Erster Teil des Aufstiegs zum Alpenhauptkamm, den hier die Niederen Tauern darstellen. Ganz so niedrig sind die aber nicht! Bis zur Waldhäuslalm fahren auch Busse.

ETAPPE 7

Preintalerhütte – nach Süden ins Äußere Lämmerkar – nach einer Geländestufe nicht dem Zentralalpenweg nach Westen folgen, sondern weiter auf dem Weg nach Süden ins Innere Lämmerkar und zum Kapuzinersee – hinauf zum Pass Waldhorntörl, 2283 m – westlich am Zwerfenbergsee vorbei – Zwerfenbergalm – Abstieg ins Tal zur Unteren Gamsenalm – nun immer talab teils auf einem Wanderweg, teils auf dem Fahrsträßchen – Lenznhütte (EM) – Lessach, Bushalt Unterdorf.

5:30 Std.	16,6 km	660 m ↗	1130 m ↘

Von Lessach nach Tamsweg mit dem Bus, ca. 15 Min. In Tamsweg mehrere ÜM.

Weg durch ein stilles Hochtal. Vor dem Waldhorntörl eine kurze sehr steile Passage, Vorsicht bei Nässe. Beim Abstieg schöner Blick auf die Pyramide des Hochgolling, 2862 m, des höchsten Bergs der Niederen Tauern.
Von Lessach nach Tamsweg könnte man statt Bus zu fahren auf dem Arnoweg gehen, in ca. 2:30 Std.

ETAPPE 8

Von Tamsweg nach Ramingstein mit dem Zug oder Bus, ca. 10 Min.
Ramingstein-Bahnhof – Ortszentrum – nach Süden ins Tal, auf der Karneralmstraße – auf der Straße rund 10 km bis zur Karneralm aufsteigen (EM) – weiter nach Süden auf dem Arnoweg – Klölingalm – Klölingscharte, 2116 m – Abstieg in den Weiler Schönfeld (zwei ÜM).

5:20 Std.	15,9 km	1150 m ↗	400 m ↘

Der lange Aufstieg bis zur Karneralm auf einem asphaltierten Sträßchen ist nicht so toll, zugegeben. Die Alternative auf dem Arnoweg, der östlich über den Kamm mit den Gipfeln Felderneck und Kleiner Königstuhl führt, erschien mir aber zu hart. Die sehr Sportlichen unter den Lesern gehen auf dieser Strecke bis Schönfeld 7:20 Std., 19,3 km, 1590 m auf, 830 m ab.
Die Strecke Ramingstein – Karneralm ließe sich per Taxi (oder Autostopp, jedoch wenig Verkehr) verkürzen.

Die »schottisch« anmutenden Nockberge, hier bei der Rosaninalm

ETAPPE 9

Schönfeld – Wanderweg 126 nach Süden – Rosaninalm – Königstuhlscharte, nun auf dem Kärtner Grenzweg – Königstuhl, 2336 m – Karlnock – Stangboden – Schneegrubensattel – Kärntner Grenzweg verlassen und auf Wanderweg 126 an der westlichen Talseite bis Prießhütte (EM, ÜM) – auf die Fahrstraße, auf dieser einige 100 m aufwärts bis zur Rechtskurve, dort auf den Wanderweg 3 – Mayerlingalm – Ochsenalm – Feriensiedlung am Falkertsee (mehrere ÜM).

7:00 Std.	20,1 km	1030 m ↗	890 m ↘

Vor allem auf den ersten zwei Dritteln faszinierende Tour über die Kuppen und Almen der Nockberge. Diese sind eine geologische Besonderheit, weil sie, obwohl umgeben von felsigen Gebirgsgruppen, abgerundete Formen zeigen, weshalb sie manchmal sogar als Mittelgebirge bezeichnet werden. Doch dafür sind sie wiederum zu hoch.

ETAPPE 10

Falkertsee – Aufstieg zum Falkert, 2308 m – Abstieg nach Südwesten auf Wanderweg 1 – Totelitzen – Aigner Berg – Bad Kleinkirchheim (mehrere ÜM).

3:40 Std.	9,7 km	440 m ↗	1240 m ↘

Nochmals ein Aussichtsgipfel, der Falkert, dann am Ende steiler Abstieg nach Bad Kleinkirchheim. Nur eine Halbtagesetappe, aber wegen der ÜM kaum anders zu organisieren.

ETAPPE 11

Mit der Kaiserburgbahn von Bad Kleinkirchheim zur Anhöhe Kaiserburg fahren (ca. 20 Min.)

Kaiserburg – Wöllaner Nock, 2145 m – auf Wanderweg 164 – Vorderer Wöllaner Nock – auf dem Kamm nach Südosten – Buchskopf – Dürrer Baum – Messnerwirthütte (keine EM!) – den Kamm verlassen und auf dem Fahrweg abwärts Richtung Süden – Pension Fernsicht in Himmelberg-Außerteuchen (EM, ÜM) – nach Osten durch den Ort Außerteuchen – weiterer Abstieg nach Oberboden, Bushalt Himmelberg-Oberboden.

7:00 Std.	23,5 km	340 m ↗	1690 m ↘

Dann mit dem Bus von Oberboden nach Feldkirchen in Kärnten (etwa 15 Min.).

Zunächst schöne, dann etwas lange Etappe durch die südlichen Nockberge. Vom Wöllaner Nock große Aussicht auf die Karawanken im Süden. Einsamer Kammweg. Wer im

Wer kein Segelboot dabeihat, überquert den Wörthersee per Motorschiff-Linienverkehr.

abgelegenen Gasthof Fernsicht übernachtet, kann den Rest der Etappe (etwa 2 Std.) jener des nächsten Tags zuschlagen.

ETAPPE 12

1. Teil: Feldkirchen – südwärts nach Rottendorf – Bösenlacken – Markstein – Oberglan (bis hierher meist an Straßen) – Gradisch – Berger – Gnasweg – Stallhofen (EM) – östlich und südlich um den Teich bei Damnig – Pörtschacher Alm – Pörtschach am Wörthersee – Schiffslände Pörtschach-Werzer.

4:40 Std.	16,5 km	230 m ↗	330 m ↘

Von Pörtschach-Werzer bis Maria Wörth mit dem Schiff, ca. 15 Min.

2. Teil: Maria Wörth, Schiffslände – St. Anna – Reifnitz (mehrere ÜM).

0:50 Std.	2,8 km	90 m ↗	90 m ↘

Wer es eilig hat, kann die Etappe durch Öffis einsparen. Ich finde diese flache bis leicht hügelige Strecke in Ordnung. Immerhin erreichen wir den berühmten Wörthersee dadurch zu Fuß.

Falkert
Ebene-Reichenau
St. Lorenzen
Hochrindl
Glödnitz
Deutsch-Griffen
Kleinglödnitz
Zweinitz
Gurk
Weitensfeld
Pisweg
Wimitzb.
St. Oswald
1886
Kruckenspitze
Sirnitz
Gurk
Kraig
Bad Kleinkirchheim
Patergassen
Zedlitzdorf
Bad St. Leonhard
Steuerberg
Schneebauerberg 1338
1246 Frauenstein
Simonhöhe
Obermühlbach
Wöllaner Nock 2145
Feld am See
Gnesau
St. Veit
Himmelberg
St. Urban
Liemberg
Tiebelb.
St. Ulrich
Liebenfels
Arriach
Hörzendorf
Afrizer B.
Österreich
Feldkirchen
Glanegg
Glan
Maria Feicht
Afritz
Tiffen
Maltschach
Klein St. Veit
St. Peter
Steindorf
Glanhöfen
Tigring
Karnburg
Äußere Einöde
Bodensdorf
Maria Saal
Ossiacher See
Ossiach
S a t t n i t z
Sattendorf
1046 Hohe Gallin
Moosburg
Lendorf
Puch
Treffen
Annenheim
Drau
Köstenberg
Töplitsch
St. Ruprecht
St. Andrä
Forsts.
Töschling
Pörtschach
KLAGENFURT
A10
Kerschdorf
A2
70
Wernberg
Landskron
Maria-Wörth
Fellach
Wörthersee
Reifnitz
Heiligengeist
Villach
Maria-Gail
83
Velden
Schiefling
Lind
Rauschelesee
Keutschach
Viktring
Egg
Rosegg
Hafnersee
Drobollach
Faaker See
St. Martin
St. Egyden
Keutsch. See
Köttmannsdorf
Maria Rain
Göltschach
A11
Drau
Gail
A2
Ledenitzen
Mühlbach
Feistritzer Stausee
Drau
Fürnitz
Finkenstein
Latschach
Ludmannsdorf
St. Jakob
Weizelsd.
Ferlach
Rosenbach
Maria Elend
Suetschach
Feistritz
Kirschentheuer
91
Wurzenpass 1508
Mittagskogel 2145
Unterloibl
Windisch Bleiberg
Waidisch
Feistritz
Kahlkogel 1834
Loiblbach
Podkoren
Gozd-Martuljek
Bodental
Kransjska Gora
201
Dovje
K a r a w a n k e n
Loibltal
Sava Dolmka
Mojstrana
Klagenfurter Hütte
Jesenice
2237 Hochstuhl
61
Koroška
Bela
Kočna
Slowenien
Žirovnica
Perniki
Podhom
Dolina
Podljubelj
Breg
Rodine
Radovna
Trenta
Sava
Zgornje Gorje
0
5 km
Bled
E
Tržič

ETAPPE 13

Reifnitz – Plaschischen (auf Wanderweg westlich der Fahrstraße) – östlich am Keutschacher See vorbei – Aufstieg nach Süden auf den Bergzug – nördlich an der Anhöhe Stoffler vorbei – Mostitz – auf Sträßchen nach Köttmannsdorf (EM) – St. Gandolf – Preliebl – Unterschloßberg – entlang der Schnellstraße über die Draubrücke – Kirschentheuer – Görtschach – Ferlach, Busbahnhof.

5:50 Std.	15,7 km	380 m ↗	370 m ↘

Von Ferlach bis Bodental, Gasthof Sereinig, mit dem Bus, ca. 20 Min. (ÜM dort, oder Pension ca. 1 km entfernt).

Auch die Mittelgebirgslandschaft südlich des Wörthersees will überwunden sein. Der Asphalt-Anteil ist leider nicht gering; vor allem von der Draubrücke ab geht man zumeist am Rand von Straßen. Von Ferlach aus gönnte ich mir den ersten Anstieg in die Karawanken mit dem Bus. Wer zu Fuß gehen will, braucht von Ferlach bis Bodental durch die Tscheppaschlucht 3:30 Std. bei 630 m Aufstieg.

ETAPPE 14

Bodental – nach Südwesten auf dem Südalpenweg, gleichzeitig auch Kärntner Grenzweg – Schoschelz – Ogrisbauer – Ogrisalm – Stinzesteig – Klagenfurter Hütte (ÜM).

2:50 Std.	6,8 km	800 m ↗	150 m ↘

Schöner, meist gemächlicher Aufstieg zur Felsenkette im Süden. Erst auf dem letzten Teil wird's steil, und einige Stellen am Stinzesteig sind drahtseilversichert.
Wer sich noch nicht ausgelastet fühlt, kann von der Klagenfurter Hütte auf einem Rundweg zum Aussichtsberg Kosiak, 2024 m, aufsteigen (gesamt 1:20 Std., 320 m auf und ab). Im Prinzip ist es auch möglich, schon an diesem Tag zur Hütte am Gipfel des Hochstuhls aufzusteigen und dort zu nächtigen (dann sicherheitshalber reservieren!)
Auf der Rückfahrt von dieser Alpenüberquerung entdeckte ich diverse ungewöhnliche Stiche am Körper, die juckten und erst nach Wochen vollständig verschwanden. Etwas später las ich zufällig über das Bettwanzenproblem auf Alpenhütten; ein Beispiel war die Klagenfurter Hütte. Schon auf der Hütte hatte ich mich gewundert, dass ich der einzige Übernachtungsgast war; leider hat mich dort niemand gewarnt. Ich gehe davon aus, dass die Lager nun wieder ungezieferfrei sind.

Klagenfurter Hütte; dahinter erhebt sich, schon in Slowenien, der Hochstuhl/Stol, 2237 m.

ETAPPE 15

Klagenfurter Hütte – Bielschitzasattel (Grenze Österreich/Slowenien) – Weg nach Südwesten – Aufstieg zum Gipfel des Hochstuhls/Stol (2237 m) – Hochstuhlhütte (Presernova koca, EM, ÜM) – Abstieg auf dem Weg nach Westen, dann Südwesten (steil!) nach Zirovniska planina – zum Fahrweg bei der Hütte Valvasojev dom (EM) – weiterer Abstieg auf dem Fahrweg – unten im Tal am Staudamm am Weiher westlich vorbeigehen – Fußweg nach Westen um den kleinen Bergrücken herum – Abstieg nach Zirovnica – nun weiter auf kleinen Straßen nach Breg – südlich an Zasip vorbei – Bled (mehrere ÜM).

7:50 Std.	20,9 km	680 m ↗	1890 m ↘

Der Weg vom Bielschitzasattel zum Hochstuhl ist sehr steinig, einige steile Stellen muss man vorsichtig passieren. Vom Gipfel langer Abstieg auf steilem Steig. Ich rate dazu, die eigenen Gelenke weiter unten durch den Fahrweg zu schonen, auch wenn die Strecke dadurch länger wird.

Die letzten knapp 2 Std. Weg kann man sich ersparen, wenn man von Zirovnica aus mit dem Bus nach Bled fährt. Dann sich vorher über die Haltestelle und die Abfahrtszeiten kundig machen.

Bled (deutsch Veldes) mit seinem hübschen See stieg in Habsburger Zeiten zu einem Luftkurort auf. Auch in jugoslawischer Zeit galt es als eine der Perlen des Landes. Von der hässlichen Grenzstadt Jesenice als Zielort rate ich ab.

Rückreise: Am besten mit dem Bus von Bled nach Jesenice, von dort Fernzugverbindung über Villach und Salzburg nach München.

9. NEUSCHWANSTEIN – GARDA

Der Klassiker E5 in der Neufassung

Neuschwanstein – Hahnenkamm, 1938 m – Weißenbach – Tarrentonalm – Nassereith – Tarrenz – Inn – Pitztal – Rettenbachjoch, 2994 m – Tiefenbachferner – Venter Höhenweg – Niederjoch – Similaunhütte, 3019 m (höchster Punkt) – Vernagt – Meraner Höhenweg – Kreuzjoch – Bozen – Deutschnofen – Weißhorn, 2316 m – Gfrill – Cembria – Baselga di Pine – Levico – Hochebene von Lavarone – Folgaria – Rovereto – Monte Baldo – Garda

22 Etappen | Insgesamt: 370 km | 16.250 m ↗ | 16.350 m ↘
Durchschnittliche Etappe: 16,8 km | 739 m ↗ | 743 m ↘

Nachdem ich die 8. Alpenüberquerung bereits Mitte Juli 2017 abschließen konnte, wollte ich mir für den Rest des Sommers gleich etwas Neues vornehmen. Es war klar, dass die neue Route im Allgäu beginnen sollte – weil ich 2016 von München nach Augsburg gezogen war und der neuen Region sozusagen Reverenz erweisen wollte. Und es war noch ziemlich viel Platz zwischen der Route der 1. Überquerung Oberstdorf – Como und den weiter östlich verlaufenden Nummern 2 und 5, die in den Dolomiten endeten. Ich kam auf einen Gedanken, gegen den ich mich lange gesträubt hatte: Orientier dich doch am E5! Dem Europäischen Fernwanderweg

Vom Alpsee unterhalb von Neuschwanstein führt die Route bis zum Gardasee.

von der Bretagne nach Verona, der in seinem nordalpinen Teil häufig begangen und auch von Trekking-Pauschal-Anbietern angepriesen wird, und wahrscheinlich der am stärksten begangene »Alpencross« ist. Allerdings gehen die meisten Leute nur von Oberstdorf bis Meran oder Bozen.

Gegen den E5 hatte aus meiner Sicht zunächst gesprochen, dass er zwischen dem Pitztal und dem Ötztal durch ein extrem ausgebautes Skigebiet führt. Da diese 9. wohl eine meiner letzten Alpenüberquerungen sein würde, entschied ich mich dann doch dazu, meine Bedenken zurückzustellen und diesen ausgetretenen Pfad kennenzulernen. Immerhin würde ich, ihm folgend, meinen Körper trotz vorgerückten Alters zweimal auf 3000 Meter Höhe emporwuchten. Für den E5 sprach dann auch, dass er in seinem weiteren Verlauf zwischen Bozen und Verona gar nicht so ausgetreten ist – wahrscheinlich, weil er, scheinbar unspektakulär, durch mäßig hohes Bergland östlich des Etschtals führt und nicht durch die Felslandschaften der Dolomiten (von kurzen Teilstücken abgesehen).

Ich entwarf einige neue Etappen zwischen dem Ostallgäu und dem Pitztal, wo ich auf den E5 treffen würde. Im Bereich des Ötztals wür-

Die Ötztaler Dreitausender, vom Weg zum Rettenbachjoch aus

de ich nicht dem klassischen E5 übers Timmelsjoch folgen, sondern einer (freilich sehr populären) Variante, die mich über Vent, den Niederjoch-Pass am Similaun und den Meraner Höhenweg führen würde.

Von Bozen würde ich dem E5, mit einigen Abweichungen, bis zur Hochfläche von Lavarone folgen – und ihn dann verlassen. Denn im Bergland nördlich von Verona fand ich zum einen keine Übernachtungsmöglichkeiten, und zum anderen reizte es mich, die Tour weiter westlich, am Gardasee, enden zu lassen. So entwarf ich vier Schlussetappen zwischen Rovereto und dem Seestädtchen Garda.
Da ich mich nicht mit falschen Lorbeeren schmücken möchte, sage ich hier noch einmal deutlich, dass etwa die Hälfte dieser Alpenüberquerung identisch ist mit der Wegführung des E5 oder der E5-Variante über den Similaun.
Ausnahmsweise absolvierte ich diese Überquerung nicht ganz in der »richtigen Reihenfolge«. Als sich im Oktober 2017 eine günstige Wetterlage abzeichnete, war es für die hochalpinen Passagen zwischen Pitztal und Similaun schon zu spät – die Hütten dort hatten schon geschlossen –, so dass ich diesen Teil zunächst ausließ und die Etappen zwischen Schnalstal und Rovereto vorzog. Im September 2018 holte ich das Versäumte nach und konnte danach auch die Schlussetappen am Gardasee durchführen.

ETAPPE 1

Neuschwanstein (Parkplatz) – östlich am Alpsee vorbei – auf dem Lechweg über den Alpseekessel zum Lobatboden – Passhöhe (Grenze Deutschland/Österreich) – abwärts zum Dürrental und Kniepass – auf der Straße nach Pflach – nach Nordwesten über die Lechbrücke, dann nach Süden nach Oberletzen – durch die Ebene Wiesbichl – Gasthaus Bärenfalle (EM) – auf dem Wanderweg 939 aufwärts ins Reintal – auf dem Fahrweg zur Musauer Alm (ÜM).

5:20 Std.	16,6 km	740 m ↗	250 m ↘

Anreise: Mit der DB nach Füssen. Mit dem Stadtbus oder zu Fuß zum Gelände unterhalb des Schlosses Neuschwanstein. Steigt man zum Schloss auf oder zur Marienbrücke (schöner Blick aufs Schloss), geht man ca. 45 Min. länger, kann dann aber einen Weg am halben Hang zum Lobatboden nehmen.
Im dicht besiedelten Lechtal muss man mangels Wanderwegen ein Stück auf Straßen gehen. Dann hübscher Aufstieg zur Musauer Alm (Zimmer und Lager).

ETAPPE 2

1. Teil: Musauer Alm – Aufstieg auf Weg 416 nach Süden zum Sabachjoch – kurzer Abstieg nach Südwesten, dann Weg 417 zum Hochjoch – Dietzl – Tiefjoch – Hahnenkamm, 1938 m – Abstieg zum Panoramarestaurant Hahnenkamm (EM), Bergstation der Hahnenkammbahn.

2:50 Std.	6,1 km	890 m ↗	450 m ↘

Mit der Hahnenkammbahn Höfen zur Talstation (ca. 10 Min.).

Teil 2: Talstation Hahnenkammbahn – Abstieg am Hirschbach nach Höfen – nach Westen zur Kirche von Platten, dann zum Uferweg am Lech (nordwestliches Ufer) – Schotterebene östlich von Weißenbach – Weißenbach am Lech, Zentrum (mehrere ÜM).

1:40 Std.	6,8 km	30 m ↗	30 m ↘

Zwischen Sabachjoch und Hahnenkamm sehr schöne Blicke ins Heiterwanger Tal und Lechtal sowie auf die umliegenden Bergmassive einschließlich der Zugspitze.
Der Weg am Lech ist nicht sehr aufregend und könnte durch eine Busfahrt ersetzt werden.
Den Abstieg vom Hahnenkamm verkürzte ich durch die Fahrt mit der Kabinenbahn. Wer zu Fuß absteigen will, sollte nicht Höfen, sondern das weiter südlich gelegene Hornberg anpeilen (zusätzlich ca. 1:30 Std., 800 Höhenmeter Abstieg). Man kann auch vom

Hahnenkamm über die Gaichtspitze direkt und steil nach Weißenbach absteigen: zusätzlich 3:20 Std., 8,6 km, 180 m auf, 1210 m ab.

ETAPPE 3

Weißenbach am Lech – Lechbrücke – auf dem Lechweg nach Osten bis zum Ortsbeginn von Rieden – Aufstieg nach Süden auf der Via Alpina ins Rotlechtal – Stiegalpe – am Ortsbeginn von Rinnen Abstieg zum Weiler Rauth – im Tal bleiben bis Höhe 1157 m – nach Osten in den Wald, Aufstieg zur Spitzeggkapelle – Dorf Brand (zwei ÜM).

4:00 Std.	12,6 km	570 m ↗	110 m ↘

Aufstieg ins Lechquellengebirge, einem nicht so bekannten Teil der Tiroler Nordketten.

ETAPPE 4

Brand – auf der Straße nach Mitteregg – Abstieg ins Tal des Rotlech, Wiederaufstieg auf der anderen Seite – im Rotlechtal nach Süden – Tarrentonalm (EM) – nun auf dem Fahrweg, gleichzeitig Adlerweg, nach Osten – im Tegestal weiter auf dem Fahrweg bleiben – steiler Abstieg, danach Fußweg nach Südosten – St. Wendelin, Ortsteil von Nassereith – Nassereith-Zentrum (ÜM).

6:10 Std.	19,1 km	520 m ↗	1030 m ↘

Noch an diesem Tag oder am nächsten Morgen von Nassereith (mehrere ÜM) nach Tarrenz (mehrere ÜM) mit dem Bus, ca. 12 Min.

Eine wenig begangene Querung vom Lechtal in Richtung Inntal, praktisch ohne Passüberschreitung; im ersten Teil bis zur Tarrentonalm sehr einsam und wildromantisch. Danach blieb ich sicherheitshalber immer auf dem (nicht asphaltierten) Fahrweg. Etwa 3 km nach der Tarrentonalm kann man auch einen Wanderweg nach Nassereith nehmen, der nach Südosten abzweigt und am halben Hang des schluchtartigen Tals verläuft. Der Tourenrechner zeigt dafür etwa 20 Min. mehr Zeit an und 50 m mehr im Auf- und Abstieg.
Die Strecke von Nassereith nach Tarrenz (ca. 9 km) könnte man auch zu Fuß gehen, doch die Nähe zur viel befahrenen Fernpass-Straße macht dies wenig attraktiv.

ETAPPE 5

1. Teil: Tarrenz – Knappenwelt Gurgltal (Bergbau-Freilichtmuseum) – Wanderwege an der östlichen Talseite nach Südwesten, dann Süden – leicht bergauf auf dem Pigerweg (nein, nicht Pilgerweg!) zur Karröster Straße – auf der Straße, dann auf

Kaltenbrunn
St. Leonhard i. Pitztal
Pitze
Luibiskogl 3112
Gries
Oberlängenfeld
ÖSTERREICH
Schrankogl 3496
3473
Ruderhofspitze
Unterbergtal
Ruetzbach
Habicht 3277
Ranalt
Rofelewand 3354
Huben
Feichten
Kaunertal
Verpeilspitze 3425
Hohe Geige 3395
Mutterbergalm
Nürnberger H.
Plangeroß
Jochdohle 3150
Am See
Riffelsee
Mandarfen
Hochsölden
Sölden
Feuerstein 3268
Mittelberg
Zuckerhüttl
Stausee Geparsch
Gaislacherkogl 3058
Zwieselstein
Braunschweiger Hütte
Venter Tal
Masseria
Nörderkogl 3166
Ridanna
Heiligenkreuz
Hochgurgl
Seepatsch-Haus
Wildspitze 3774
Wildes Mannle 3023
Untergurgl
Belprato
Colle
Gurgler Tal
Obergurgl
Corvara
Vent
Rofen
Fluchtkogl 3500
M. Altacroce 2743
Weißseespitze 3526
Brandenburger Haus
Moso i.P.
Valtina
Ramol-Haus
Kreuzspitze 3457
S. Leonardo i.P.
Schalfkogl 3540
Ötztaler Alpen
Plan
S. Martino i.P.
2855
La Clava
3606
Similaun
3602
Hochwilde
Maso Corto
Passirio
Val Passira
P. Saldura 3433
P. Cervina 2781
Vernagt
Casera di fuori
Saltusio
L. di Vernago
Texelgruppe
Madonna di S.
Verdins
Caines
Mastaun 3200
Sonales
Velloi
Katharinaberg
Tirolo
Scena
Giggelberg
Parcines
Rattisio Nuovo
Lagundo
ITALIEN
Meran
Naturno
Plaus
Marlengo
Rio di Lagundo
Adige
Avelengo
Silandro
Castelbello
SS38
Coldrano
Tablà
S. Vigilio
Córzes
Laces
Lana
Postal
Tarnello
Morter
Verano
Gargazzone
Valas
Val Venosta
Foiana
Langfenn
S. Pancrazio
Salonetto
Bagni di Salto
Val d'Ultimo
Tesimo
Vilpiano
Martello
0
5 km
Sta. Valburga

Venter Höhenweg; in der Ferne der Similaun, 3606 m (Etappe 7)

einem Weg bergab bis zum Kreisverkehr – Königskapelle – Innbrücke – Bahnhof Imst-Pitztal.

2:30 Std.	8,4 km	150 m ↗	250 m ↘

Mit dem Bus von Imst-Pitztalbahnhof nach Zaunhof im Pitztal, Bushalt Moosbrücke (ca. 40 Min.).

2. Teil: Zaunhof, Moosbrücke – auf der kleinen Brücke über den Bach – Wanderweg nach Boden – auf der Via Alpina nach Bichl – auf dem unteren (talgrundnäheren) Weg nach St. Leonhard – weiter auf dem Fußweg im Talgrund nach Neurur – Tieflehn – Mandarfen (mehrere ÜM).

5:10 Std.	17,6 km	500 m ↗	80 m ↘

Der erste Teil der Tagesetappe führt uns hinunter zum Inn, einer bedeutenden Wegmarke. Eilige können von Tarrenz aus auch mit dem Bus fahren.
Den langen Aufstieg ins Pitztal kürzen wir ab mit dem Bus, gehen dann aber einen größeren Teil im Tal zu Fuß – anders als die meisten E5-Begeher, die mit dem Bus gleich zum Talschluss fahren. Der Weg ist überraschend schön; die engen Hänge weichen langsam einem breiten Hochtal mit Blick auf die Dreieinhalbtausender des Alpenhauptkamms.

Pauschal-Alpenüberquerer unterwegs zur Similaunhütte

ETAPPE 6

1. Teil: Mandarfen – Mittelberg – Gletscherstube (EM) – nicht auf den Steig am östlichen Talhang, sondern zum Wasserfall im Talschluss – steiler Aufstieg zur Braunschweiger Hütte (EM, ÜM).

2:40 Std.	6,2 km	1090 m ↗

2. Teil: Braunschweiger Hütte – Pitztaler Jöchl, 3005 m – Bushalt an der Skistation Rettenbachgletscher (EM).

1:30 Std.	3,4 km	310 m ↗	400 m ↘

ODER: Braunschweiger Hütte – Rettenbachjoch, 2994 m.

0:50 Std.	2,4 km	290 m ↗	50 m ↘ Fahrt mit der Schwarze-Schneid-Kabinenbahn zur Skistation Rettenbachgletscher, Bushalt.

Busfahrt nach Sölden, dort zahlreiche ÜM.

Ich gebe diese Etappe in zwei Teilen an, aus folgendem Grund: Entweder man geht beide Teile an einem Tag, fährt mit dem Bus nach Sölden hinunter, übernachtet dort und fährt

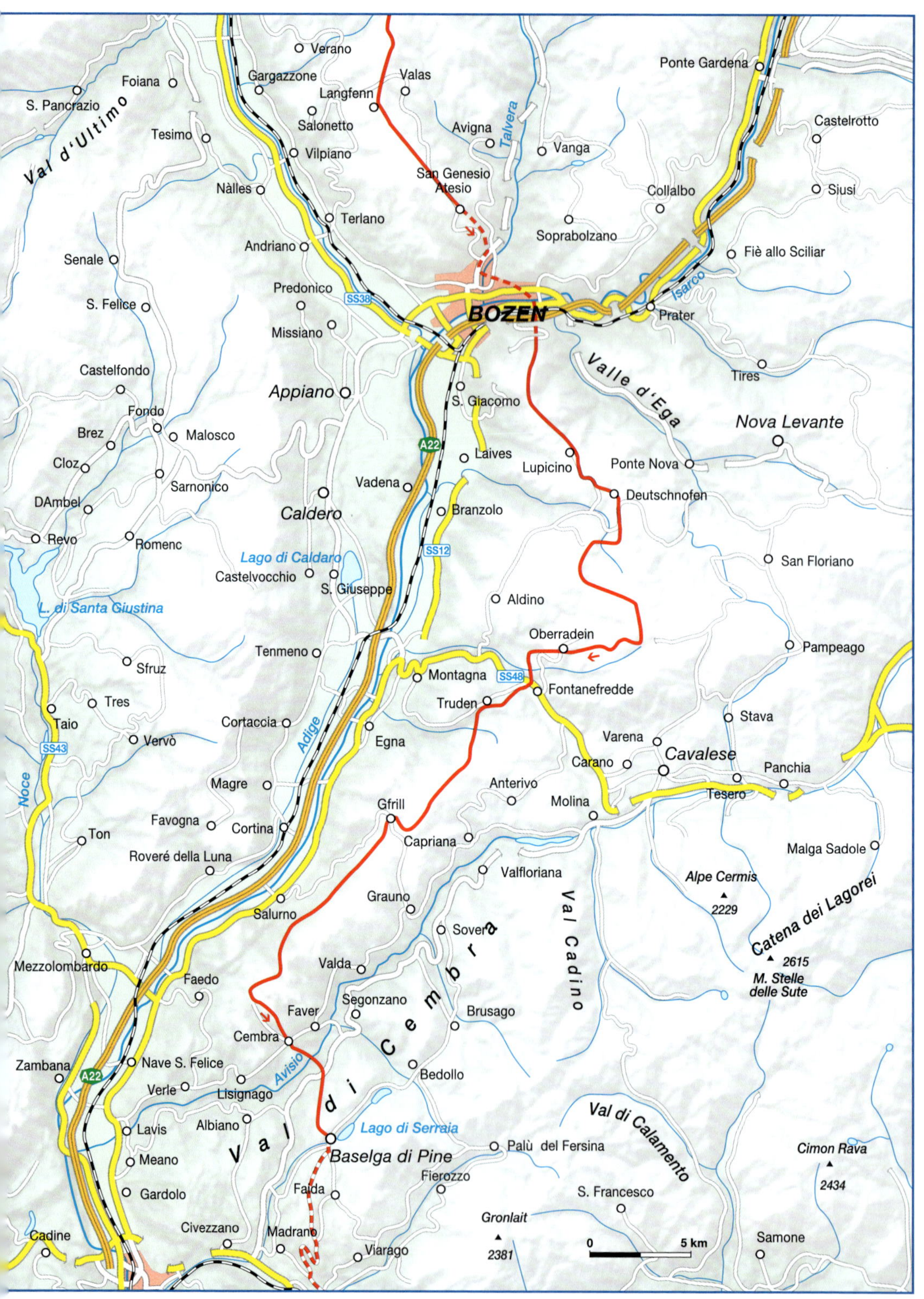

Verano
Foiana
Gargazzone
Valas
Ponte Gardena
S. Pancrazio
Langfenn
Val d'Ultimo
Salonetto
Tesimo
Avigna
Talvera
Vanga
Castelrotto
Vilpiano
Nàlles
San Genesio Atesio
Collalbo
Siusi
Terlano
Soprabolzano
Andriano
Fiè allo Sciliar
Senale
Predonico
SS38
Isarco
S. Felice
BOZEN
Prater
Missiano
Castelfondo
Valle d'Ega
Tires
Appiano
S. Giacomo
Fondo
Nova Levante
Brez
Malosco
A22
Laives
Lupicino
Cloz
Ponte Nova
Sarnonico
Vadena
DAmbel
Deutschnofen
Caldero
Branzolo
Revo
Romenc
SS12
Lago di Caldaro
San Floriano
Castelvocchio
S. Giuseppe
L. di Santa Giustina
Aldino
Oberradein
Pampeago
Tenmeno
Sfruz
Montagna
SS48
Fontanefredde
Tres
Truden
Taio
Stava
Cortaccia
Adige
Egna
SS43
Vervò
Varena
Cavalese
Carano
Panchia
Noce
Magre
Anterivo
Tesero
Molina
Gfrill
Favogna
Cortina
Ton
Capriana
Malga Sadole
Roveré della Luna
Valfloriana
Alpe Cermis
2229
Val Cadino
Catena dei Lagorei
Grauno
Salurno
Sovera
2615
M. Stelle delle Sute
Mezzolombardo
Valda
Faedo
Segonzano
Brusago
Faver
Cembra
Zambana
Nave S. Felice
Avisio
Bedollo
Verle
Lisignago
Val di Cembra
Val di Calamento
Lavis
Albiano
Lago di Serraia
Baselga di Pine
Palù del Fersina
Cimon Rava
Meano
2434
Fierozzo
Gardolo
Faida
S. Francesco
Gronlait
Civezzano
Cadine
Madrano
Viarago
2381
0
5 km
Samone

am nächsten Tag mit dem Bus wieder herauf, aber dann gleich weiter zum Tiefenbachgletscher. Oder man macht nur den 1. Teil, übernachtet auf der Braunschweiger Hütte und schlägt den 2. Teil dem nächsten Tag zu. Am nächsten Vormittag fährt man dann (nach Abschluss des 2. Teils der Etappe 6) von der Skistation am Rettenbachgletscher mit dem Bus zum Tiefenbachgletscher und schließt die Etappe 7 an. Zu Fuß vom Rettenbach- zum Tiefenbachgletscher zu gehen ist heikel, weil man einen 2 km langen Straßentunnel durchqueren müsste.

Zwischen der Braunschweiger Hütte und der Skistation Rettenbachgletscher hat man dann noch einmal zwei Optionen: den alten E5 über das Pitztaler Jöchl zu nehmen oder die Variante über das Rettenbachjoch. Letztere ist jedenfalls dann kürzer bzw. einfacher, wenn man vom Rettenbachjoch die Kabinenbahn abwärts nimmt. Der Wirt der Braunschweiger Hütte riet mir zum Rettenbachjoch.

Eigentlich führt ja der Weg durch eine großartige Hochgebirgslandschaft. Allerdings kommt man schon beim Aufstieg zur Braunschweiger Hütte über eine unschöne breite Skipiste. Außerordentlich scheußlich ist dann aber (jedenfalls im Sommer), das, was man jenseits des Rettenbachjochs zu sehen bekommt: eine zugunsten des Ski- und Snowboardfahrens zugerichtete Landschaft.

Verdiente Rast auf über 3000 Metern in der Similaunhütte

ETAPPE 7

Skistation am Tiefenbachgletscher – auf dem Venter Höhenweg nach Süden – Vent (mehrere ÜM).

3:30 Std.	10,2 km	160 m ↗	1040 m ↘

Wenn man das ebenfalls hässliche Skigebiet am Tiefenbachgletscher hinter sich gelassen hat, folgt eine der schönsten Strecken dieser Alpenüberquerung. Leicht absteigend am nordöstlichen Hang des Venter Tals entlang, durch steinige und dann wieder wiesenartige Hänge, mit großen Ausblicken.
Wer möchte, kann an diese Halbtagesetappe gleich noch den Aufstieg zum Martin-Busch-Haus anschließen, siehe Etappe 8. Ich übernachtete aber in Vent.

ETAPPE 8

1. Teil: Vent – Martin-Busch-Haus (EM, ÜM).

2:50 Std.	7,6 km	650 m ↗	50 m ↘

2. Teil: Martin-Busch-Haus – Niederjoch, Similaunhütte (EM, ÜM), 3019 m (auch Grenze Österreich/Italien) – Vernagt am See (mehrere ÜM).

4:20 Std.	10,8 km	610 m ↗	1410 m ↘

Ganz ehrlich gesagt: Die Etappe führt zwar hoch hinauf, auf über 3000 Meter, aber der Aufstieg durch ein breites, schutterfülltes Tal ist ein bisschen langweilig. Früher lag ein Gletscher darin, doch mittlerweile hat sich der Niederjochferner an die Hänge des Berges Similaun zurückgezogen. Der Abstieg nach Süden ist zuerst steil (aufpassen!), dann nur noch lang und mühsam.
Von der Similaunhütte kann man bis zum Fundort des Ötzi aufsteigen – der Tourenrechner gibt für Hin- und Rückweg 1:10 Std. und 230 m im Auf- und Abstieg an. Vorsicht, möglicherweise ist der Weg aber felsig oder sonstwie schwierig. Ich ging ihn nicht – der gute Mann, bzw. was von ihm übrig blieb, liegt ja auch schon seit Längerem nicht mehr dort, sondern im Museum in Bozen!

ETAPPE 9

Vernagt – über die Staumauer – Weg 15 talab – Kirche – Weg 19, dann Weg 21 – Raindlhöfe – Unterpifrol – Karthaus (EM) – Weg 26 – Neu Rateis – Aufstieg nach Katharinaberg (mehrere ÜM).

4:30 Std.	14,7 km	390 m ↗	850 m ↘

Meraner Höhenweg: Pirchhof, in der Ferne der Monte Cevedale im Ortler-Massiv

Eilige können mit dem Bus fahren, verpassen aber dann hübsche Lärchenwälder und alte Bauernhöfe.

ETAPPE 10

Katharinaberg – Weg 24 (Meraner Höhenweg) – Unter Perfl – Linthof (EM, ÜM) – Grubhof (EM, ÜM) – Pirchhof (EM, ÜM) – Hochforch – Giggelberg (EM, ÜM).

5:40 Std.	14,2 km	900 m ↗	570 m ↘

Aussichtsreicher (und viel begangener) Weg über dem Vinschgau. Durch ständiges Auf und Ab kommt einiges an Höhenmetern zusammen. Wer auf dem Giggelberg nicht übernachten kann oder will, kann mit der dortigen Seilbahn ins Tal fahren und sich ein Quartier in Partschins oder Rabland suchen. Oder er geht noch eine Stunde auf dem Höhenweg weiter und nächtigt in der Nasereithhütte.

ETAPPE 11

1. Teil: Giggelberg – Weg 24 (Meraner Höhenweg) – Nasereithhütte (EM, ÜM) – Tablander Alm (EM, ÜM) – Hochganghaus (EM, ÜM) – Leiteralm (EM) – Hochmuth (2 ÜM).

Kloster und Wallfahrtskirche Maria Weissenstein bei Deutschnofen

5:20 Std.	13,2 km	540 m ↗	740 m ↘

Mit der Hochmuth-Seilbahn hinunter nach Dorf Tirol (10 Min.). Diverse ÜM.

2. Teil: Talstation Hochmuthbahn – Gratsch – Tappeinerpromenade – Meran-Altstadt (diverse ÜM).

1:40 Std.	5,3 km	360 m ↘

Bei klarem Wetter weite Aussicht bis zum Schlern und Rosengarten. Große Auswahl an Übernachtungsorten und -möglichkeiten. Wer zu Fuß von Hochmuth ins Dorf Tirol absteigen will, braucht 1:20 Std. länger bei plus 700 m Abstieg. Von Dorf Tirol nach Meran kann man natürlich auch den Stadtbus nehmen.

ETAPPE 12

Von Meran mit Bus oder Taxi zur Talstation der Seilbahn Meran 2000 (10–15 Min., zu Fuß von der Altstadt gut anderthalb Stunden). Mit der Seilbahn zur Bergstation (ca. 10 Min.).
Bergstation Meran 2000 (Piffinger Köpfl) – Kirchsteiger Alm – Meraner Hütte (EM, ÜM) – Weg 4, auch Via Alpina und E5 – Kreuzjöchl – Kreuzjoch, 2086 m – Auener

Jöchl – Möltner Kaser (EM, ÜM) – Schermoos – Gasthaus Langfenn am Salten (EM, ÜM).

5:00 Std.	16,1 km	400 m ↗	770 m ↘

Das Gasthaus Langfenn bietet nun nur noch Ferienappartments an. Wahrscheinlich muss man jetzt für eine kurzfristige Unterkunft etwa 300 Höhenmeter bis Mölten absteigen. Oder man geht gleich noch 2 Stunden weiter bis Jenesien.

ETAPPE 13

1. Teil: Gasthaus Langfenn – auf dem E5 bis Jenesien – Bergstation Seilbahn Jenesien.

2:10 Std.	7,8 km	20 m ↗	480 m ↘

Mit der Jenesien-Seilbahn bis zur Talstation im nördlichen Bozen (ca. 12 Min.). Mit dem Bus oder dem Taxi zur Talstation der Kohlern-Seilbahn im südlichen Bozen. Zu Fuß ca. 1 Std. Mit der Kohlern-Seilbahn zur Bergstation, ca. 10 Min.

2. Teil: Kohlern-Seilbahn, Bergstation – auf dem Weg 1 Aufstieg nach Süden – Schneiderwiesen – Aussichtspunkte Rotwand und Rotstein – nun weiter auf dem E5 – Deutschnofen (mehrere ÜM).

4:00 Std.	11,5 km
590 m ↗	350 m ↘

Wenn man in Bozen übernachten möchte, kann man auch von Jenesien absteigen (plus 1:20 Std., 760 m ab) und am nächsten Tag nach Kohlern aufsteigen (plus 2 Std., 860 m auf). Von Kohlern nahm ich zunächst nicht den E5, weil mir der Weg weiter westlich nahe dem Etschtal interessanter erschien.

ETAPPE 14

Deutschnofen – auf dem E5 nach Maria Weißenstein – (EM, ÜM) – weiter auf dem E5 nach Süden, aber auf dem Höhenrücken vor der Laneralm den Weg 5 nach Südosten einschlagen, Richtung Weißhorn/Corno Bianco – Aufstieg aufs Weißhorn, 2316 m – Gurndinalm (EM, ÜM) – Abstieg auf dem Blauweg (7B) nach Oberradein (dort und in der Umgebung mehrere ÜM).

6:40 Std.	18,7 km	1120 m ↗	940 m ↘

Wer es sich leichter machen will, lässt das Weißhorn aus und bleibt auf dem E5 bis Oberradein. Ich wollte den Gipfel unbedingt mitnehmen. Warnung: Die letzten Meter muss man klettern. Eine unschwierige Passage, aber wer sich vor so etwas grundsätzlich fürchtet, muss östlich ums Weißhorn herumgehen und von Süden aufsteigen (etwa 30 Min. mehr). Im Westen des Weißhorns hat sich der Bletterbach als wilder Canyon eingeschnitten, den man von oben besser sieht als vom E5 von unten.

ETAPPE 15

Oberradein – auf dem E5 nach Unterradein und dann Kaltenbrunn – Truden – Ziss-Sattel/Passo Cisa – Trudner-Horn-Alm/Malga Corno (EM) – Weisssee – Gfrill/Cauria (zwei ÜM).

6:20 Std.	18,6 km	850 m ↗	1080 m ↘

Abwechslungsreiche Strecke. Im letzten Teil erst Blicke nach Osten in die Lagorai-Dolomiten und dann nach Westen zur Brenta.

ETAPPE 16

Gfrill/Cauria – E5 – Passo Cima – Cise – Albergo Rifugio Lago Santo (EM, ÜM) – südlich um den See – abwärts auf dem Dürerweg nach Cembra (drei ÜM).

5:40 Std.	17,5 km	330 m ↗	980 m ↘

Die Strecke verläuft meistens in Wäldern. Hier gibt es einen Dürerweg, weil der Nürnberger Maler auf einer seiner Reisen nach Italien durch die Gegend kam und hier einige Bilder malte. Es handelt sich um eine ehemalige Ausweichroute für den Fall, dass das Etschtal wegen Überschwemmungen unpassierbar war, was wohl öfter vorkam.
Das Tal des Avisio, in dem Cembra liegt, hat mit seinen Weinbergen bereits südliches Gepräge.

Das Weißhorn (Etappe 14) gewährt Fernblicke zur Ortler-Gruppe

ETAPPE 17

1. Teil: Cembra – auf dem Weg 463 Abstieg ins Tal, Brücke, Gegenanstieg über den Weiler Piazzole zur Straße SP 71 – Straße überqueren und weiter auf dem Weg 463 bleiben – Aufstieg auf 463 zu einer Häusergruppe namens Beldopian – Abstieg nach Baselga di Pine (EM, ÜM), Bushalt Municipio.

3:40 Std.	9,3 km
680 m ↗	380 m ↘

Fahrt mit dem Bus von Baselga di Pine nach Pergine Valsugana (EM, ÜM), Busbahnhof, ca. 25 Min.

2. Teil: Pergine Valsugana, Busbahnhof – durch die Altstadt – auf der Straße nach Südosten zum Weiler Masetti – auf wenig befahrenem Sträßchen nach Süden, über Pozza nach Ischia, nach Osten aufsteigen zur Straße SP 228, auf dieser ins nächste Tälchen – auf dem Wanderweg 2 nach Südosten, am nordöstlichen Ufer des Lago de Levico entlang – Levico Terme (diverse ÜM).

Das Etschtal und die Brenta-Dolomiten von Gfrill aus

3:20 Std.	10,9 km	230 m ↗	200 m ↘

Ich weiche mit dieser Etappe vom E5 ab. Dieser führt zwar auch über Levico Terme, aber auf einem Umweg über ein abgelegenes Berggebiet, mit einem Tag mehr. Meine Route führt durch Täler und mittelgebirgsartiges Bergland, und zwischendrin nutze ich den Bus. Levico Terme stieg in Habsburger Zeiten unter dem Namen Löweneck zu einem Kurort auf.

ETAPPE 18

Levico Terme – E5 – Santa Giuliana – Spiazzio delle Volpe – Abstieg zur Straße SP 133 – von dort auf dem Sentiero della Pace nach Südwesten zum österreichischen Soldatenfriedhof – Slaghenaufi – auf der Straße nach Bertoldi (EM) und

zum Ortsanfang Lanzino – auf Wanderweg nach Südwesten – Chiesa (mehrere ÜM).

5:30 Std.	15,6 km	1110 m ↗	420 m ↘

Nach Durchquerung des Tals ein knackiger Aufstieg auf die Hochebene von Lavarone, die aber nicht flach, sondern eine Landschaft mit mittelhohen Bergen ist. Da die ehemalige Grenze zwischen Österreich und Italien sie teilte, war sie mit zahlreichen Forts bebaut und vor allem 1915 Schauplatz heftiger Kämpfe. Abweichend vom E5 wählte ich im zweiten Teil eine direktere Route zum Übernachtungsort Chiesa, einem Kurort mit kleinem See. Der Wiener Psychiater Sigmund Freud machte hier mehrfach Urlaub.

ETAPPE 19

Chiesa – auf dem Sentiero della Pace, auch Weg 25, dann Weg 26, nach Westen nach Carbonare – weiter nach Süden zum Weiler Cueli – Aufstieg auf unbenanntem Wanderweg zum Weiler Tèzzeli, weiter nach Süden, bis der Weg auf die Straße SP 142 führt – der Straße nach Süden folgen bis zum Albergo Ortesino (EM, ÜM) –

Tione di Trento
Bolbeno
Ponte Arche
Comano Terme
Lasino
Vason
Ravina
Breguzzo
Lomaso
Fiavé
Lago di Cavedine
Mattarello
Garniga
Bondone
Bondo
Altissimo
2128
Cavedine
Cornetto
2179
Aldeno
Roncone
S. Giovanni
Lardaro
Ballino
Drena
Oro
A22
Daone
SS45b
Valli Giudicarie
Pieve di Bono
Palo
Nomi
Calliano
Tenno
Pranzo
Arco
Villa Lagerina
SS12
Cimego
Campi
Bolognano
Vallagarina
Bezzecca
Riva del Garda
Ronzo Chienis
Serrada
Pieve di L.
Isera
Rovereto
Tiarno di Sopra
Lago di Ledro
Valle S. Felice
Terragnolo
Nago
Trambileno
Val di Ledro
Torbole
Mori
Loppio
Albaredo
Marco
Col Santo
2112
Crosano
Limone sul Garda
Brentonico
S. Giacomo
Chizzola
Navene
Anghebeni
Vesio
Cadria
S. Valentino
Vallarsa
Pieve
Malcesine
Pilcante
Campione del Garda
Ala
Camposilvano
Val di Sogno
Costa
Tighale
Avio
Ronchi
Sdruzzinà
Passo di Campogrossa
2269
Assenza
Lago di Valvestino
SS45b
Brenzone
Adige
Lago di Garda
Liano
Gangnano
Borghetto
Castelletto di B.
Belluno
S. Giorgio
Prada
Ferrara di M. Baldo
Coste
Tracchi
Pai
Peri
Giazza
Spiazzi
Fosse
Erbezzo
Lumini
Brengio
S. Anna d'Alfaedo
Bosco
Torri del Benaco
Pazzon
Velo Veronese
Vaggimal
Caprino Veronese
Dolce
Roverè Veronese
S. Andrea
Progno
Costermano
Fane
Bellori
Gazzoli
Cavalo
Prun
Cerro Veronese
Garda
Rivoli
Geraino
Lugo
Merano Valp.
Bardolino
Fumane
Azzago
Stallavena
Volagne
Bettola
Ciseno
Negrar
S. Ambrogio di Vap.
0
5 km

wieder auf den E5, nach Westen aufsteigend – Rifugio Stella d'Italia (EM) – Fort Sommo Alto – Rifugio Stella d'Italia – abwärts nach Norden auf der Skipiste – Weiler Francolini – Folgaria (EM, ÜM), Bushalt Rotatoria.

5:20 Std.	16,1 km	600 m ↗	570 m ↘

Von Folgaria Busfahrt nach Rovereto, Innenstadt (ca. 50 Min.). Dort mehrere ÜM.

In Carbonare verlassen wir den E5 und gehen zum ehemaligen österreichischen Fort Sommo Alto, in dem 2017 Restaurierungsarbeiten liefen. Dort haben wir Aussicht auf einen großen Teil der Hochebene von Lavarone – aber auch auf die Skilifte und Pisten, die man hier in den letzten Jahren gebaut hat. Wer sich mehr zumuten möchte, kann auch von Carbonare zunächst auf dem E5 weitergehen und die noch größeren Militäranlagen des Fort Cherlé besichtigen, und dann von dort nach Westen zum Fort Sommo Alto gehen. Dafür braucht man dann aber sicherlich eine Stunde mehr.
Von Folgaria folgt die Busfahrt nach Rovereto. Ein Abstieg zu Fuß wäre langwierig, und es gibt auch keine geeigneten Wege.

ETAPPE 20

Mit dem Bus von Rovereto nach Brentonico im Nordosten des Monte-Baldo-Höhenrückens, Bushalt Ferramenta (ca. 50 Min.).
Brentonico – im Städtchen aufsteigen zum nordwestlichen Ortsrand – aufwärts auf der Via ai Calpi – vor dem Ortsteil Festa auf das Sträßchen Richtung Südwesten – den Wegweisern nach San Giacomo folgen – San Giacomo (EM, ÜM) – auf der Straße nach Süden bis zu einer scharfen Linkskurve, wo geradeaus der Weg 633 abzweigt – steiler Aufstieg zur Alm Pasna – Rifugio Graziani (EM, ÜM) – Bocca di Navene (EM) – Aufstieg zum Höhenrücken Colma del Malcèsine, 1767 m – Bergstation der Malcèsine-Seilbahn.

5:40 Std.	14,8 km	1330 m ↗	290 m ↘

Mit der Seilbahn hinunter nach Malcèsine, ca. 20 Min. Zahlreiche ÜM.

Über Wälder, Äcker und Weidegebiete geht es manchmal steil, manchmal gemächlich auf der Nordostseite des Monte-Baldo-Massivs empor. Zuerst an der Bocca di Navene, später vom Höhenrücken große Aussicht auf den Gardasee rund anderthalbtausend Meter tiefer, und den Grat des Monte Baldo, das Ziel für den nächsten Tag.
Mich reizte die Idee, am See, in Malcèsine, zu übernachten, und am nächsten Morgen wieder mit der Seilbahn hochzufahren, um mit der Monte-Baldo-Überschreitung zu beginnen. Leider kam dann alles anders …

ETAPPE 21

Mit der Seilbahn von Malcèsine zur Bergstation (ca. 20 Min.).
Bergstation – Weg 651 nach Süden – Cima delle Pozzette – Cima Valdritta, 2218 m – Rifugio Telegrafo G. Barana (EM, ÜM) – steiler Abstieg nach Westen zur Via Prada – auf der Via Prada nach Prada alta (ÜM im Albergo Edelweiss, weitere ÜM ca. 1 km an der Straße südlich).

6:50 Std.	17,7 km	950 m ↗	1680 m ↘

Wem das zu weit ist, der kann im Rifugio Telegrafo übernachten.

Das ist ein Weg, den ich nicht gegangen bin, wegen Bewölkung und Gewittergefahr. Deshalb kann ich über seine Beschaffenheit aus erster Hand nichts sagen. Es soll aber ausgesetzte und seilversicherte Stellen geben. Es war sehr schade, dass ich diese Überschreitung des Monte Baldo nicht gehen konnte; oben ist man mehr als 2000 Meter über dem Gardasee! Vor allem im Sommer bilden sich aber oft schon am Vormittag Wolken, und dann ist die Frage, ob man den Weg gehen soll, wenn man von oben vielleicht gar nichts sieht. Und bei Gewitter ist er natürlich lebensgefährlich.
Als Alternative bietet sich der Weg an, den ich ersatzweise gegangen bin. Leider gibt es auf der Bergseite zum Gardasee hin keinen durchgängigen Weg auf halber Höhe, so dass man zunächst direkt am See gehen muss und erst später auf die halbe Höhe aufsteigen kann:
Malcèsine – Uferweg nach Süden – Cassone – Porto – Castello, die Oberstadt von Porto – historischer Ziehweg aufwärts nach Süden – San Antonio delle Pontare – weiter aufwärts zur Straße Via Prada – auf der Straße nach Prada alta (ÜM wie oben). 4:50 Std., 13,5 km, 950 m auf, 10 m ab.
Übrigens ist die Strecke am Seeufer ganz hübsch. Teile des Wegs wurden wohl erst in den letzten Jahren neu angelegt.

ETAPPE 22

Prada alta – auf der Straße nach Süden – am Albergo Narciso nach rechts zur Kapelle San Bartolomeo – auf dem Weg S36 bergab nach San Zeno di Montagna (EM, ÜM) – entlang der Hauptstraße zum südlichen Hauptort San Zeno – etwa 50 m nach dem Hotel Costabella rechts in die Via del Cimitero einbiegen – am Friedhof vorbei abwärts – etwa 300 m nach dem Friedhof einen nicht ausgeschilderten Weg am halben Hang nach Westen und dann Südwesten nehmen (also nicht weiter in Richtung See absteigen!) – den Ort Albisano zunächst oberhalb (östlich) umgehen, dann hinab zur Kirche – der Hauptstraße SP32a etwa 600 m nach Süden folgen, dann nach rechts in die Straße Località le Sorte einbiegen – dem Sträß-

Mediterrane Schlussetappe über dem Gardasee bei Torri del Benaco

chen folgen, von dem dann ein Wanderweg Richtung Punta San Vigilio abzweigt – durch den Wald auf rauem Weg abwärts – dann Absteigen zur Landspitze Punta San Vigilio – auf dem Uferpfad nach Osten – Garda, Stadtzentrum (diverse ÜM).

5:50 Std. | 21,1 km | 950 m ↘

Nicht alles an dieser Etappe ist toll, doch asphaltierte Straßen sind nahe des Sees nicht zu vermeiden. Zwischen Albisano und Garda erstreckt sich eine schöne mediterrane Landschaft, und von oberhalb der Landspitze San Vigilio hat man einen hinreißenden Blick auf den hier fast unendlich wirkenden Südteil des Sees.
Nie werde ich vergessen, wie ich mit Rucksack und in Wanderstiefeln an den offenbar zumeist deutschen Badegästen vorbeistapfte, die noch in großer Zahl am Seeufer rösteten – es war ja erst Mitte September.
Rückreise: Mit dem Bus zuerst an die Nordspitze des Gardasees, in Riva oder Torbole in einen Bus nach Rovereto umsteigen. Von Rovereto aus Fernzüge über den Brenner nach München.

10. LUZERN – BRISSAGO

Bekanntes und Unbekanntes zwischen Vierwaldstättersee und Lago Maggiore

Luzern – Pilatus, 2118 m – Oberschlierental – Glaubenbergpass – Sörenberg – Brienzer Rothorn, 2348 m – Brienzer See – Giessbachfälle – Axalp – Tierweid, 2440 m – First – Grindelwald – Kleine Scheidegg – Grindelwald – Große Scheidegg – Reichenbachfälle – Aareschlucht – Grimselpass – Sidelhorn, 2764 m (höchster Punkt) – Ulrichen – Griespass – Formazza – Guriner Furka – Bosco/Gurin – Maggia – Berzona – Intragna – Rasa – Brissago

14 Etappen | Insgesamt: 201 km | 10.590 m ↗ | 12.460 m ↘
Durchschnittliche Etappe: 14,3 km | 756 m ↗ | 890 m ↘

Nach neun Alpenüberquerungen hatte ich bereits viele der Höhepunkte der Alpen (und meiner Lieblingsgebiete) abgehakt. Es blieben aber noch der Vierwaldstättersee und die östlichen Berner Alpen um Grindelwald. Beide sind nicht nur sehr reizvoll; für beide hatte ich auch alte Vorlieben, weil ich dort schon einmal besonders einprägsame Tage oder Wochen verlebt hatte. Am Vierwaldstättersee

Die Brücken über die Reuss sind eines der Wahrzeichen Luzerns

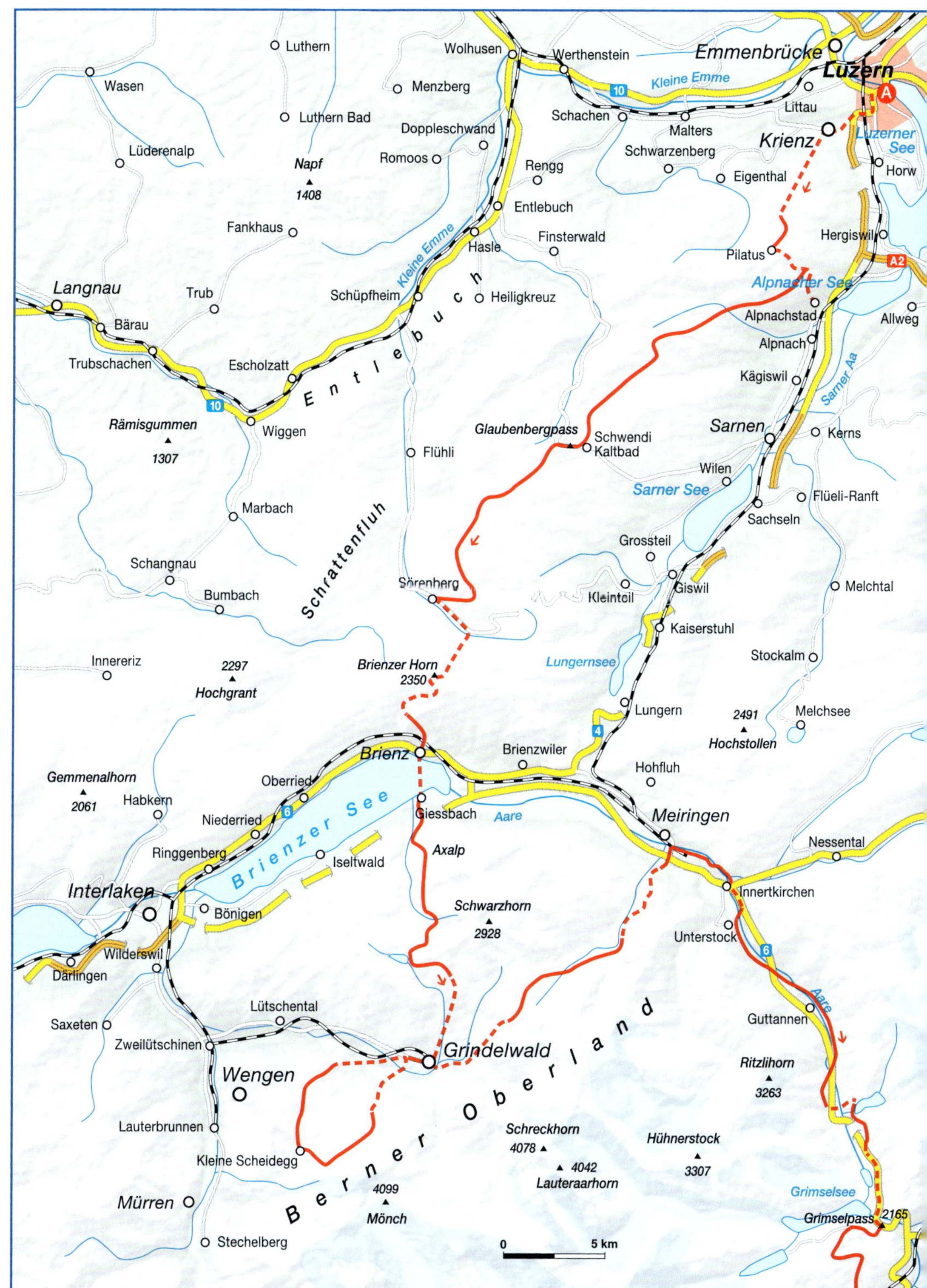

Luthern
Wolhusen
Werthenstein
Emmenbrücke
Luzern
Wasen
Menzberg
Kleine Emme
Luthern Bad
Schachen
Malters
Littau
Doppleschwand
Lüderenalp
Romoos
Schwarzenberg
Kriens
Luzerner See
Napf
1408
Rengg
Eigenthal
Horw
Entlebuch
Fankhaus
Finsterwald
Hasle
Hergiswil
Pilatus
Kleine Emme
Langnau
Trub
Schüpfheim
Heiligkreuz
Alpnacher See
Bärau
Alpnachstad
Allweg
Trubschachen
Escholzatt
Alpnach
Entlebuch
Kägiswil
Sarner Aa
Rämisgummen
1307
Wiggen
Glaubenbergpass
Schwendi Kaltbad
Sarnen
Kerns
Flühli
Wilen
Sarner See
Flüeli-Ranft
Marbach
Sachseln
Schrattenfluh
Grossteil
Schangnau
Sörenberg
Kleinteil
Giswil
Melchtal
Bumbach
Kaiserstuhl
Innereriz
2297
Hochgrant
Brienzer Horn
2350
Lungernsee
Stockalm
Lungern
2491
Hochstollen
Melchsee
Brienz
Brienzwiler
Hohfluh
Gemmenalhorn
2061
Habkern
Oberried
Niederried
Giessbach
Aare
Meiringen
Brienzer See
Ringgenberg
Iseltwald
Axalp
Nessental
Interlaken
Innertkirchen
Bönigen
Schwarzhorn
2928
Unterstock
Wilderswil
Därlingen
Aare
Lütschental
Saxeten
Zweilütschinen
Grindelwald
Guttannen
Wengen
Ritzlihorn
3263
Berner Oberland
Lauterbrunnen
Schreckhorn
4078
Hühnerstock
3307
Kleine Scheidegg
4042
Lauteraarhorn
Mürren
4099
Mönch
Grimselsee
Grimselpass
2165
Stechelberg
0
5 km
10
6
4
A
A2

Bahnhalt Ämsigen am Pilatus – mit Vierwaldstättersee

verbrachten meine Frau und ich einige unserer ersten gemeinsamen Urlaubstage, woraus mein allererster journalistischer Artikel entstand. In Grindelwald hatte ich einen meiner ersten Skiurlaube mit meinen Eltern verlebt und mich dort, im Angesicht der Eigernordwand, von der Bergbegeisterung meines Vaters anstecken lassen. Der Blick auf die Berner Viertausender von der nördlich gelegenen Bergkette um Faulhorn und First ist einer der großartigsten Anblicke der Alpen.

Bei der näheren Planung fand ich allerdings keinen wirklich zwingenden Weg am Vierwaldstättersee und beschloss deshalb, von Luzern gleich über den Pilatus nach Süden zu gehen, und entdeckte dann zu meiner Freude einen wenig bekannten Passübergang zwischen dem Brienzer See und Grindelwald. Von Grindelwald baute ich dann noch eine Tages-Rundtour zur Kleinen Scheidegg ein.

Weniger glorreich ist dann leider die Überquerung des Alpenhauptkamms. Im Bereich des östlichen Berner Oberlands gibt es schlicht keinen für Wanderer (und Nicht-Bergsteiger) geeigneten Weg über die Gletscherberge. Außer dem Grimselpass, und der wird erstens von einer Straße in Beschlag genommen und zweitens von allerhand Stauseen und Elektrizitätswerken verunziert. Doch an ihm kam ich nicht vorbei. Doch quasi zum Trost ist der Alpenhauptkamm noch nicht überquert, wenn man den Grimsel genommen hat; es ist auch südlich des Rhonetals noch ein hoher Kamm zu überwinden, und deshalb konnte ich noch den Griespass auf die Agenda setzen. Die weitere Strecke führte mich durchs westliche Tessin und an den Lago Maggiore. Dass ich dafür eine Route über das bei uns unbekannte italienische Ossolatal wählte, liegt daran, dass die Tessiner Alpen zwischen der italienischen Grenze im Westen und dem Tessiner Haupttal (Gotthard – Bellinzona) sehr steil und für Wanderer nicht gut zugänglich sind. Doch vom Ossolatal gibt es einen Passübergang, der an einem Tag zu bewältigen ist.

Pittoreske Zacken bei Sörenberg, dahinter das Brienzer Rothorn

ETAPPE 1

Mit dem Bus von Luzern Bahnhof nach Kriens, Bushalt Zentrum Pilatus (ca. 15 Min.). Dann zu Fuß in 5–10 Min. zur Talstation der Gondelbahn nach Fräkmüntegg. Auffahrt nach Fräkmüntegg (ca. 30 Min.).
Fräkmüntegg – Wanderweg östlich der Pilatus-Seilbahntrasse – Klimsenkapelle – Pilatus Esel, 2118 m.

2:00 Std.	3,5 km	810 m ↗	130 m ↘

Auf dem Pilatus zwei ÜM (teuer!). Oder Abfahrt mit der Zahnradbahn nach Alpnachstad (drei ÜM).

Anreise von Deutschland: Aus dem Westen mit (zumeist) Umsteigen in Basel, aus München und dem Osten mit Umsteigen in Zürich.
Steiler Aufstieg durch steiles Gelände, aber meist gut gesichert. Große Aussicht vom Esel, dem zweithöchsten Pilatus-Gipfel. Wer Zeit hat, kann auch noch zum höchsten gehen, dem 10 Meter höheren Tomlishorn (1:10 Std. hin und zurück).
Diese Etappe ist für eine Ankunft gegen Mittag in Luzern konzipiert. Wer morgens losgeht, kann erwägen, statt der Gondelbahn nach Fräkmüntegg zu Fuß dorthin aufzustei-

gen (3:20 Std., 7,8 km, 950 m auf, 60 m ab). Oder später vom Pilatus zur Zahnradbahnstation Ämsigen abzusteigen (1:20 Std., 3,6 km, 710 m ab).

ETAPPE 2

Entweder von den Pilatus-Gipfelhotels oder von Alpnachstad Fahrt zur Zahnradbahnstation Ämsigen (ca. 15–20 Min.).
Ämsigen – Chretzenalp – auf dem Sträßchen bis Lütoldsmatt (EM) – etwa einen Kilometer auf dem Obwaldner Höhenweg, dann Sträßchen nach Westen nach Rischigenmatt – etwa 500 m nach dem Hof Rischigenmatt beschilderten Weg durch die Feuchtwiesen aufwärts zum Chrüzliegg nehmen – Schrotenegg – Abstieg nach Horweli – Rossboden – auf dem Fahrweg nach Oberschlierental – auf dem Wanderweg am Flüsschen im Talgrund nach Schwendi-Kaltbad (EM, ÜM) – Berghotel Langis (EM, ÜM, Übernachtung in einer der beiden Unterkünfte).

6:50 Std.	21,9 km	830 m ↗	750 m ↘

Abwechslungsreiche Etappe in mittelgebirgsartiger Landschaft südlich des Pilatus. Von der Passhöhe Schrotenegg sind zwei Routen möglich: die von mir gegangene durchs Grossschlierental, oder die von dort über den Schlierengrat nach Südwesten. Diese nahm ich nicht, weil ich zu viel Auf und Ab befürchtete. Aber der Tourenplaner legt nahe, dass

Blick vom Rothorn auf Brienz und die berühmte Dampfzahnradbahn

diese sogar etwas weniger anstrengend gewesen wäre: insgesamt 6:40 Std., 19,8 km, 830 m auf, 740 m ab.
Sollten beide Unterkünfte ausgebucht sein, kann man mit dem Bus ins Tal in die Kleinstadt Sarnen hinunterfahren.

ETAPPE 3

Langis – auf der Autostraße bis zum Glaubenbergpass (2 km) – auf dem Obwaldner Höhenweg über den Weiler Schnabel zur Passhöhe, von dort auf kleinem Weg nach Süden zur Anhöhe Trogenegg – weiter zur Sattelalp (EM) und zum Sattelpass – Loo – Rorboden – Ror – Schwander Unterwengen – Alpwirtschaft Glaubenbielen (EM) – Abstieg auf dem Trans Swiss Trail nach Sörenberg (diverse ÜM).

5:40 Std.	18,0 km	580 m ↗	860 m ↘

Stille Gegend mit schönen Hochmooren. Immer wieder Blicke zu den Berner Alpen; der Eiger lugt bereits über die vorgelagerten Ketten hervor.

ETAPPE 4

1. Teil: Mit dem Bus von Sörenberg nach Schönenboden, zur Talstation der Seilbahn aufs Brienzer Rothorn (ca. 5 Min.). Oder zu Fuß (von der Ortsmitte) in ca. 50 Min. Mit der Seilbahn aufs Brienzer Rothorn (ca. 10 Min.).
Von der Bergstation zum Gipfel des Brienzer Rothorns (2348 m) und zurück zur Bergstation Kulm der Rothorn-Dampfzahnradbahn. Mit der Zahnradbahn hinunter zur Zwischenstation Planalp (ca. 25 Min.). Zu Fuß von Planalp auf ausgeschildertem Weg nach Brienz-See (Schiffslände). Inklusive Strecke auf dem Rothorn:

1:50 Std.	4,0 km	70 m ↗	890 m ↘

Mit dem Schiff von Brienz-See nach Giessbach-See, ca. 15 Min.

2. Teil: Giessbach-See – Grandhotel Giessbach (EM, ÜM) – zunächst im Osten der Giessbachfälle aufsteigen – Wechsel auf die Westseite – Schweibenalp – Giessbachschlucht – Schwarzenberg – Axalp, unterer Ortsteil (mehrere ÜM).

2:30 Std.	5,2 km	980 m ↗	90 m ↘

Eigentlich hatte ich die Etappe etwas anders geplant: Vom Brienzer Rothorn aus wollte ich den Kammweg nach Westen gehen, über Lättgässli zum Chruterepass, dann Abstieg zur Zahnradbahnstation Planalp. Das wären 2:30 Std., 7,0 km und 1010 m Abstieg gewesen. Doch weil es im Bereich des Kamms sehr wolkig war und auch noch Schnee lag,

entschied ich mich, bis Planalp zu fahren und von dort (von wo ich ursprünglich nach Brienz fahren wollte), zu Fuß abzusteigen.
Auf dem zweiten Teil der Etappe über die schönen Giessbach-Wasserfälle nach Axalp (recht steil) bin ich sicher mindestens 3 Std. gegangen statt der hier errechneten 2:30 Std. Den Aufstieg kann man abkürzen, indem man von der Schweibenalp zum Bushalt Bramisegg an der Straße nach Axalp geht und das »Postauto« nimmt. Dann sind es, vom See aus, zu Fuß nur 1:20 Std., 2,9 km, 540 m auf, 120 m ab.

ETAPPE 5

Axalp, unterer Ortsteil – oberer Ortsteil – Chüemad – dem Weg nach Süden am östlichen Talhang folgen – Hof Oberberg auf der Alm Tschingelfeld – Aufstieg auf dem markierten Weg nach Süden, dann steil aufwärts nach Südwesten über ein grasiges Gebiet mit Felsbändern – weiterer Aufstieg auf die Hochalm Tierwang, 2440 m – Weg nach Süden, oberhalb des Bachalpsees, zur Anhöhe Sulzibiel – Abstieg zum breiten Wanderweg Faulhorn-First – Bergrestaurant First, Bergstation der First-Kabinenbahn.

4:30 Std.	11,5 km	1050 m ↗	330 m ↘

Mit der Firstbahn nach Grindelwald, ca. 25 Min.

Ich bin, außer einem Bauern, zwischen Axalp und dem First-Wanderweg über 4 Std. niemandem begegnet. Nun, es war erst Ende Juni, und möglicherweise ist später im Jahr auf diesem Weg mehr los. Grandios ist, wenn auf der Hochalpe Tierweid nach und nach die Viertausender der Berner Alpen sichtbar werden, wie bei einem Vorhang, der sich öffnet. Doch schon die Berglandschaft auf der Brienzer Seite ist sehenswert, hohe Matten mit horizontalen oder schräggestellten schwarzen Felsbändern.
Ich war allerdings froh, über meine GPS-Navi-Funktion zu verfügen, denn Tierweid war noch beinahe komplett schneebedeckt und der Wegverlauf nicht zu erkennen. Ohne mein Smartphone hätte ich hier wohl Panik bekommen. Wegen des sehr milden Früh-

Ausblick von Sulzibiel: Wetterhorn, 3704 m, Schreckhorn, 4078 m, Eiger, 3970 m (von links)

jahrs 2018 hatte ich mich getraut, die Tour schon im letzten Junidrittel zu beginnen (was ich sonst nicht tue), doch da es im Winter kräftig geschneit hatte, lag immer noch viel Schnee.

Eigenartig der Kontrast zur Tourismuszone am First: Dort flanierten plötzlich Hunderte von Grindelwald-Touris, meist Inder und Chinesen, in Sneakers und schossen ihre Selfies mit Berghintergrund. An der Station First hat man für sie sogar einen »First Cliff Walk« (schwebend über dem Abgrund) gebaut, der in einer kuriosen Spirale endet.

Nun ja, auch ich nutzte, wie die Asiaten, die First-Bahn, um den Abstieg nach Grindelwald knieschonend zu absolvieren. Wer zu Fuß geht, hat noch 2:30 Std. und 1140 m abwärts vor sich.

ETAPPE 6

Zur Talstation der Männlichenbahn mit dem Bus (oder zu Fuß von Grindelwald Bahnhof ca. 25 Min.). Fahrt mit der Männlichenbahn zur Mittelstation (ca. 12 Min.).

Mittelstation Holenstein der Männlichenbahn – Aufstieg zum Moorgebiet Feldmoos – nach Süden, leicht absteigend nach Tschuggen – wieder aufsteigend, weiter nach Süden zum Skigebiet Bustiglen – aufwärts zur Kleinen Scheidegg (EM, ÜM) – Fallbodensee – Zahnradbahnstation Eismeer – Eigertrail nach Nordosten – Zahnradbahnstation Alpiglen.

5:10 Std.	13,8 km	890 m ↗	890 m ↘

Fahrt mit der Bahn von Alpiglen nach Grindelwald (ca. 15 Min.).

Wer von Alpiglen aus zu Fuß absteigen will, hat noch 1:40 Std. und 670 Meter abwärts vor sich.

Diese Etappe ist eine Rundtour, die sich nicht logisch in den Verlauf der Alpenüberquerung einfügt, doch wenn man schon mal in Grindelwald ist, will man, meine ich, auch dem Dreigestirn Eiger-Mönch-Jungfrau direkt gegenüberstehen – was man an der Kleinen Scheidegg tut. Leider hatte ich Pech mit dem Wetter. Als ich dort ankam, hatten sich die Berge ab halber Höhe bewölkt. Trotzdem hielt ich am Plan fest, stieg auf zum Fuß des

Unter den Eiszeitgletschern fräste sich die Aare durch einen Felsriegel

Eiger und nahm von dort den noch recht neuen Eiger-Trail direkt unterhalb der Wand. Wer (bei weniger Wolken) imposante Fotos vom Eiger schießen möchte, sollte allerdings den Normalweg nach Alpiglen nehmen: Der Eigertrail ist dem Berg so nah, dass man vor lauter Felswand den Berg nicht mehr sieht.
Die Eigernordwand ist übrigens keine Nordwand, sondern eine Nordwestwand, und deshalb wird sie zwischen Juni und August ab dem Nachmittag von der Sonne beschienen (sofern sie scheint).

ETAPPE 7

1. Teil: Mit dem Bus von Grindelwald in Richtung Große Scheidegg, Bushalt Oberer Lauchbühl (ca. 20 Min.).
Oberer Lauchbühl – Große Scheidegg – Schwarzwaldalp (EM) – Hotel Rosenlaui (EM, ÜM), Bushalt.

2:30 Std.	7,6 km	210 m ↗	640 m ↘

Busfahrt Hotel Rosenlaui – Gasthaus Zwirgi (ca. 15 Min.).

2. Teil: Gasthaus Zwirgi über den Reichenbachfällen – Abstieg bis zum großen Aussichtspunkt westlich der Fälle – Wiederaufstieg – Abstieg östlich der Fälle – Sherlock-Holmes-Gedenktafel – Schwendi – Schattenhalb – Aareschluchtstraße – Eingang Aareschlucht (EM, Eintrittsgeld) – Aareschlucht – an der Aare weiter – Innertkirchen (mehrere ÜM).

2:10 Std.	6,4 km	150 m ↗	500 m ↘

Um von Grindelwald in Richtung des Grimselpasses zu gelangen, muss man diese ebenso aussichtsreiche wie populäre Route über die Große Scheidegg nehmen, auf der auch Postbusse und – auf Teilstrecken – Autos fahren dürfen. Allerdings gibt es zumeist separate Wanderwege. Alles zu Fuß zu gehen, wäre für einen Tag zu lang, also kürzte ich per Bus ab. Von Grindelwald zum Oberen Lauchbühl wären es zu Fuß zusätzliche 2:40 Std. bei 720 Höhenmetern Aufstieg. Besichtigt man noch die Rosenlauischlucht, benötigt man wohl ca. eine Stunde zusätzlich. Der Weg zu Fuß vom Hotel Rosenlaui nach Zwirgi nimmt zusätzlich 1:30 Std. bei 390 Metern Abstieg in Anspruch.
An den Reichenbachfällen ist der englische Detektiv Sherlock Holmes im Ringkampf mit einem Bösewicht tödlich abgestürzt. Dass sich dies der Autor Arthur Conan Doyle nur ausgedacht hat, ändert nichts daran, dass es an der angeblichen Todesklippe eine Gedenktafel für die Romanfigur gibt. Conan Doyle ließ übrigens Holmes nach Protesten der Leser wieder auferstehen; er habe sich dem Griff des Widersachers im letzten Moment entwinden können. Davon ist auf der Tafel nichts zu lesen.

Grimselsee
Furkapass
2431
Grimselpass
2165
Gletsch
Oberaarsee
Oberwald
Obergesteln
Ulrichen
19
Rotten
St. Gotthardpass
2108
Val Canaria
Airolo
2
P. Rotondo
3192
Bedretto
Ticino
Fontana
Val Bedretto
Valle Leventina
Piotta
Quinto
Lurengo
A2
Ambri
Rodi-Fiesso
Osco
Dalpe
Faido
Lai da Sontga Maria
Lago Ritom
P. Sole
2773
Nufenenpass
2478
SCHWEIZ
Lago Sambuco
2760
P. Massari
Fusio
5072
P. Campo Tencia
Blinnenhorn
3374
Ofenhorn
3235
La Frua
Piano di Peccia
San Carlo
Val Bavona
Peccia
Sonierto
Prato-Sornico
Formazza
Lago Vannino
Fontana
Chiesa
Maggia
M. Zucchero
2736
Sonogno
P. d' Orsalieta
2476
Bignasco
Foppiano
Bosco/Gurin
Cevio
2381
P. delle Pecore
Frasco
Passo
Cerentino
Valle Maggia
Valle Antigorio
Toce
Piano
Campo
Valle di Campo
Someo
Brione
Premia
Coglio
Baceno
P. Cramalina
2322
Lodano
P. di Madei
2551
Maggia
Viceno
Crodo
Agarina
Vergeletto
Gordevio
Isorno
Valle dell Isorno
Pioda di Crana
2430
Spruga
Russo
Loco
Avegno
Val Vigezzo
Bagni di Craveggia
Valle Onsernone
Tegna
S. Bernardo
M. Loccia di Peve
2127
Verdasio
Intragna
Brione
Montecrestese
Camedo
Locarno
Molezza
Losone
Toceno
Masera
Druogno
Craveggia
Palagnedra
Ronco
Malesco
Brissago
Domodossola
Lago Maggiore
Gamba-rogno
Finero
Cursolo
Orasso
ITALIEN
SS659
Pilaggio di Valmara
Zenna
Beura
P. Stagn
2183
Gurro
Cannobino
Armio
0
5 km
Cardezza
Falmenta
Cannobio

ETAPPE 8

1. Teil: Busfahrt von Innertkirchen Richtung Grimselpass, bis Bushalt Innere Urweid, ca. 5 Min.
Innere Urweid – Wanderweg Via Sbrinz – Boden – Guttannen (EM, ÜM) – Handeck (auch Handegg geschrieben) – Talstation Gelmerseebahn.

3:50 Std.	11,2 km	710 m ↗	50 m ↘

Auffahrt mit der Gelmerseebahn zum Gelmersee, ca. 10 Min.

2. Teil: Gelmersee – Weg auf der Staumauer – Abstieg ins Tal bis zum Bushalt Kunzentännlein.

0:50 Std.	2,3 km	10 m ↗	260 m ↘

Fahrt mit dem Bus auf den Grimselpass, dort zwei ÜM. Achtung, der letzte Bus von Kunzentännlein hinauf fährt schon kurz vor 16 Uhr. Verpasst man den, muss man Autostopp versuchen, zu Fuß gehen (siehe gleich) oder in Gegenrichtung nach Handeck oder Guttannen (je eine ÜM) zurückfahren.

Meine Befürchtungen, dass dies keine schöne Etappe sei, wurden teilweise widerlegt. Erstens geht man über größere Strecken auf dem alten Säumerweg (gebaut für einen Transport mit Lasttieren), auf dem Waren zwischen der Zentralschweiz und Norditalien befördert wurden, und kann die alten Steinplatten bewundern. Der Weg verläuft auch oft von der heutigen Straße entfernt. Zweitens entfaltet die Aare in ihrem steilen Bergab ein derartiges Tosen, dass man die Autos und Motorräder (der Grimsel ist ein Liebling der Biker) nur selten hört. Nur vor Handeck geht man gut 3 Kilometer recht nah an der Straße.
Die Auffahrt mit der Gelmerbahn zum Gelmersee, einem Stausee in einem Nebental, ist spektakulär. Es handelt sich um einen Schrägaufzug, die steilste Standseilbahn Europas, und man sitzt in einem offenen Waggon mit dem Rücken zum Berg und mit Blick in den Abgrund. Den Gelmersee habe ich nicht umrundet, sondern von dort gleich wieder den Abstieg ins Haupttal angetreten.
Grundsätzlich kann man von Kunzentännlein noch bis zum Grimselpass zu Fuß aufsteigen (2:50 Std., 7,4 km, 600 m auf, 30 m ab). Ich nahm davon Abstand, weil der obere Teil des Tals doch sehr von Staumauern, Kraftwerken und Hochspannungsleitungen verunziert ist. Und im letzten Steilanstieg zum Grimselpass ginge man sehr nah an der Straße.

ETAPPE 9

Grimsel, Passhöhe – Anstieg zum Sidelhorn, 2764 m (höchster Punkt dieser Alpenüberquerung) auf dem Ostgrat über die Husegghütte – vom Gipfel weiter nach Südwesten zum Punkt Triebtenseelicke – Abstieg nach Osten zum Almgebiet Nassboden – Abstieg nach Süden auf dem Weg Via Sbrinz – kurz vor dem Erreichen des Talbodens bei Obergesteln auf dem Gommer Höhenweg in Richtung Weiler Gadestatt gehen – von dort Abstieg nach Ulrichen (mehrere ÜM).

5:20 Std.	14,6 km	700 m ↗	1520 m ↘

Eine weitere Königsetappe. Vom Sidelhorn hat man einen schönen Blick von Osten auf die Viertausender der Berner Alpen. Bitte steigen Sie nicht auf das »Grosse Sidelhorn« (2879 m) weiter im Westen, dort kommen nur Bergsteiger hinauf, und das wäre auch viel zu viel Action für diese Tagesetappe.
Leider habe ich bei meiner Tour nicht einmal das »einfache Sidelhorn« besteigen können. Es lag noch viel Schnee, und ich hätte durch ungespurte Schneefelder gehen müssen. Außerdem war es recht windig, und ab und zu zogen Wolken um den Gipfel. Zu viel Risiko für den möglichen Ertrag. Wenn auch Sie kein einwandfreies Wetter haben sollten, dann befolgen Sie meinen Plan B: Gehen Sie auf der Oberaarstraße (einem asphaltierten, für Kraftfahrzeuge mautpflichtigen Fahrweg) vom Grimselpass an der Nordseite des Sidelhorns etwa 3 km leicht bergauf. Von dort hat man ebenfalls einen passablen Blick zum Lauteraar- und Finsteraarhorn und dem vorgelagerten Gletschertal. Dann zurück zum Grimselpass und auf dem Wanderweg Via Sbrinz Richtung Obergesteln/Ulrichen absteigen, der beim Nassboden auf die ursprüngliche Route trifft.

ETAPPE 10

Fahrt mit dem Bus von Ulrichen in Richtung Nufenenpass, bis Bushalt Ladstafel. Achtung, morgens fährt nur ein Bus ca. 7.30 Uhr, und zwar nur vom Bushalt Ulrichen-Bahnhof.
Bushalt Ladstafel – etwa 700 m weiter auf der Nufenen-Passstraße hinaufgehen, bis nach rechts ein Fahrweg zu einem weißen Kraftwerksgebäude namens Altstafel abzweigt – an diesem vorbei bis zur Steilstufe am Talschluss – dort den neu gebauten Wanderweg hinauf zum Griespass nehmen – Griespass, 2492 m (Grenze Schweiz/Italien) – Lago di Morasco – Riale (EM, ÜM) – Toce-Wasserfall – Formazza/Pomatt (mehrere ÜM).

6:20 Std.	18,4 km	580 m ↗	1220 m ↘

Der alte Wanderweg von Ladstafel zum Griespass wurde 2017 gesperrt, weil (wohl wegen der Klimaerwärmung) ein Felssturz vom Nufenenstock herab droht. 2018 war die

Strecke immer noch gesperrt, doch zum Saisonbeginn 2019 hatten die rührigen Schweizer tatsächlich einen neuen Wanderweg gebaut, der das Risikogebiet auf einer steileren Strecke umgeht.
Auch der Griespass ist leider durch Energiegewinnung verunziert. Den Griessee mit dem ihn überragenden Blinnenhorn (3374 m) immerhin kann man schön finden, wenn man sich die Staumauer wegdenkt; dass hier oben auch noch vier riesige Windräder hingestellt wurden, hätte aber nicht sein müssen.
Der Abstieg ins obere Ossolatal ist zunächst steil, dann moderat. Von der ersten Ortschaft Riale/Z' Chärbäch ab kann man zwischen dem Abstieg auf der Straße oder dem Wanderweg wählen. Ich nahm meistens den hübschen Wanderweg. Man kommt am Toce-Wasserfall vorbei, wo der Talfluss über eine halbsteile Stufe rauscht. Da auch das Ossolatal energiewirtschaftlich genutzt wird, ist die Wassermenge aber künstlich reduziert.
Das obere Ossolatal wurde zuerst von der Schweizer Volksgruppe der Walser besiedelt, geriet dann aber ins italienische Machtgebiet. Die alten Holzhäuser vom Wallliser Typus mit oft noch schweizerdeutschen Aufschriften und die Doppelnamen der Ortschaften zeugen von der alten Besiedlung.
Dass man in der Schweiz so schnell einen Ersatz für den gesperrten Weg über den Griespass baute, hat sicher damit zu tun, dass der neue Fernwanderweg Via Sbrinz gerettet werden sollte. Der verbindet den Vierwaldstättersee mit der Stadt Domodossola im unteren Ossolatal. Und ist eigentlich auch eine Alpenüberquerung, auch wenn er für meine Kriterien zu häufig straßennah in Tälern verläuft. Immerhin folgte ich seinem Verlauf auf 3 meiner Etappen. Sbrinz ist ein Schweizer Hartkäse vom Typ Parmesan, der seit Jahrhunderten nach Norditalien exportiert wird, früher mit Packtieren über den Grimsel- und Griespass. Wer die Via Sbrinz als organisierte Tour bucht, kann sein Gepäck transportieren lassen.

ETAPPE 11

Formazza/Pomatt – Fondovalle/Stafelwald – Guriner Furka, 2351 m (Grenze zwischen Italien und der Schweiz) – Capanna Grossalp (EM, ÜM) – Bosco Gurin (drei ÜM).

5:15 Std.	13,2 km	1200 m ↗	970 m ↘

Erst im Tal auf einem Nebensträßchen zum Dorf Fondovalle. Dann auf einem Wanderweg, der zum Netzwerk GTA (Grande Traversata delle Alpi) gehört, steil (und einsam) bergauf. Kaum jemals bin ich so permanent steil über mehr als drei Stunden aufgestiegen. Der Weg ist stellenweise rau, aber gut markiert. Den höchsten Punkt (2353 m) erreicht man schon vor der Guriner Furka, dem eigentlichen Pass, zu dem es vorher leicht bergab und dann wieder ein paar Meter bergauf geht. Man kann auch über einen anderen Pass, Hendar Furggu, nach Bosco Gurin gelangen, doch der liegt etwas höher und ist wohl auch schwieriger zu begehen.

Das Almgebiet über Bosco Gurin wird im Winter als Skigebiet genutzt und ist von einigen Anlagen verunziert. Das Dorf auf 1500 Metern Höhe ist das höchstgelegene des Tessin; gegründet wurde es ebenfalls von Walsern als deutsche Sprachinsel. Gurin ist der Walser-Name, Bosco der italienische. Sehenswerte Häuser, in einem von ihnen befindet sich ein Walser-Museum.

ETAPPE 12

1. Teil: Bosco Gurin – zunächst ca. 600 m auf der Straße bergab – dann auf den Wanderweg, der in der Nähe des Talbachs Rovana verläuft – wenn dieser weiter unten wieder auf die Straße einmündet, nach links zum Weiler Corino gehen – am Ortseingang von Corino den Wanderweg bergab in Richtung Collinasca nehmen – bei Collinasca etwa 200 m auf der Straße gehen, dann dem Wanderweg an einem Haus links hangauf folgen, und auf diesem bis zur Einmündung auf die Straße vor dem Ort Linescio folgen. Zum Bushalt Linescio di Dentro gehen.

3:00 Std.	9,1 km	10 m ↗	830 m ↘

Busfahrt Linescio – Cevio Posta. 20 Meter zum Bushalt Cevio Centro an der Durchgangsstraße gehen, Umsteigen in Bus Richtung Locarno, aussteigen am Bushalt Someo. Insgesamt je nach Verbindung zwischen 40 Min. und 1:30 Std. Achtung, an Samstagen und Sonntagen verkehren zwischen Bosco Gurin, Linescio und Cevio nur wenige Busse.

2. Teil: Someo – vom Bushalt ca. 20 m Richtung Norden gehen und dann rechts des gemauerten Bachs in Richtung des Flusses Maggia. Über die Hängebrücke auf die Südseite der Maggia. Nun immer dem Wanderweg nach Südosten folgen – Lodano – vor der Ortschaft Modeghno führt nach links eine geschwungene Fußgängerbrücke in den Ort Maggia (mehrere ÜM).

2:30 Std.	8,4 km	130 m ↗	170 m ↘

Der erste Teil besteht aus einem langen Abstieg in Richtung Maggiatal. Hübsch, aber ohne besondere Attraktionen geht es am Wildbach entlang. Ab Corino wird es romantischer, wir kommen in die Zone der berühmten Tessiner Esskastanienwälder, die die stei-

Im Uhrzeigersinn von oben: Grimsel-Stausee mit Lauteraarhorn; stolzer Gamsbock bei Fondovalle; Blick auf Bosco Gurin; in der Gelmerseebahn

Toce-Wasserfall im Ossola-Tal (Etappe 10)

len Hänge des Kantons bedecken. Früher waren die »Marroni« und ihr Mehl ein Hauptnahrungsmittel der Bevölkerung.

Wer abkürzen möchte, kann auch schon beim Halt Collinasca Paese in den Bus steigen. Dann ca. 30 Min. kürzer. Wer länger gehen möchte, kann noch zu Fuß nach Cevio absteigen, doch der Weg ist steil und verläuft in der Nähe der Straße.

Eine spektakuläre, 400 m lange Hängebrücke führt bei Someo über die Maggia und ihr Flussbett. Auf einer Hinweistafel steht, dass die Maggia der »gewaltigste Fluss Europas« sein soll, weil sie nach starken Regenfällen und wegen der steilen Talhänge eine enorme Abflussmenge erreichen kann. Das galt aber nur für die Vergangenheit – seit Jahrzehnten ist auch dieser Gebirgsstrom durch Stauseen reguliert, und im Sommer wird gerade so viel Wasser abgelassen, dass Badegäste genug zum Plantschen haben, wie an dem schönen Tag, an dem ich unterwegs war. In leichtem Auf und Ab führt der Wanderweg zwischen Ufer und Hochufer hin und her; an vielen Rustici führt er vorbei, traditionellen Bauten aus Granit, früher der Landwirtschaft dienend, heute oft als Ferienhäuser genutzt.

Bergsee an der Guriner Furka, Grenze Italien-Schweiz (Etappe 11)

ETAPPE 13

Maggia – Moghegno – Aurigeno (bis hierher auf Ortsstraßen bleiben, da der Wanderweg unnötige Steigungen hat) – am Ortsausgang von Aurigeno (bei einer Backpacker-Unterkunft) auf den Wanderweg zum Passo della Garina wechseln – Passo della Garina (1076 m) – dort den Wegweisern Richtung Sella und Berzona folgen – bei einer Abzweigung rechts halten, nicht Richtung Loco gehen – Anhöhe Sella – Berzona oberes Dorf – Berzona-Ortsteil an der Straße – Loco – steiler Abstieg zum Weiler Vosa und in den Grund der Onsernone-Schlucht – Aufstieg zum Weiler Vosa – Intragna (mehrere ÜM, falls belegt, weitere im Nachbarort Cavigliano).

6:50 Std.	17,3 km	1170 m ↗	1150 m ↘

Bis Berzona eine traditionelle Route durch die Lareccio-Schlucht, die das Maggiatal mit dem Onsernonetal verbindet. Sie spielt eine Rolle in der Erzählung »Der Mensch erscheint im Holozän« des berühmten Schweizer Schriftstellers Max Frisch: Da die Straße

im Onsernonetal nach einem tagelangen Unwetter blockiert ist, möchte ein Pensionär, der isoliert in Berzona lebt, über den Umweg nach Aurigeno in seine Nordschweizer Heimat zurückkehren. Kurz vor Aurigeno ändert er seine Pläne und macht kehrt, wodurch er in die Nacht und in Lebensgefahr gerät.
Max Frisch ist den Weg sicher selber einmal gegangen – ich erkannte in den Beschreibungen vieles wieder. Frisch lebte fast 20 Jahre in Berzona, zu seinen Nachbarn gehörten der deutsche Autor Alfred Andersch, der auf dem örtlichen Friedhof begraben liegt, und gelegentlich auch Golo Mann (Historiker, Sohn von Thomas Mann), der hier ein Ferienhaus besaß.
Dann führt die Route von Loco aus attraktiv durch die Onsernone-Schlucht und über den Gegenhang nach Intragna, dabei kommen allerdings noch einige Höhenmeter zusammen. Wer es gemütlicher mag, steigt schon in Berzona in den Bus, dann betragen die Werte für Maggia – Berzona:

4:20 Std.	10,8 km	920 m ↗	540 m ↘

Eine Zwischenlösung ist es, auf der nördlichen und östlichen Talseite nach Intragna zu gehen. Dazu muss man aber bis zur Ortschaft Auressio die ersten 3 km auf der Straße zurücklegen, dann gibt es einen Wanderweg unterhalb der Straße. Man geht bis Intragna zwar ähnlich lang wie über die Schluchtstrecke, erspart sich aber etwa 150 m im Auf- und Abstieg.

ETAPPE 14

Bahnfahrt Intragna – Verdasio, ca. 10 Min. Auffahrt mit der Seilbahn nach Rasa (EM, ÜM), ca. 10 Min.
Rasa – Monti – Termine – Pian di Bo – Alpe di Naccio – Bassuno – Abstieg nach Brissago, entweder auf dem Wanderweg oder der Fahrstraße – Brissago.

5:00 Std.	14,2 km	510 m ↗	1210 m ↘

Mit der Centovalli-Schmalspurbahn geht es von Intragna (oder dem Ausweichort Cavigliano) bis zum Haltepunkt Rasa. Achtung, rechtzeitig Haltewunsch-Taste drücken! In Rasa sofort zum Seilbahnhäuschen gehen und sich in die kleine Gondel begeben. Wird von der Bergstation ferngesteuert; man kann auch oben bezahlen. Imposante Strecke hoch über der Melezza-Schlucht.
Das Bergdorf Rasa wird heute von einer christlichen Gemeinschaft geführt, die auch Übernachtungen anbietet (eine Alternative zu Intragna, falls man noch bis 18.00 Uhr die Auffahrt schafft).
Von Rasa aus auf einem hübschen, nur mäßig steilen Waldweg in Richtung Südost bis zum Pass bei Pian di Bo, wo man plötzlich den Lago Maggiore zu Füßen hat. Weiterer

kurzer Aufstieg ins Almgebiet von Naccio, dann Abstieg zur (wenig frequentierten) Fahrstraße nach Brissago. Ob man auf dieser bergab geht oder den steileren und raueren Wanderweg bevorzugt, muss jeder selbst entscheiden (ich fand die Straße bequemer). Der fjordartige Lago Maggiore ist der zweitgrößte Südalpen-Randsee nach dem Gardasee, noch vor dem Comer See. Das berühmte milde Klima brachte den Tourismus und später die Bebauung mit Ferienhäusern und Appartmenthäusern in den Ort. Früher waren auch die hier hergestellten, dünnen Brissago-Zigarren bekannt. Während an den steilen Hängen allzu viel Beton steht, lässt sich an der Seepromenade schön flanieren und in den dortigen Restaurants gut speisen. Per Schiff kann man außerdem zu den botanischen Gärten auf den beiden vorgelagerten Brissago-Inseln fahren.
Rückfahrt: Mit dem Bus nach Locarno Stazione, von dort mit der S-Bahn nach Bellinzona, weiter mit Schnellzügen über die Gotthard-Strecke nach Zürich oder Basel.

Zum Abschluss der Etappe 12 bietet sich ein Bad in der Maggia an

Anhang

KLEINES ABC DER ALPENÜBERQUERUNG

ANFÄNGER UND ALTE FÜCHSE

Kann sein, dass dieses Buch vor allem von Berg erfahrenen Wanderern gelesen wird. Kann sein, dass auch Anfänger es kaufen. Da ich vorsichtshalber für beide schreibe, sollten die alten Füchsinnen und Füchse mir nachsehen, wenn ihnen manches auf den folgenden Seiten schon bekannt ist. Sie können es ja dann überfliegen oder überblättern. Doch aufgepasst, manchmal gebe ich auch Hinweise oder Ratschläge, die vom Üblichen abweichen.

AN- UND RÜCKREISE

Erledige ich normalerweise mit öffentlichen Verkehrsmitteln, in der Regel mit der Bahn, wo nötig, ergänzt durch regionale Busse. Da ich auf gutes Wetter warte, buche ich erst spät, auch wenn ich dadurch Sonderpreise verpasse.
Ob man noch eine Etappe oder Kurzetappe am Anfahrtstag einplanen kann, hängt natürlich vom Ankunftszeitpunkt ab.
Da Sie ja von einem Ort recht weit zum Zielort gehen wollen, verbietet es sich in der Regel, mit dem Privat-Pkw anzureisen. Sonst müssen Sie ja vom Zielort wieder zum Ort reisen, wo Sie Ihren Wagen abgestellt haben. Mittlerweile kann man auch nicht mehr so häufig das Auto für längere Zeit irgendwo kostenlos stehen lassen. Selbst auf Seilbahnparkplätzen muss man meistens ein Ticket lösen, und die Parkzeit ist begrenzt.

AUFSTIEGSHILFEN (UND ANDERE TRANSPORTMITTEL)

Ist es bei einer Alpenquerung gestattet, auch Seilbahnen oder andere Verkehrsmittel zu nutzen?
Da es kein Alpenüberquerungsgesetz gibt, ist alles gestattet. Es kommt darauf an, wie sich der Wanderer dabei fühlt. Ist er ein Purist oder eine Sportskanone, wird er alles zu Fuß bewältigen, andere (wie ich) bedienen sich ab und zu technischer Hilfen. Die gefahrenen Kilometer sollten aber höchstens ein Drittel der Strecke ausmachen, ansonsten kann man, meine ich, nicht mehr ernsthaft von einer Überquerung zu Fuß sprechen.
Ich habe in meine allererste Querung ganz bewusst einige Lift- und Zugstrecken eingebaut, weil ich mir das Unternehmen sonst gar nicht zugetraut hätte. Die zweite und die dritte waren dann schon zu vielleicht 90 Prozent transportfrei. Bei den zeitlich letzten war ich wieder etwas »fauler«, vielleicht dem Alter geschuldet. Ich könnte mir vorstellen, dass der zeitweilige Rückgriff auf Transportmittel für nicht wenige Menschen, die sich fürs Alpenüberqueren interessieren, die Hemm-

Statt des steilen Abstiegs vom Schafberg nahm ich den Dampfzug.

schwelle senkt, so etwas einmal zu wagen. Das sollten Verfechter der »reinen Lehre« bedenken! Diese dürfen ja gern jeden Zentimeter der hier vorgestellten Routen zu Fuß gehen …

Ein Wort zum Taxifahren. Es mag am wenigsten cool von allen möglichen Hilfsmitteln erscheinen, doch in manchen Fällen ist es die einzige Möglichkeit, um allzu lange Etappen zu bewältigen. Ich bin nicht öfter als insgesamt zehnmal in den Alpen mit dem Taxi gefahren; allerdings gebe ich in den Beschreibungen in diesem Buch immer mal wieder an, dass Etappen so abgekürzt werden können. Im Gegensatz zu Busfahrten sind Taxifahrten recht teuer, aber Seilbahnfahrten liegen ebenfalls auf diesem Preisniveau.

In den Alpen wird man außerhalb der großen Orte selten ein Taxi mit Taxameter finden; dann sollte der Preis vorher vereinbart werden. Früher musste man die Telefonnummern von Taxidiensten vorher recherchieren und sich notieren, heute kann man sich wohl das meiste noch vor Ort ergoogeln. Inwiefern Taxi-Apps momentan oder in naher Zukunft so leistungsfähig sind, dass sich über sie auch in abgelegenen Gegenden Fahrten buchen lassen, weiß ich nicht.

In Italien (außerhalb Südtirols) versteht man oft kein Deutsch oder Englisch, und deutsche Bergwanderer sprechen oft nicht ausreichend Italienisch. Telefonieren kann dann schwierig werden. Hilfreich ist es in diesem Fall sein, sich in Gasthöfen dem Wirt verständlich zu machen, notfalls mit Händen und Füßen. Er kennt normalerweise einen Taxidienst oder jemanden, der sich mit dem Privatauto etwas dazuverdienen möchte.

Autostopp (Trampen) ist natürlich auch möglich, doch auf kleinen Bergstraßen muss man oft lange auf ein Gefährt warten. Ist man zu zweit oder gar in der Gruppe, ist zudem fraglich, ob überhaupt genug Platz im Auto vorhanden ist. Immerhin: Dass gerade im Hochgebirge der Fahrer ein Bösewicht ist, der auf Opfer lauert, ist unwahrscheinlich.

FITNESS

Ich hatte in der Schule fast immer eine Vier im Sport, manchmal sogar eine Fünf. Mein Rekord im Weitsprung lag bei 3,64 Metern, im Hochsprung bei 1,10 Metern. Beim Fußball und Handball musste ich meistens ins Tor, weil man glaubte, dass ich dort den geringsten Schaden anrichten würde (eine Fehleinschätzung). Von der Bundeswehr wurde ich nach drei Wochen als untauglich entlassen, weil mich die Kameraden von einem Marsch mit schwerem Gepäck nach Hause tragen mussten. Mit 43 Jahren habe ich einen Bandscheibenvorfall erlitten, der operiert wurde. Ich habe einen Body-Mass-Index von 28,5, bin also leicht übergewichtig.

Gut 1000 Höhenmeter muss man aufsteigen können (Tour 6, auf dem Pfannhorn).

Dennoch unternehme ich Alpenüberquerungen. Erstens habe ich mich durch eigene Anstrengung verbessert: habe die U-Bahn zur Arbeit durch das Fahrrad ersetzt, bin auch am Wochenende jeweils eine halbe Stunde schnell mit dem Rad gefahren, habe häufig Bergwanderungen unternommen.

Zweitens muss ich sagen, dass man zum Wandern, auch zum Bergwandern, kein großer Athlet zu sein braucht. Zwei Voraussetzungen sind aber unabdingbar: Man muss einen nicht ganz leichten Rucksack tragen und damit 1200, vielleicht auch mal 1500 Höhenmeter Aufstieg am Tag schaffen können.

Ich habe gerade die Strecken und Höhenunterschiede aller meiner Alpenüberquerungen addiert, und staune. Knapp 2800 Kilometer waren es, bei etwa 138.000 Höhenmetern im Aufstieg und 153.000 im Abstieg. Ich schätze, dass ich dazu noch einmal mindestens 50 Prozent mehr an Entfernung und Höhe hinzurechnen kann, die ich auf Tagestouren in und außerhalb den Alpen zurücklegte, sowie auf einer Querung des Alpennordrands von Salzburg bis Bregenz. Wie gesagt, ich habe als Couch-Kartoffel angefangen …

Wie trainieren, wenn Sie nicht in der Nähe hoher Berge wohnen? Gehen Sie einfach die örtlichen Hügel vielfach hintereinander rauf und runter, bis Sie bei etwa 1000 Metern Aufstieg (und 1000 Abstieg) sind. Und das immer wieder … Und verzichten Sie von heute an auf das Aufzugfahren am Arbeitsplatz, im eigenen Wohnhaus, überall. Gehen Sie alle Stiegen zu Fuß hoch und runter.

Sollten Sie nicht kerngesund sein, dann fragen Sie Ihren Hausarzt oder Kardiologen, ob er Ihnen vom Bergwandern abrät.

Falls Sie übergewichtig sind, muss ich Ihnen sagen, dass man vom Bergwandern abnehmen kann, aber wohl nur in eingeschränktem Maß. Bei mir stellt sich eine Gewichtsreduktion erst ab einer Wanderdauer von etwa sieben Tagen ein. Und dann seltsamerweise auch erst drei bis fünf Tage nach der Heimkehr. Eine 14-Tages-Tour brachte einmal eine Abnahme von vier Kilogramm, das war schon das Maximum, und die habe ich dann nach und nach wieder draufgepackt. Das Gehen an sich verbraucht leider gar nicht so viele Kalorien, nur das schnelle Gehen, und das Aufsteigen.

Das Abnehmen beim Wandern ist auch deshalb nicht so einfach, weil man ja auch kräftigen Hunger entwickelt, tagsüber mittags einkehrt, oder Snacks verzehrt, und abends dann auch noch mal zuschlägt, und dem Körper noch Bier oder Wein zuführt (jedenfalls ich). Deutlicher abnehmen könnte man nur, wenn man sich auf der Tour disziplinieren würde, nur Wasser tränke, mit Imbissen vorsichtig wäre und sich abends nur auf ein Hauptgericht beschränken würde. Aber will das jemand?

FUSSBLASEN (UND SOCKEN)

Eine lange Geschichte bei mir. Die Fußblasen führte ich zuerst auf zu grobe Socken zurück, trug versuchsweise Bürosocken in den Wanderschuhen, dann eher leichte Wandersocken. Heute meine ich, dass die Wahl der Strümpfe nicht so entscheidend für Blasen ist. Und greife eher zu dicken, dämpfenden Socken, weil diese das Bergabgehen ein wenig erleichtern.

Ich ließ mir auch orthopädische Sohlen anfertigen, die ich in die Wanderstiefel einlegte. Nach und nach trat eine Verbesserung ein, aber ich bin mir nicht ganz sicher, ob das tatsächlich an den neuen Sohlen lag.

Wahrscheinlich ist es einfach so, dass dass bei der starken Beanspruchung der Füße bei einer längeren Alpentour viele Wanderer selbst bei optimal passendem Schuhwerk und idealen Socken Blasen entwickeln dürften.

Gefährdete Stellen an den Zehen und der Sohle creme ich vor dem Losgehen mit einem Talgstift ein. Wo das nicht hilft, bandagiere ich die Zehen und Fußbereiche mit ein bis zwei Lagen Leukoplast-Tape. Es sitzt auf einer kleinen Rolle wie Klebeband, man kann Stücke leicht abreißen, das Band von 1,25 cm Breite ist praktischer als größere Ausführungen. Man kann damit auch provisorische Reparaturen ausführen, kleinere Dinge festkleben, Risse in der Kleidung schließen, und so weiter.

Das Bandagieren mit Leukoplast (oder Hansaplast) ist letztlich einfacher (und preiswerter) als die speziellen Gummi-Blasenpflaster zu verwenden. Die haben außerdem den großen Nachteil, dass sie, durchs Gehen warm werdend, sich an die Socken kleben, ihre Reste von dort kaum zu entfernen sind und sie letztlich die Socken ruinieren; bei Leukoplast geschieht das nicht. Die speziellen Blasenpflaster sollte man nur anwenden, wenn schon eine Blase entstanden ist, dann bringen sie tatsächlich Erleichterung – freilich, wie gesagt, um den Preis von verklebten Socken.

Seit einiger Zeit schütze ich meinen Problemzeh Nr. 1, den kleinen rechts, mit einem Schaumstoff-Überzieher, wie es sie in Apotheken und Drogerien zu kaufen gibt. Funktioniert erstaunlich gut. Das Ding bleibt sogar am Platz, ohne dass man es festkleben muss.

Eine ähnlich gute Wirkung hat bei mir ein neueres Produkt aus dem Fachhandel: ein weiches Röhrchen aus Gel, umhüllt mit Textilmaterial. Man kann es auf die Länge der Problemzehen schneiden und das Stück über den Zeh ziehen.

ALPINE GEFAHREN UND DIE GLOBALE ERWÄRMUNG

In den schönen Nullerjahren konnte man einfach loswandern, ausgerüstet mit einer Karte aus verstärktem Papier, mit Hilfe derer – und mit Hilfe der Wegweiser vor Ort – man seine Route über die hohen Berge fand. Zwei Jahrzehnte später ist es leider so, dass man Gefahr läuft, auf diese Weise plötzlich vor einem gesperrten Weg zu stehen. Meistens wird man dort schriftlich darüber informiert, dass Steinschlaggefahr der Grund ist, oder dass ein Unwetter den Weg weggespült oder blockiert hat. Theoretisch kann man die Sperre ignorieren (sofern der Weg nicht physisch durch Latten oder Drähte blockiert ist), riskiert dann aber erhöhte Steinschlaggefahr oder läuft das Risiko, nach ein, zwei Stunden umkehren zu müssen, wenn ein Wegstück im Steilgelände abgerutscht oder eine Brücke verschwunden ist. Bitte respektieren Sie Sperrungen; sie werden von den Behörden nicht leichtfertig ausgesprochen.

Ursache für die wachsende Zahl von Sperrungen ist der globale Klimawandel. Er destabilisert die Gesteine der Berge, vor allem im höheren Bereich, wo der Permafrost bisher die Hänge verfestigt hat. Permafrost ist ganzjährig gefrorene Feuchtigkeit im Fels und im Boden ab etwa 2500 bis 3000 Metern Höhe, abhängig von der Lage nach Norden oder Süden. Schmilzt das Eis im Untergrund, können Steine, Felsen oder auch ganze Bergseiten abbrechen.

Je nach Größe der Trümmer unterscheidet man Steinschlag, Felssturz, Bergrutsch oder Bergsturz. Leider ist man auch in tieferen Lagen des Gebirges vor solchen Überraschungen nicht sicher, denn auch Starkregen kann Hänge destabilisieren und zu Hangrutschungen und Murgängen führen. Eine Mure ist ein Schlammstrom; das von Wasser destabilisierte Lockermaterial eines Hangs gleitet talwärts und kann im Extremfall Häuser zerstören.

Wie kann man sich über Sperrungen informieren, um schon vorab eine Umgehung einzuplanen? Es gibt, Stand Frühjahr 2026, alpenweit offenbar nur eine halbwegs sichere Informationsquelle. Sie findet sich auf dem Karten- und Infodienst Alpenvereinaktiv/Outdooractive und hat im Web die URL www.alpenvereinaktiv.com/de/bedingungen/ sowie www.outdooractive.com/de/conditions

Auf der Handy-App der beiden weitgehend gleichen Angebote findet man die Sperrungen, indem man den Modus »Karte« aktiviert, dort das Symbol für Kartenebenen (drei übereinander liegende Quadrate) anklickt und auf dem Zusatzmenü die Option »Hinweise & Sperrungen« aktiviert.

Dankenswerterweise werden die Hinweise auf Sperrungen aktuell gehalten und sind sowohl im Web als auch in der Handy-App nicht durch eine Bezahlschranke versperrt. Achten Sie auf den Zeitrahmen, der bei den Sperrungen angegeben wird. Manche gelten nur für die Wintermonate oder sind befristet. Für das Gebiet der Schweiz empfehlenswert ist schweizmobil.ch (Web-Anwendung und App), wo bei Aktivierung eines Buttons aktuelle Sperrungen auf der Karte eingeblendet werden.

Schmale Wege in steilem Terrain sollte man auch ohne »Strickli« begehen können.

Oft droht Gewitter. Die Monte-Rosa-Ostwand lag schon am Mittag unter Wolken.

Meine Alpenüberquerungen führen an zwei der gravierendsten Katastrophen der letzten Jahre vorbei. Am Bergsturz von Bondo (2017) die Route 1 und am Bergsturz von Blatten (2025) die Route 4. Allerdings verlaufen »meine« Wege an den gegenseitigen Talhängen und sind bei diesen Ereignissen, die Menschenleben gekostet haben, sicher gewesen.

Was die Zukunft und alle in diesem Buch beschriebenen Wege betrifft, kann ich verständlicherweise »nichts versprechen«. Es scheint nun einmal so, dass das Risiko für Berggeher aufgrund der Destabilisierung der Berge zunimmt. Für Bergsteiger, die sich in den obersten Höhenlagen bewegen und durch Felswände steigen, stärker, für Wanderer nicht so stark, aber doch so, dass sie es zur Kenntnis nehmen sollten. Was folgt daraus?

Ich würde (wenn es mein Alter erlauben würde) weiterhin Alpenüberquerungen unternehmen. Das Risiko, in einen Bergsturz zu geraten, ist sicher geringer, als in einer Stadt von einem rasenden Autofahrer totgefahren zu werden.

Wenn ich in Gedanken »meine« Wege durchgehe, fallen mir als etwas stärker steinschlaggefährdet eigentlich nur die Etappen am Sella-Gebirgsblock in den Dolomiten ein (Route 2, Etappen 15 und 16). Dort muss man die Steilstufe aufwärts und abwärts überwinden und geht dann noch eine Zeitlang unterhalb von Feldwänden. Das heißt natürlich nicht, dass alle anderen der hier aufgeführten Wege sicher wären.

Andere alpine Gefahren sind auch nicht zu unterschätzen. Während es früher immer wieder mal auch im Juli und August zu Kälteeinbrüchen mit Schneefall kam, scheinen nun Gewitter und Starkregen-Ereignisse zuzunehmen. Längerer

starker Regen bringt Bäche zum Überlaufen, kann Muren auslösen und Wege abrutschen lassen. Sie sollten im Tal bleiben, wenn eine solche Wetterlage angekündigt wird – die kurzfristigen Vorhersagen sind ja sehr verlässlich geworden.
Und Vorsicht bei Gewittern! Manche Leute gehen trotz Gewittergefahr los, weil sie an ihren sauer verdienten Ferientagen nicht tatenlos bleiben wollen, oder weil sie auf die Statistik vertrauen, nach der Todesfälle durch Blitzschlag nicht allzu häufig vorkommen. Ich habe großen Respekt vor Gewittern, vielleicht sogar zu viel, und bin schon oft aus Vorsicht im Tal geblieben – und habe mich später geärgert, wenn alles ruhig blieb.
Informieren Sie sich auf den Seiten der Alpenvereine über das richtige Verhalten bei Berggewittern.
Man kann die Gefahr verringern, wenn man so früh aufbricht, dass man die hochgelegenen Passagen (Gipfel, Grate, Passübergänge) schon vor 12 Uhr mittags hinter sich bringt, denn besonders gefährlich sind Gewitter in solchen exponierten Lagen, und vormittags kommt es selten dazu.
Für den sehr unwahrscheinlichen Fall, dass Sie am Berg übernachten müssen, weil Sie sich verletzt oder verirrt haben, sollten Sie eine Aluminium-Rettungsfolie mitführen, die gegen die nächtliche Kälte schützt.

GEHTEMPO

Jeder hat sein eigenes Tempo, orientieren Sie sich möglichst nicht an anderen, von denen Sie überholt werden. Und bedenken Sie: Vor allem Männer konkurrieren gerne und manche freuen sich insgeheim, wenn sie jemanden überholen. Wenn sie dann aber nach der nächsten Wegbiegung keuchend stehen bleiben müssen, ist es unsinnig.
Ich halte das Gehen mit Verschnaufpausen für weniger gesund und angenehm als das, was ich tue: Ich gehe so langsam, dass ich mir die Pausen zum Pusteholen weitgehend erspare, und bin dennoch vermutlich nicht langsamer als die, die immer wieder anhalten. Vor allem auf steilen Strecken gehe ich langsam, aber kontinuierlich. Um das zu erreichen, verlangsame ich aber nicht die Schrittfrequenz, sondern verkürze die Schrittlänge im Extremfall auf gerade noch eine Fußlänge. Mit Trippelschritten steil aufwärts gehen – probieren Sie's mal aus, vielleicht sagt es Ihnen zu.

GIPFEL

Für einen Alpenüberquerer ist das Besteigen von Gipfeln kein vorrangiges Ziel. Es sind ohnehin viele Höhenmeter zu bewältigen. In zahlreichen Fällen wäre es des Guten zuviel, dann noch neben dem Weg liegende Höhen zu erklimmen.

In den meisten Überquerungen, die ich geplant habe, sind durchaus Gipfel enthalten. Wenn sie sich sinnvoll in den Weg integrieren lassen und keine Kletterkünste erfordern, nehme ich sie gerne mit. Von Ost nach West waren das unter anderem Ötscher, Schafberg, Untersberg, Piz Boè, Weißfluh, Aldeiner Weißhorn, Säntis, Oberrothorn.

GÜNSTIGSTER MONAT

Den gibt es nicht. Ich beobachte das Alpenwetter schon seit 2003 intensiv und kann keinen idealen Monat benennen. Der Wetterverlauf ist zu chaotisch, das heißt, von Jahr zu Jahr zu unterschiedlich, um sichere Aussagen zu treffen.
Ich als Rentner (und vormals Freiberufler) mache es mir insofern einfach, dass ich mir die Zeit zwischen Anfang Juli und Mitte Oktober von Terminen möglichst freihalte und dann bei guter Wetter-Langfristprognose aufbreche. Doch mir ist klar, dass so etwas für normale Berufstätige nicht in Frage kommt. Und auch für Menschen, die in der Gruppe gehen wollen und sich auf einen gemeinsamen Termin abstimmen müssen. Deshalb hier doch einige Erwägungen über eher günstige und eher weniger günstige Monate.
Zwei Phänomene, die zu bedenken sind, haben gar nichts mit dem Wetter zu tun: Meist liegt noch bis in den Juli hinein Restschnee vom Winter in den Höhenlagen über 2300 Metern, und das macht Passagen dort mühsam und manchmal auch gefährlich. Im August ist Hochsaison und Unterkünfte sind oft ausgebucht, jedenfalls in Italien und Österreich.
Im Juni liegt in den Höhenlagen, vor allem Nordhängen, noch viel Schnee, und das Wetter ist meist wechselhaft, mit der Gefahr von Kälteeinbrüchen.
Der Juli ist mein Lieblingsmonat, obwohl auch er keine Sicherheit bietet. Gelegentlich (leider höchstens jedes zweite Jahr) kommt es zu längeren Gutwetterphasen. Die ersten meiner Alpenüberquerungen habe ich jeweils um Mitte Juli oder in der zweiten Julihälfte absolviert. Der Restschnee ist dann übersichtlich geworden, die Bergblumen blühen, die Tage sind lang, und es ist noch nicht Höchstsaison.
Der August ist nach meinen Erfahrungen im Durchschnitt etwas weniger mit gutem Wetter gesegnet, und neigt etwas stärker zur Gewitterbildung als der Juli.
Die erste Septemberhälfte ähnelt in den südlichen Alpen noch dem August (Hitze und Gewittergefahr). Ansonsten kann es schöne Phasen geben, aber auch schon erste Wintereinbrüche mit Schlechtwetter bis hin zu Schneefall. Manche halten den September für den besten Wandermonat in den Alpen, ich bin da skeptisch. Stärker als im Juli und August besteht im September die Gefahr, dass eine Phase mit schlechtem Wetter mehr als wenige Tage anhält (so zum Beispiel im Septem-

ber 2022). Wenn man aber Glück hat, kann man auch zwei Wochen mildes und gewitterfreies Wetter erleben.

Besonders schön blüht's im Juli.

Der Oktober hat einen guten Ruf als Wandermonat, aber ein »Goldener Oktober« stellt sich keineswegs jedes Jahr ein. Wer sich auf Bergwandern im Oktober festlegt, kann auch im Neuschnee landen. Weitere Nachteile sind die schon kurzen Tage und die auch bei gutem Wetter kalten Temperaturen morgens und abends. Auch sind dann in Italien (Südtirol ausgenommen) viele Berghütten schon geschlossen.

2017 kam es zu einem zweiwöchigen »Goldenen Oktober«, den ich für einen größeren Teil meiner Überquerung Neuschwanstein – Garda nutzen konnte. In den Jahren vorher, und auch 2018, gab es aber nach meiner Erinnerung keine längeren guten Phasen.

Wer sich von vorneherein auf einen Termin festlegen muss, sollte bedenken, dass es zwei Sorten von eher schlechtem Wetter gibt: das »nicht ideale Wetter« und das »richtig schlechte Wetter«. Letzteres besteht aus Dauerregen, oder Kälte mit Schnee. Mit der Folge, dass man nicht wandern kann, oder nur mit erheblichem Risiko. Solche Phasen dauern im Juli und August meist nur wenige Tage, im September und Oktober können sie aber eine Woche oder länger anhalten, so dass es dann Pustekuchen ist mit der Alpentour.

Das »nicht ideale Wetter« dürfte zwischen Anfang Juli und Mitte September die überwiegende Zeit herrschen. Dann bewölken sich die Berge mittags und nachmittags, es kann zu Schauern und Gewittern kommen. Mit solchem Wetter müssen Sie also in dieser Zeitperiode rechnen, und nur wenn Sie Glück haben, kriegen Sie eine Phase mit trockenem Superwetter. Damit will ich sagen: Während im September und Oktober das Risiko eines »Totalausfalls« herrscht, kann man im Juli und August die meiste Zeit wandern, auch wenn das Wetter nicht so toll ist.

HEMD UND HOSE

Ich bevorzuge, wie fast alle Bergwanderer, Kunstfaser. Leicht, trocknet schnell nach einem Regen oder dem Schwitzen. Nachteil: riecht auch schnell. Im Sommer genügt Kurzärmliges, aber dann nicht vergessen, die Arme einzucremen.

Ganz vereinzelt sieht man Bergwanderer in Jeans. Die sind aber recht schwer, bei heißem Wetter zu warm, und bei Regen saugen sie sich voll und trocknen dann nur langsam.

Eine Wanderhose in der Variante mit abnehmbaren Beinteilen erspart das Mitnehmen einer Shorts. Nicht zu eng kaufen, oder gleich in Stretch-Ausführung, manchmal müssen Sie große Schritte machen. Immer Nadel und Faden mitführen, falls doch mal was platzt.

Ich habe immer eine kurze leichte Sporthose als Zweithose dabei, für den Totalausfall der Ersthose, aber vor allem als »Schlafanzughose« auf Berghütten.

Öfter waschen erspart einen schweren Rucksack.

KOSTEN

Eine Alpenüberquerung können Sie nur dann preiswert hinkriegen, wenn Sie hauptsächlich auf Berghütten übernachten. Dort kommen Sie dann, inklusive Abendessen, Getränken und Frühstück, mit 40 bis 60 Euro pro Übernachtung weg (aber nicht in der Schweiz). 10 Euro am Tag für Sonstiges sollten Sie noch dazurechnen. Etwa für Snacks und Proviant, was Sie besser in den Talorten kaufen, denn auf Hütten ist die Auswahl gering und die Preise sind höher.

Ich gebe durchschnittlich wohl 80 bis 100 Euro pro Tour-Tag aus, weil ich öfter in Hotels oder Pensionen übernachte und ein Restaurantessen inklusive Getränken leicht 25 bis 40 Euro kostet. Wenn Sie sich einen gewissen Komfort leisten möchten, dann ist eine Alpenüberquerung kein besonders preisgünstiger Urlaub.

Vor allem bei meinen späteren Alpenüberquerungen habe ich aus meinem Komfortbedürfnis heraus die Touren so geplant, dass ich vor allem in Talorten und nicht auf Berghütten genächtigt habe. Wenn Sie aus finanziellen Gründen vor allem auf Hütten schlafen wollen, oder einfach, weil Sie diese Art des Übernachtens lieben, können Sie versuchen, meine Routenvorschläge so abzuwandeln, dass das möglich wird. Logischerweise nur dann, wenn meine Route tagsüber über eine

Hütte führt. In der Tourbeschreibung wird diese dann mit »ÜM« (Übernachtungsmöglichkeit) gekennzeichnet.
Da dann allerdings zwischen zwei Hüttenübernachtungen meist ein größerer Abstieg und dann Wiederaufstieg liegt, ist dieser Rhythmus nicht ideal. Morgens und vormittags steigen Sie ab, und nachmittags, wenn die Kräfte schon schwinden und vielleicht auch Gewitter drohen, wieder auf. So gesehen ist es sinnvoller, »tief – hoch – tief« als »hoch – tief – hoch« zu wandern.

LANDKARTEN, APPS UND GEODATEN

Hier hat sich in den letzten Jahren eine enorme Umwälzung ereignet. Landkarten aus Papier werden nur noch von wenigen verwendet. Spezielle Outdoor-Navis gab es schon länger, doch erst die Verbreitung von Smartphones hat der digital gestützten Wegführung zum Durchbruch verholfen.
Gerade für eine Alpenüberquerung mit ihrer langen Strecke sind digitale Karten bzw. eine Outdoor-App ideal. Auf die deutschen App-Anbieter Outdooractive/Alpenvereinaktiv und Komoot habe ich weiter vorne schon hingewiesen. So lässt sich die eigene Position durch den mitwandernden GPS-Punkt genau bestimmen. Auch finden es mittlerweile viele praktisch, die Wegstrecke vorher festzulegen, indem sie entweder Geodaten, meist im gpx-Format, aus Internet-Quellen downloaden, oder sich die Strecke selber auf dem Handy oder am Computer durch das Setzen von Wegpunkten zusammenstellen.
Der Verlag und ich haben entschieden, nun auch Geodaten meiner Überquerungen zur Verfügung zu stellen. Sie finden einen QR-Code am Ende dieses Buches, der auf diese Daten verlinkt. Diese gpx-Strecken habe ich allerdings nicht während der Touren aufgezeichnet, sondern im Nachhinein am Computer erstellt. Bitte bedenken Sie, dass die realen und die digitalen Wege möglicherweise nicht immer auf den Meter genau übereinstimmen, und bleiben Sie im Zweifel auf dem Weg, den Sie schon unter den Füßen haben. Die Weglängen und Höhenmeter der Auf- und Abstiege, die ich beim Erstellen der gpx-Daten ermittelte, stimmen nicht immer genau überein mit den Daten in diesem Buch. Die Ursache dafür sind wahrscheinlich Änderungen in den digitalen Geländemodellen, die die App-Anbieter »unter« die Karten legen.

LÄNGE DER TOUR

Die von mir geplanten Alpenüberquerungen dauern zwischen zwei und vier Wochen, ohne eventuelle Ruhetage. Nur eine einzige Tour habe ich in einem Stück bewältigt, Salzburg – Tolmezzo. Meistens breche ich bei einer Wetterverschlechterung ab, fahre nach Hause, und setze den Weg später im Jahr, oder im

Jahr darauf, fort. Da ich im südlichen Bayern wohne, bin ich nicht sehr weit weg – für Menschen aus nördlicheren Gefilden sind die Reisekosten und -mühen natürlich größer.
Wer die Alpenüberquerung auf jeden Fall »in einem Rutsch« erledigen möchte, muss viel Zeit (für Regen-Unterbrechungen) oder viel Mut (für Wanderungen bei schlechtem Wetter) mitbringen.

MÜTZE

Es geht natürlich auch ohne. Aber dann müssen Sie sich immer eincremen, sonst kommen Sie als Rothaut zurück. Bekanntlich ist die UV-Strahlung in höheren Lagen besonders stark. Ratsam sind entweder Schirmmützen, die herunterhängende Seitenteile zum Schutz der Ohren haben. Oder schlappe Wanderhüte mit breiter Krempe. Damit sieht man vielleicht etwas doof aus, sie schützen aber durch den Schatten, den die Krempe wirft, den Kopf besser als eine Schirmmütze ohne Ohrenklappen, und, jedenfalls zur Mittagszeit, auch den Hals. Einen Schlapphut können Sie, anders als einen steifen vom Typ des Tiroler- oder Cowboyhuts, auch problemlos in den Rucksack stopfen.

PAUSCHALTOUREN

Statt die Alpenüberquerung individuell zu organisieren, können Sie auch eine organisierte Tour buchen. Es gibt mehrere Anbieter und mehrere Routen; am gängigsten sind der »Traumpfad« München-Venedig und der E5 zwischen Oberstdorf und Meran.

Vorteile: Zumeist wird der größere Teil des Gepäcks von Unterkunft zu Unterkunft transportiert. Man muss sich nicht um die Übernachtungen kümmern, alles ist vorab reserviert. Der Führer weiß immer, wo's langgeht. In schwierigen Situationen hilft er, und geschieht ein Unfall, weiß er genau, was zu tun ist. Und: Man hat ausreichend Gesellschaft.
Nachteile: Die Gesellschaft kann auch nerven; es kommt darauf an, wie man mit den anderen harmoniert. Die Tour ist weniger abenteuerlich. Die Termine sind durchgeplant – das heißt, dass auch bei schlechtem Wetter gegangen wird. Und bei sehr schlechtem Wetter die Etappe einfach ausfällt und man im Tal weiterkutschiert wird. Die meisten der angebotenen Alpenüberquerungen sind keine kompletten, sondern nur Teilstrecken. Preislich kommt der Rundum-Service teurer als eine individuelle Tour.
Ich bin ein Anhänger des individuellen Transalpinismus, doch für andere, vor allem Anfänger, kann die Pauschaltour eine passende Alternative sein.

PROVIANT

Alpenüberquerungen, wie ich sie hier beschreibe, sind aufeinanderfolgende Tageswanderungen, bei denen man immer an einem Ort übernachtet, an dem es auch etwas zu essen gibt. Von da her müssen Sie keine Survival-Führer lesen, die etwa erklären, wie man ein Murmeltier mit Steinwürfen erlegt und zubereitet.

Aus Gewichtsgründen sollten Sie möglichst wenig Proviant bei sich führen, im Prinzip genügt als Menge ein Vorrat, der nur bis ins nächste größere Tal reicht, denn dort können Sie ihn erneuern.

Ich führe, in kleiner Menge, zwei bis drei Sorten Proviant mit. Erstens: eine Packung Studentenfutter als Notvorrat, für den sehr unwahrscheinlichen Fall, dass ich in der Natur übernachten muss, oder für den etwas weniger unwahrscheinlichen Fall, dass eine eingeplante mittägliche Versorgungsstation (Hütte, Berggasthof) geschlossen ist.

Zweitens: ein paar separat abgepackte Schokolade-Stückchen, von denen ich mir aber maximal zwei pro Tag genehmige, vor steilen Aufstiegen, oder ganz oben, um mich zu belohnen. Bei einer Tafel Schokolade besteht leider die Versuchung, dass man sie gleich vollständig verputzt.

Drittens, aber nur bei Bedarf, falls man tagsüber an keiner Versorgungsstation vorbeikommt: ein belegtes Brötchen, das man im Tal in einer Bäckerei oder einem Lebensmittelladen kaufen kann (oder ein Brötchen plus einem Stück Käse oder Wurst), oder ersatzweise eine Packung Kekse oder Cookies.

Man sollte das Risiko eines »Hungerasts« nicht überschätzen. Wir hetzen ja nicht auf dem Rennrad über die Pässe der Tour de France, sondern sind langsam unterwegs. Und wie bekannt, kann man notfalls mehr als eine Woche ohne Nahrung überleben – Durst ist gefährlicher.

Abendliche Belohnung, hier in Bad Ischl

REGEN- UND KÄLTESCHUTZ: DIE JACKE(N)

Sie sollten sicherheitshalber immer einen Regenschutz dabei haben, selbst wenn der Wetterbericht nur schöne Tage verspricht. Ein Gewitter entsteht schnell.
Die gängigen Wanderjacken haben eine wasserabweisende Oberfläche oder Membran. Manche Fabrikate führen ein -tex am Ende ihres Namens. Es gibt eher dünne Jacken für den Sommer und dickere, oft mit Fleece-Innenteil, für die kühleren Monate. Seit einiger Zeit gibt es eine Variante, die sich Hardshell nennt und die gut mit Softshells als Unterjacken harmonieren soll. Was an Hardshells so toll im Vergleich zu den anderen Jacken ist, habe ich aber noch nicht recht verstanden. Sie sind wohl dünner und leichter (und teurer), knistern aber beim Tragen. Ich vermute, dass sie für Bergsteiger und Kletterer Vorteile bringen können, für Wanderer höchstens, was das Gewicht betrifft.
Da ich ein Schönwetterwanderer bin, habe ich noch gar nicht so viele Regengüsse in den Bergen erlebt. Mit meinen beiden ersten Wanderjacken war ich sehr unglücklich, denn als es doch mal goss, war ich nach einer Viertelstunde pudelnass, trotz aller Versprechen des Fabrikats, das auf -tex endet. So habe ich mir angewöhnt, einen leichten Regenschirm mitzuführen. Ich empfehle das aber nur unter Vorbehalt, denn man muss normalerweise eine Hand dafür freihaben, also auf einen der Wanderstöcke verzichten, und bei starkem Wind ist der Schirm kaum zu halten und schützt auch kaum. Allerdings ist es mir zuletzt gelungen, den Schirmstock zwischen Körper und Rucksack so einzuklemmen, dass ich wieder beide Hände frei hatte. Es gibt auch spezielle Wanderschirme, die fürs Befestigtwerden eingerichtet sind.

Wolkenbruch im Defereggental

Neuerdings versuche ich es zusätzlich mit einem einfachen, knielangen Regencape, wie es sie für Radfahrer zu kaufen gibt. Das ist zwar aus Plastik und führt schnell zum Schwitzen. Ich will es aber nur bei kurzen Güssen einsetzen, für längere Regenpassagen habe ich den Schirm dabei.

Nun zur Unterjacke. Selbst wenn Sie im Hochsommer unterwegs sind – über 2000 Metern ist es abends und morgens immer kalt. Manchmal sogar tagsüber. Fleecejacken sind leichter als Baumwolljacken, es gibt sie in allen Stärken. Eine spezielle Variante ist die Softshell-Jacke, sie hat eine glattere, robustere Oberfläche und soll auch gegen Wind schützen.

Fleece und Softshell helfen nicht oder kaum gegen Regen, Fleece gar nicht, Softshell angeblich ein paar Minuten.

Der Clou bei meinem derzeitigen »Regen-Management« ist, dass ich auf eine klassische Wanderjacke verzichte. Meine aktuelle Zusatzbekleidung für Sommertouren ist also: ein sehr leichter Fleece-Pullover, eine Softshelljacke, ein Plastik-Regencape. Und ein leichter Regenschirm. Ob das eine gute Lösung ist, weiß ich noch nicht. Für den Herbst sollte zumindest das Fleece ein dickes sein.

RUCKSACK

Wegen meines Bandscheibenvorfalls hatte ich mir vor Beginn meiner Alpenüberquerungen die größten Sorgen über das Gepäcktragen gemacht. Deshalb lege ich hohen Wert aufs Gewicht sparen. Mein Rucksack wiegt knapp 10 Kilogramm ohne, und knapp 12 Kilogramm inklusive zwei Litern Trinkwasser. Ohne die Spiegelreflexkamera samt Zoomobjektiv, auf die ich meiner Fotoleidenschaft zuliebe nicht verzichten will, wäre das Ganze gut ein Kilogramm leichter. Mein Rucksack hat mir nie Schmerzen beschert, nicht einmal vorübergehende.

Lassen Sie sich nicht irre machen durch Verkäufer, die Ihnen für Ihre große Tour zu einem großen Rucksack raten. Einer mit einem Volumen von 45 Litern muss reichen! Wenn Sie Herkules persönlich sind, dürfen Sie gern auch ein 80-Liter-Trumm mitsamt Nachtwäsche, Ausgehschuhen und Martin-Walser-Gesamtausgabe mitschleppen. Allen anderen rate ich: Überlegen Sie bei jedem Gepäckstück, ob Sie es wirklich brauchen, und ob Sie es durch etwas Kleineres ersetzen können. Nehmen Sie nur soviel Zahnpasta, Hautcreme, Sonnencreme, Shampoo und dergleichen mit, wie Sie für die Tage der Tour brauchen, und wenn Sie keine kleinen Tuben kaufen können, drücken Sie das unnötige Quantum vor der Reise notfalls in den Mülleimer! Oder Sie haben sich vorausschauend zu drei Vierteln geleerte Behältnisse für die Wandertour beiseite gelegt. Oder Sie kaufen sich in der Drogerie kleine (leere) Plastikfläschchen, in die Sie das Nötige umfüllen.

Nehmen Sie höchstens drei Hemden und zwei Unterhosen mit, jedoch keine spezielle Nachtbekleidung. Auf Hütten schlafen Sie im Wanderhemd des nächsten Tages (oder in der Fleecejacke, wenn es kalt sein sollte), und untenrum in Unterhose oder leichter Sporthose, und wenn Sie im Tal im Hotel nächtigen, brauchen Sie eigentlich gar nichts.
Wichtig ist ein Regenschutz-Überzug für den Rucksack, denn bei längerem Niederschlag wird sonst der Inhalt nass.

RUCKSACKINHALT

Ich gebe hier meine übliche Packliste wieder, vielleicht bringt das manchem Leser etwas:

- Bergschuhe
- Leichtschuhe (Plastikschlappen für die Hütten und kurze abendliche Spaziergänge)
- Wanderhose
- Kurze Sporthose
- 2 Unterhosen
- 2 Paar Wandersocken
- 3 Hemden
- Fleecepullover
- Softshell-Jacke
- Regenschirm
- Mütze
- Regenschutz für Rucksack
- 2 Trinkflaschen, je 1 Liter
- Notration (etwa Studentenfutter)
- Multi-Taschenmesser
- Kleiner Plastiklöffel
- Mini-Nähzeug
- Stirnlampe
- Brille
- Sonnenbrille oder Sonnenbrillen-Aufsatz
- Brieftasche (in der Hosentasche lästig, deshalb als Brusttasche zum Umhängen)
- Ausweise, Kreditkarten, Bargeld
- Smartphone
- Ladegerät
- Smartphone-Ersatzakku, geladen
- Notizheft
- Schreibzeug
- Buch (fürs abendliche Lesen)
- Landkarten
- Schnur
- Klopapier (Notvorrat)
- Kamera mit Objektiv
- Ladegerät für Kamerabatterie
- Speicherkarten
- Hüttenschlafsack
- Notdecke aus Aluminiumfolie
- Trillerpfeife (um in Notfällen Signale zu geben)
- Rei in der Tube
- Individuelle Medikamente
- Erste-Hilfe-Beutel: Binde, Pflaster, Blasenpflaster, Leukoplast, Sonnencreme, Mückenschutz
- Kleiner Kulturbeutel (dünner Plastikbeutel ist leichter) mit dem Üblichen (aber möglichst kleine oder fast leere Tuben)
- Ohropax und Schlafbrille
- Fleece-Handtuch

SCHUHE

Sie sollten sehr feste Schuhe tragen, mit steifen Sohlen. Durch flexible Sohlen spürt man Baumwurzeln, Steine und Felskanten, das ist unangenehm. Die Stiefel sollten die Wanderschuh-Kategorie B oder B/C haben. Das Verkaufspersonal wird Ihnen vielleicht zur Kategorie C raten. Das sind aber Schuhe für »richtige« Bergtouren auf Gletschern und in unwegsamem Gelände. Für die Touren, die ich hier beschreibe, sind sie unnötig hoch, steif und teuer. Man geht in ihnen unbequemer.

Auch an Schuhe der Kategorie B und B/C muss man sich freilich in Sachen Schwere und Steifigkeit gewöhnen, wenn man sie noch nicht kennt.

Neuerdings gibt es den Trend zum Halbschuh auch im Gebirge. Der hat wohl mit der Sneakers-Mode zu tun. Auch Trail Runner und Speed Walker laufen in geländegängigen Halbschuhen. Mag sein, dass ein Wanderer im Mittelgebirge mit Wander-Sneakers gut zurecht kommt. Ich rate Ihnen aber für eine Alpenüberquerung von solchen ab, es sei denn, Sie sind ein Leichtgewicht, gehen extrem leichtfüßig und hatten noch nie Probleme mit Ausrutschen oder Umknicken.

Von entscheidender Bedeutung ist es, die Schuhe nicht zu eng zu kaufen. Gehen Sie erst nachmittags zum Anprobieren (wenn die Füße etwas angeschwollen sind), ziehen Sie beim Probieren Ihre Wandersocken an, und gehen Sie auf einer schiefen Ebene bergab (Fachgeschäfte haben ein solches Probegeläuf). Die Zehen dürfen bergab nicht anstoßen, auch nicht ein bisschen!

Obwohl ich das eben Geschriebene wusste, kaufte ich im Frühjahr 2003 meine B/C-Bergschuhe doch zu eng, und litt deshalb jahrelang unter Blasen. Ich kaufte danach Bergschuhe eine halbe bis ganze Nummer größer als meine sonstigen Schuhe (46 statt 45). Bedenken Sie auch, dass die Füße bei älteren Menschen mit den Jahren meist platter und damit größer werden.

Im Rucksack führe ich außerdem noch sehr leichte Plastiksandalen mit. Die ziehe ich in Hotels und auf Hütten an, denn dort darf man mit den oft staubigen oder

Am Morgen nach dem Kälteeinbruch …

Ein Almbauer, der mit der Zeit geht

schlammigen Wanderschuhen nicht herumgehen. Mit den Plastikschlappen kann ich abends auch zu einem Restaurant gehen, ohne wieder die schweren Wanderschuhe anziehen zu müssen. Flipflops als Zweitschuhe sind weniger günstig, da sie ohne Socken getragen werden müssen.

SCHWEIZ

Drei meiner Überquerungen verlaufen vollständig oder größtenteils in der Schweiz. Eine weitere hat Teilstrecken dort.

Dass die Schweiz in Deutschland als Wandergebiet nicht populär ist, muss an den Schweizer Preisen bzw. dem ungünstigen Wechselkurs liegen. Denn die Schweiz besitzt die schönsten Berge der Alpen (abgesehen von den Dolomiten), die Wanderwege sind am gepflegtesten, der öffentliche Verkehr ist am besten ausgebaut.

Bei mir hat die Schweiz-Vorliebe auch biografische Gründe: Als Kind verbrachte ich die ersten größeren Urlaube meines Lebens in der Schweiz, und von daher ist mir eine grundsätzliche Sympathie für dieses Land geblieben. Meine Eltern waren nicht wohlhabend, konnten aber über eine Eisenbahner-Organisation recht günstig Chalets mieten. Außerdem schmuggelten wir kofferweise Lebensmittel ein.

Diese Möglichkeiten hat ein heutiger Alpenüberquerer natürlich nicht. Die Übernachtungen und das Essen im Restaurant sind derzeit mindestens 50 Prozent teurer als in anderen Alpenländern. Auch Hüttenübernachtungen liegen etwa in diesem Ausmaß darüber. Die hohen Preise sind natürlich nicht auf eine besondere Geldgier der Schweizer zurückzuführen. Zum einen ist der Franken überbewertet, zum anderen werden die Beschäftigten im Niedriglohnsektor und im Tourismus nicht nur in Relation zu den Nachbarländern, sondern auch zu den Gutverdienern im eigenen Land, besser bezahlt. Das wirkt sich klarerweise auf die Preise aus.

In früheren Ausgaben habe ich hier den Rat gegeben, die Swiss Half Fare Card zu erwerben. Dieses Halbpreis-Abo für Ausländer, die in die Schweiz reisen, verbil-

Dreiergruppe unterwegs auf dem Venediger-Höhenweg (Tour 6)

ligt maximal einen Monat lang die Bahn- und Busfahrten um die Hälfte. Inzwischen kostet es aber 167 Euro, und es hängt von den geplanten Fahrstrecken ab, ob sich ein Kauf lohnt. Früher bekam man damit auch auf vielen Bergbahnen einen Rabatt, auch das scheint nicht mehr so häufig der Fall zu sein. Sie sollten also vor einem Kauf (vorab online möglich) den Taschenrechner bemühen.

SOLO ODER MIT ANDEREN?

Die Antwort scheint einfach: Schon aus Sicherheitsgründen sollte man nicht allein gehen. Und dann hat man auch Gesellschaft, muss zum Beispiel abends nicht allein herumsitzen.

Ich habe die meisten Alpenüberquerungen allein unternommen. Mit zwei Ausnahmen: Den ersten Teil der Tour Oberammergau – Vittorio Veneto war ich mit meiner Frau unterwegs, die Tour Thun – Biella habe ich mit meinem Freund Udo unternommen. Dass meine Frau mich seither nicht mehr begleitet hat, lag daran, dass sie die Anforderungen dann doch als zu groß empfand; mit Udo hätte ich gerne noch weitere Touren gemacht, doch leider ist er dann schwer erkrankt.

Nicht dass ich grundsätzlich ein Einzelgänger wäre, aber ich schätze auch bestimmte Aspekte des Allein-unterwegs-Seins. Dass ich in der Regel solo gehe, ist eine Kombination aus Notlage und innerer Gestimmtheit. Leider finde ich in meinem Freundes- und Bekanntenkreis niemanden, der so etwas wie eine Alpenüberquerung unternehmen möchte. Zwar könnte ich versuchen, über den Alpenverein oder über alpinistische Websites Gleichgesinnte zu finden. Aber gemessen an dem Aufwand und dem Risiko, dass man dann doch nicht gut zusammen passt, erscheint mir das Alleingehen die für mich bessere Lösung.

Die Solo-Tour hat ja auch ein paar große Vorteile: Ich kann gehen, wann ich will – als Freiberufler (und jetzt Rentner) versuche ich, mir die Sommermonate möglichst frei zu halten für den spontanen Aufbruch bei gutem Wetter. Mit einem Mitwanderer oder gar mehreren muss man sich von vorneherein auf ein fixes Datum festlegen – und dann auch bei weniger gutem Wetter aufbrechen. Allein kann ich die Tour genauso strukturieren, wie mir das angenehm ist – die Etappenlängen festlegen, Ruhetage einlegen, usw. Und ich gehe in meinem Tempo. In der Gruppe gibt es meist schnellere und langsamere Geher, was zu Spannungen führen kann.

Die Nachteile einer Solo-Tour erscheinen mir auch nicht so schwerwiegend: Beim abendlichen Restaurantessen lese ich Zeitung oder News vom Smartphone oder Romane, die darauf gespeichert sind. Auf Berghütten sitzt man meist mit anderen am Tisch, und dann entspinnt sich ein – manchmal sogar interessantes – Tischgespräch.

Und die Sicherheit? Klar wäre es besser, nicht allein zu gehen, aber zum Einen schätze ich mich als einen erfahrenen Alpinisten ein, und zum Anderen gehe ich ziemlich vorsichtig zu Werke, bleibe bei schlechtem Wetter im Tal, und denke vor dem Aufbruch über Stützpunkte und Notabstiege nach.

Wenn Sie aber alpiner Anfänger sind, sollten Sie nicht allein gehen.

SONNENBRILLE

Ratsam, natürlich mit Schutz gegen UV-Strahlen. Ich würde keine mit sehr dunklen Gläsern verwenden, denn dann haben Sie ein Problem, wenn sich mal eine Wolke vor die Sonne schiebt. Sie müssen ohnehin damit rechnen, dass Ihre Tagesetappe Sie durch offenes Terrain, Wald, über Sonnen- und Schattenhänge führt. Sie sollten sich also darauf einrichten, das Teil immer mal wieder abzunehmen oder hochzuschieben. Manche Leute haben immer eine Sonnenbrille auf, auch bei stark bewölktem Himmel, in den Bergen ist das tendenziell gefährlich, denn man muss die Stolperfallen auf dem Weg gut erkennen können.

Wegen Kurzsichtigkeit trage ich eine Optikerbrille, auf Tour schiebe ich eine Aufsteck-Sonnenbrille darüber, die sich dank eines Scharniers hochklappen lässt.

STÖCKE

Die große Mehrheit der alpinen Wanderer verwendet welche, ich auch. Der Einsatz der Armmuskulatur erleichtert das Aufsteigen, und beim Absteigen verringert das Abstützen die Gefahr von Stürzen und schont die Knie.

Nicht jedem ist bekannt, dass man Teleskopstöcke beim Aufsteigen kürzer einstellen sollte als beim Bergabgehen. Meine Stocklängen sind (bei einer Körpergröße von 1,83 Metern): steiler Aufstieg 1,25 m, mittelsteiler Aufstieg 1,275 m, in der Ebene 1,30 m, mittelsteil bergab 1,35 m, steil bergab 1,40 m. Bei leichtem Bergabgehen setze ich die Stöcke nicht ein, weil sie dann eher stören als helfen.

Ich habe mir angewöhnt, die Stöcke auch auf ebenen Passagen einzusetzen, angelehnt an den Stil des Nordic Walking – mit kräftigem Abstoßen nach hinten, jedoch nicht so langen Schritten wie beim schulmäßigen Nordic Walking. Damit kann ich (in der Ebene) ca. 5 Kilometer in der Stunde statt der normalen 4 zurücklegen. Daraus schließe ich, dass der Armeinsatz beim Wandern bis zu 20 Prozent Leistungssteigerung bringen könnte.

Eine gewisse Gefahr der Wanderstöcke liegt darin, dass man, rutscht man trotz ihres Einsatzes auf einem steilen Weg oder in steilem Gelände mit den Füßen ab, die Wanderstöcke sich durchbiegen und sogar brechen können, da die Hände ja in den Schlaufen stecken. Mir sind zweimal Stöcke auf diese Weise – und mit einem lauten Knall – gebrochen. Ein Sportartikelverkäufer, bei dem ich mich über einen gebrochenen Stock beschwerte, erklärte mir, man müsse die Stöcke fassen, ohne die Schlaufe zu verwenden; er selbst sei einmal Zeuge einer

Stöcke versprechen mehr Sicherheit in steilem Gelände.

schweren Schulterverletzung eines Freundes geworden, dessen Hand in der Schlaufe festhing.

Ich fasse aber nach wie vor die Stöcke durch die Schlaufe, weil sonst weniger Kraft auf den Stock übertragen wird und auch beim Bergabgehen das Abstützen weit weniger effektiv wäre.

Die Schlaufe sollte richtig eingestellt sein, weit genug, dass man leicht in sie hinein kommt, aber eng genug, damit man Druck auf sie ausüben kann.

Es werden auch Stöcke mit Dämpfung (Federung) angeboten – ich kann dadurch aber keinen Gewinn an Komfort erkennen.

Die kleinen Teller sollen verhindern, dass der Stock tief in den Schnee oder in sumpfigen Boden einsinkt. Im Frühsommer mit einigem Restschnee sind die Tellerchen hilfreich, ansonsten aber nicht nötig. Es ist allerdings (nach meiner Erfahrung) nicht so einfach, sie abzumontieren, oder wieder aufzumontieren.

Mit Stöcken kann man auch aggressive Tiere abwehren oder sie solchen zur Drohung entgegenhalten. Das habe ich einige wenige Male gegenüber Hunden und Kühen tun müssen. Mit dem Griff habe ich einmal eine Kuh leicht auf die Nase gehauen, die im Trab auf mich zukam.

Ein Stock eignet sich auch als »Wäscheleine« beim abendlichen Kleiderwaschen, indem man ihn diagonal über eine Duschkabine legt. Oder über die Flügel eines geöffneten Fensters.

TEMPERATUREN

Bei einer typischen hochsommerlichen Wetterlage ist eher die Hitze ein Problem – vor allem beim Steigen in der Sonne, ohne Schatten. Es kann aber auch kühle Wetterlagen geben, nicht nur im Herbst. Dann sind leichte Handschuhe (etwa aus Fleece) nützlich, ein Stirnband und eine lange Unterhose, falls Sie in einer dünnen Wanderhose gehen.

Pro 100 Höhenmeter müssen Sie mit einer Temperaturabnahme von 0,65 Grad rechnen. Auf 2500 Metern ist es deshalb normalerweise etwa zehn Grad kälter als im Talort auf 1000 Metern. Herrschen dort 25 Grad, ist das kein Problem, bei nur 15 Grad unten schon, vor allem, wenn dann noch Wind dazukommt. Für solche winterlichen Temperaturen sollte man sich dann auch winterlich mit Kleidung einmummen können!

Unterkühlung (Hypothermie) tritt schneller ein und ist gefährlicher, als man gemeinhin denkt. »Erfrieren« kann man schon bei Außentemperaturen von über null Grad Celsius. Entscheidend ist das Absinken der Körpertemperatur, unter 32 Grad besteht Lebensgefahr. Das »Bibbern« ist ein Warnzeichen, dann können bald Bewusstseinstrübungen eintreten, die die Lage verschlimmern.

Wasserfall im Wolayer Tal (Tour 3) – Vorsichtige trinken kein Oberflächenwasser.

TRINKWASSER

Vor allem an wärmeren Tagen sollte man viel trinken. Ich habe zwei Wasserflaschen mit je einem Liter dabei.

Viele Wanderer glauben, mit einem Liter auszukommen. Das reicht höchstens an kühlen Tagen! Durst kann schrecklich sein. Deshalb sollte man tagsüber auf Hütten oder in Gasthöfen etwas trinken und Wasser nachfüllen (Wasser erbitten, kaufen oder im Toilettenwaschbecken zapfen), aber nicht immer liegen solche Stützpunkte auf dem Weg. Öffentliche Brunnen gibt es auch in den Alpen nicht mehr viele, und oft liest man dann auch noch das Schild »Kein Trinkwasser«.

Das Wasser aus Bächen zu trinken, ist eine Notlösung, von der manche Experten abraten, weil es von Wild- und Weidetieren verunreinigt sein kann. Andere sagen, dass das Risiko bei schnell fließenden Bächen nur gering sei. Man kann Entkeimungstabletten mitführen, die aber mindestens eine halbe Stunde brauchen, um zu wirken.

Auf Quellen sollte man sich nur verlassen, wenn man sicher sein kann, dass sie existieren und dass man an einer vorbeikommt. In Kalkstein-Gebieten beispielsweise gibt es kaum Quellen, und falls doch, ist die Wasserqualität zweifelhaft, weil das Wasser nicht durch Erdschichten sickerte, sondern aus einem Höhlensystem stammt, wo es nicht ausreichend gereinigt wurde.

Bei großem Durst, und wenn sonst kein Wassernachschub verfügbar ist, sollten Sie nicht zögern, um das Auffüllen Ihrer Flaschen zu bitten, wenn Sie an bewohnten Häusern vorbeikommen.
Das Angebot an Trinkflaschen ist breit gefächert. Natürlich sollte man beim Kauf auf das Gewicht achten. Ich habe zwei Literflaschen aus Leichtmetall. Am meisten Gewicht und Geld spart man, wenn man dünnwandige Plastikflaschen, in denen es Wasser zu kaufen gibt, wieder befüllt. Sie stehen allerdings im Verdacht, einen gesundheitsschädlichen Stoff abzusondern.
Isotonische Getränke mitzuführen halte ich nicht für notwendig. Wenn ich tagsüber einkehre, trinke ich aber ein Schorle-Getränk, was ja eine isotonische Wirkung hat.
Was ich tagsüber nicht trinke, sind Bier und andere Alkoholika. Ich weiß, für manche Männer gehört eine Halbe Bier zum Wandern dazu. Ich finde, das kann man sich im Hochgebirge nur dann erlauben, wenn die restliche Wegstrecke sehr einfach ist, etwa leicht bergab über Almwege führt. Ich tue es auch dann nicht, weil ich dieses angeschickerte Gefühl beim Wandern nicht brauchen kann.
Abends genehmige ich mir dann schon ein Glaserl oder meistens zwei.

TRITTSICHERHEIT

Wenn Sie schon in den Alpen gewandert sind, auch in den höheren Lagen, dann werden Ihnen steinige Wege und steile Auf- und Abstiege bekannt sein. Sie müssen trittsicher sein, damit ist gemeint, dass Sie Vertrauen haben in Ihre Fähigkeit, auch auf schmalen Wegen in steilem Gelände ohne Angst gehen zu können.
Schwindelfreiheit ist eine weitere Voraussetzung. Viele Menschen werden furchtsam, wenn sich ein Abgrund vor ihnen auftut. Wenn Sie sich auf einem Aussichtspunkt oder hohen Turm übers Geländer beugen und steil in die Tiefe schauen, dann sollte Ihnen nicht schwindelig werden oder Panik in die Knochen fahren, andernfalls könnten Sie auch bei Alpenüberquerungen Probleme bekommen.
An einigen wenigen Stellen meiner Touren muss man ein paar Meter klettern, jedoch nicht so, wie das die Huber-Buam und andere Stars in den Filmen tun. Es handelt sich um Blockklettern, man muss sich nicht steil, sondern schräg nach oben bewegen und hat dabei immer drei der Gliedmaßen in fester Position, während die vierte (Hand oder Fuß) eine neue Stelle sucht. Bekannte Kletterstrecken dieser Art sind in den bayerischen Alpen die letzten Meter zum Gipfel der Kampenwand oder der Westlichen Karwendelspitze über Mittenwald. Oder vom Schneefernerhaus zum Zugspitz-Gipfel hinauf. Derlei Kletterpassagen nenne ich in den Tourenbeschreibungen ausdrücklich; Sie können dann eine andere Wahl treffen, wenn Ihnen die Sache nicht behagt.

ÜBERNACHTUNGEN

Vor Berghütten habe ich mich zu Beginn gefürchtet. Auf einigen war ich schon früher gewesen, und in Jugendherbergen. Manche Menschen ertragen es klaglos, in einem großen Schlafraum zu nächtigen, Hintern an Hintern mit unbekannten Menschen, samt deren Schnarchern und Abgasen. Und pennen wieder weg, wenn die Bergsteiger unter den Mitschläfern schon um 4 oder 5 Uhr die Treppe hinunter rumpeln. Auch dass oft nur kaltes Wasser aus den Hähnen rinnt, macht ihnen nichts aus.

Rückblickend betrachtet, muss ich allerdings sagen, dass das Übernachten in vielen Fällen angenehmer war. Abseits der der berühmten Wege und Berggebiete sind die Hütten oft recht leer, und Schläfer wählen sich dann Plätze möglichst fernab von den anderen. Dann stehen auch die Chancen gut, dass man ein »Zimmerlager« buchen kann. Dort ist man idealerweise allein, manchmal sind sogar Federbetten vorhanden statt der weniger angenehmen groben Decken. Ein Zimmerlager ist meist fünf bis zehn Euro teurer als ein Platz im Matratzenlager, was ich gern zusätzlich ausgebe.

Das Essen auf Hütten ist selten wirklich schlecht, oft mittelmäßig (aber man hat ja Hunger), und hin und wieder auch recht gut. Man sollte die Hüttenwirte nicht leichtfertig kritisieren; Sie müssen allerhand Probleme meistern wie die Trinkwasserversorgung und die Abwasserreinigung, sie müssen den Nachschub mühsam (mit Jeep oder mit Maultieren) herantransportieren oder teuer einfliegen

An Hüttenübernachtungen musste ich mich erst gewöhnen.

Eine Reservierung ist in der Dreizinnenhütte dringend zu empfehlen.

lassen, anspruchsvolle Gäste ertragen und dabei von 6 Uhr morgens bis abends 10 oder 11 auf Trab sein. In der Regel wirtschaften sie als Pächter auf eigene Rechnung und erzielen, wie man hört, meist nur einen kargen Verdienst.

Was Sie brauchen, um auf Berghütten nächtigen zu können: Vor allem einen Hüttenschlafsack, das ist ein speziell genähtes Doppellaken, in dem man schläft, und das verhindert, dass man großflächig mit dem Kopfkissen, dem Matratzenüberzug und der Zudecke des Hüttenbetts in Berührung kommt – denn die werden nur einmal im Jahr gewaschen. Manche Leute schleppen auch einen richtigen Schlafsack mit, aber das zusätzliche Gewicht und der nötige Stauraum im Rucksack sprechen dagegen; auch wird es im Schlafraum selten kalt.

Der Hüttenschlafsack wiegt je nach Ausführung zwischen etwa 100 und 500 Gramm; Seide ist am leichtesten (reißt aber leicht), Baumwolle am schwersten, Kunstfaser liegt dazwischen.

Es gibt private und Alpenvereinshütten, letztere sind in der Mehrheit. Alpenvereinsmitglieder übernachten dort günstiger, schon deshalb sollte man Mitglied werden, in Deutschland im Deutschen Alpenverein (DAV). Das verschafft auch in den anderen Alpenländern Rabatt bei den dortigen Alpenvereinshütten.

Betrachtet man nur die Hüttenrabatte, lohnt sich die Mitgliedschaft erst ab sechs oder sieben Übernachtungen pro Jahr. Allerdings beinhaltet die Mitgliedschaft

Nach dem Aufbruch von der Europahütte zeigte sich erstmals das Matterhorn (Tour 4).

auch einen Versicherungsschutz für eine Bergrettung und für Arzt- und Krankenhauskosten bei einem Unfall, auch im Ausland. Schon daher ein Muss.
Anders als früher ist es inzwischen ratsam, für die Übernachtungen auch in den Berghütten zu reservieren. Durch die Allgegenwart der Smartphones ist dies wohl sogar üblich geworden. Das heißt, dass die Chancen sinken, spontan einen Schlafplatz zu finden. Für Alpenüberquerer ist dies keine günstige Entwicklung. Denn es wird heikler, wegen Schlechtwetters, Erschöpfung oder Fußblasen Pausen einzulegen, wenn man mehrere Tage oder vielleicht die ganze Tour vorab reserviert hat. Man muss dann mühsam stornieren und hoffen, auf die folgenden Nächte umbuchen zu können. Die Wanderer könnten sich nun gezwungen sehen, trotz einer schlechten Wetterperiode aufzusteigen, weil sie befürchten, später keine Übernachtungen mehr zu bekommen.
Man sollte hier bedenken: Außerhalb des Augusts sind die Hütten weniger voll. Und weniger bekannte Berggegenden sind weniger überlaufen als die berühmten. Denkbar ist es auch, vorab auf den Hütten anzufragen, ob und wann man auch ohne Reservierung ein Plätzchen finden kann.
Im Prinzip kann man auf isoliert liegenden Berghütten auch ohne Reservierung übernachten, denn Hüttenwirte dürfen einen nicht in die nächtliche Wildnis schicken. Allerdings muss man sich dann darauf einstellen, nicht sehr freundlich behandelt zu werden und einen unbequemen Notschlafplatz zugewiesen zu bekommen. Wahrscheinlich ist es keine gute Idee, sich auf diese Weise durchzumogeln.
Das Reservieren ist einfacher geworden. Eine Hüttenübersicht mit Links zu den Hütten in Deutschland, Österreich und Südtirol gibt es auf alpenvereinaktiv.com und auf alpenverein.at, die Schweizer Hütten findet man auf sac-cas.ch . Man kann auch versuchen, eines der etwas komfortableren Zimmerlager zu bekommen – falls es diese auf der gewünschten Hütte gibt.
Für die normalen Hotels und Pensionen, in den Talorten, ist ja mittlerweile auch das Reservieren üblich geworden. Höchstens bei sehr viel Auswahl könnte man sich das ersparen. Gibt es vor Ort nur eine oder zwei Unterkünfte, würde ich auf jeden Fall reservieren – selbst wenn mir dann Stornokosten drohen. Der Nachteil, die Tour abbrechen oder umplanen zu müssen, wäre mir zu gravierend.
Wenn ich die Wahl habe, übernachte ich statt auf Hütten lieber in Hotels, Pensionen oder Privatzimmern. Ich mag die Bequemlichkeit eines Federbetts und die Auswahl an Restaurants für die abendliche Speisung. Und das Lesen mit Hilfe einer Nachttischlampe.

Biwakieren: Im Prinzip kann man bei einer Alpenüberquerung auch unter freiem Himmel schlafen. Ich habe niemals einen Gedanken daran verschwendet; das zu-

Einfache Waschgelegenheit im Rifugio Pian de Fontana (Tour 2)

sätzliche Gewicht für Schlafsack mit Unterlage, Zelt oder Biwaksack, Essen und Campinggeschirr würde mich umbringen. Vielleicht sind Sie aber jung und stark. Dann sollten Sie wissen, dass das Kampieren in freier Landschaft in manchen Alpenländern verboten ist. Am liberalsten scheinen noch Deutschland und die Schweiz zu sein, striktere Verbote gelten in vielen Teilen Österreichs und in Italien.

Das Zelten ist eher verboten als das Kampieren nur im Schlaf- oder Biwaksack. Oberhalb der Waldgrenze wird das freie Übernachten eher toleriert als unterhalb. Vor allem Bergsteiger und Kletterer kampieren in größeren Höhen, so etwas scheint unproblematisch zu sein. Aber Achtung, dort kann es verdammt kalt werden! Jeder, der im Freien übernachtet, sollte selbstverständlich die Natur schonen, kein Lagerfeuer machen und seinen Müll wieder mitnehmen.

WÄSCHEWASCHEN

Sich kleidermäßig knapp auszurüsten, geht nur, wenn Sie bereit sind, ihre Sachen unterwegs zu waschen. Männer halten das oft für unter ihrer Würde, aber nur so kann man unterwegs sein, ohne sich das Kreuz auszuhängen. Ich empfehle das bekannte Fabrikat Rei oder Vergleichbares.

Ja, das Wäschewaschen etwa jeden zweiten Abend ist lästig, und auf Hütten ist es oft ganz verboten. Doch die Kunstfaserhemden stinken nun mal schon nach wenigen Stunden im Einsatz, so dass es mir widersteht, sie einen zweiten Tag zu tragen.

ZUSCHRIFTEN

Meine Korrespondenzadresse: F.Gerbert@web.de

Impressum

Hinweis zu den Routenkarten: Die durchgehenden roten Linien zeigen die gewanderten Strecken, die gestrichelten die Benutzung von Bergbahnen und Sesselliften sowie die Inanspruchnahme von Bahnen, Bussen oder Taxis.
Hinweis zu den Angaben zu Einkehr und Übernachtung: Im Text werden dafür folgende Abkürzungen verwendet: EM = Einkehrmöglichkeit; ÜM = Übernachtungsmöglichkeit.

Downloaden Sie hier die Wegführung der Alpenüberquerungen im gpx-Format: Hinweise dazu finden Sie auf Seite 205.

3., aktualisierte und verbesserte Auflage 2026

www.bergundtal-verlag.de

Hinweis
Dieser Band wurde mit aller Sorgfalt recherchiert, beschrieben und illustriert. Dennoch erfolgen alle Angaben ohne Gewähr, da zwischenzeitliche Änderungen nicht auszuschließen sind. Weder der Autor noch der Verlag können aus daraus resultierenden Nachteilen eine Haftung für Schäden irgendwelcher Art übernehmen.

Bildunterschriften
S. 2: Blick vom Weisshorn über die Ortschaft Radein bis zu den Brenta-Dolomiten und zur vergletscherten Adamello-Gruppe (Tour 9)
S. 32/33: Der Kapuzinersee nahe des Passübergangs Waldhorntörl (Route 8)
S. 192/193: Blick über Rasa und das Centovalli hinweg auf den Pizzo Ruscada (etwas verdeckt; Tour 10)

Fotografie: Alle Fotos stammen vom Autor; mit Ausnahme der Abbildungen auf den Seiten 66, 69, 104/105, 187 und 192/193 (Heinrich Bauregger)
Covergestaltung: Christian Weiß, München
Layout, Typografie: Catherine Avak, Memmingen
Redaktion: Heinrich Bauregger
Druck und Bindung: Westermann Druck, Zwickau

Printed and bound in Germany

ISBN 978-3939499-75-6